dtv

Ihm ist etwas widerfahren, das er nur »die Katastrophe« nennt. Danach hat sich der ehemalige Chirurg Fredrik Welin auf eine kleine Insel in den Schären zurückgezogen und mit seinem Leben abgeschlossen. Doch dann steht eines Tages seine Jugendliebe Harriet vor der Tür und erinnert ihn an ein altes Versprechen. Er folgt ihr auf eine Reise in die Vergangenheit, voller unverhoffter Begegnungen mit außergewöhnlichen Menschen. Diese Reise wird ihm den Weg zurück zu den Menschen weisen.

Ein spannender Roman über die Liebe und über die Einsamkeit, komisch, nachdenklich und anrührend zugleich. »Dieses Buch tönt fort im Herzen der Menschen.« (Ystads Allehanda)

Henning Mankell, geboren 1948 in Härjedalen, ist einer der angesehensten und meistgelesenen schwedischen Schriftsteller, vor allem bekannt durch seine Wallander-Krimis. Er lebt als Theaterregisseur und Autor abwechselnd in Schweden und in Maputo/Mosambik. Seine Taschenbücher sind bei <u>dtv</u> erschienen: www.mankell.de

Henning Mankell

Die italienischen Schuhe

Roman

Aus dem Schwedischen
von Verena Reichel

Deutscher Taschenbuch Verlag

Eine Übersicht über Henning Mankells
Bücher auf Deutsch unter
www.mankell.de

Ungekürzte Ausgabe
Juni 2009
3. Auflage September 2009
Deutscher Taschenbuch Verlag GmbH & Co. KG, München
www.dtv.de
Lizenzausgabe mit Genehmigung des Paul Zsolnay Verlags Wien
© 2006 Henning Mankell
Titel der schwedischen Originalausgabe:
›Italienska skor‹
(Leopard förlag, Stockholm 2006)
© 2007 der deutschsprachigen Ausgabe:
Paul Zsolnay Verlag Wien
Umschlagkonzept: Balk & Brumshagen
Umschlagfoto: LOOK-foto/Heinz Wohner
Satz: Filmsatz Schröter, München
Druck und Bindung: Druckerei C. H. Beck, Nördlingen
Gedruckt auf säurefreiem, chlorfrei gebleichtem Papier
Printed in Germany · ISBN 978-3-423-21152-9

Wenn der Schuh paßt
denkt man nicht an den Fuß.

ZHUANG ZHOU

Es gibt zwei Arten von Wahrheit:
Trivialitäten, deren Gegenteil unsinnig ist,
und tiefe Wahrheiten, deren Gegenteil
ebenfalls eine tiefe Wahrheit ist.

NIELS BOHR

Die Liebe ist eine weiche Hand, und sie
schiebt das Schicksal sacht zur Seite.

SIGFRID SIWERTZ

Das Eis

I

IMMER WENN es kalt ist, fühle ich mich einsamer.

Die Kälte vor dem Fenster läßt mich an die Kälte meines Körpers denken. Ich werde von zwei Seiten angegriffen. Aber ich kämpfe ständig dagegen an, gegen die Kälte wie gegen die Einsamkeit. Deshalb hacke ich jeden Morgen ein Loch ins Eis. Stünde jemand mit einem Fernglas draußen in der zugefrorenen Bucht, würde er annehmen, ich sei verrückt und im Begriff, meinen Tod vorzubereiten. Ein nackter Mann in der eisigen Kälte, mit einer Axt in der Hand, eifrig dabei, ein Loch ins Eis zu hacken?

Vielleicht hoffe ich insgeheim, da draußen wäre eines Tages jemand, ein schwarzer Schatten in all dem Weiß, der mich sieht und sich fragt, ob er eingreifen soll, bevor es zu spät ist. Doch man braucht mich nicht zu retten, da ich nicht die Absicht habe, Selbstmord zu begehen.

Früher im Leben, im Zusammenhang mit der großen Katastrophe, wurden die Verzweiflung und der Zorn so stark, daß ich erwog, Schluß zu machen. Doch ich habe es nie versucht. Die Feigheit ist mein treuer Begleiter. Damals wie heute denke ich, daß es im Leben darum geht, nicht loszulassen. Das Leben ist ein dünner Ast über einem Abgrund. Daran hänge ich, solange ich die Kraft dazu habe. Dann stürze ich ab, und ich weiß nicht, was mich erwartet. Gibt es jemand da unten, der mich auffängt? Oder ist es nur eine kalte und harte Dunkelheit, die mir entgegenrast?

Das Eis breitet sich aus.

Der Winter ist streng in diesem Jahr, am Beginn des neuen Jahrtausends. Heute morgen, als ich in der Dezemberdunkelheit aufwachte, meinte ich zu hören, wie das Eis sang. Ich weiß nicht, woher ich die Vorstellung hatte, daß das Eis singen kann. Vielleicht war es etwas, was mein Großvater, der hier draußen auf seiner Schäre geboren ist, zu mir sagte, als ich klein war.

Doch ich erwachte von einem Geräusch in der Dunkelheit. Es war weder die Katze noch der Hund. Meine Katze ist alt und steifbeinig, mein Hund ist auf dem rechten Ohr stocktaub, und auf dem linken hört er nur noch sehr schlecht. Ich kann an ihm vorbeischleichen, ohne daß er es merkt.

Aber dieses Geräusch?

Ich versuchte, mich in der Dunkelheit zu orientieren. Es dauerte eine Weile, bis ich erkannte, daß es das Eis war, das sich rührte, obwohl es hier in der Bucht mindestens zehn Zentimeter dick ist. Letzte Woche, an einem Tag, an dem ich unruhiger war als gewöhnlich, ging ich hinaus bis zur Kante, wo das Eis auf das offene Meer trifft. Dort lag es über einen Kilometer jenseits der äußersten Schären. Das Eis dürfte sich also hier in der Bucht kaum bewegen. Doch es hob und senkte sich, es knackte und sang.

Ich lauschte dem Geräusch und dachte wieder, wie schnell mein Leben doch vergangen ist. Jetzt war ich hier. Ein Mann von sechsundsechzig Jahren, finanziell unabhängig, der eine Erinnerung in sich trägt, die ihn ständig plagt. Ich bin in einer Armut aufgewachsen, die man sich heute in diesem Land kaum noch vorstellen kann. Mein Vater war ein übergewichtiger Kellner, den man häufig schikanierte, und meine Mutter versuchte, mit dem Geld auszukommen. Aus diesem Armutsbrunnen bin ich hochgeklettert. Als Kind habe ich hier draußen gespielt und nichts von der Zeit geahnt, die ständig schrumpft. Damals waren mein Großvater und meine Großmutter noch rührige Menschen, nicht zur Unbeweglichkeit und zum Warten verurteilt. Er roch nach Fisch, und ihr fehlten sämtliche Zähne. Obwohl Großmutter immer freundlich war, lag etwas Erschreckendes darin, zu sehen, wie sich ihr Lächeln zu einem schwarzen Loch öffnete.

Eben noch befand ich mich im ersten Akt. Jetzt hat bereits der Epilog begonnen.

Das Eis sang da draußen in der Dunkelheit, und ich fragte mich, ob ich gleich einen Herzanfall bekommen würde. Ich stand auf und maß den Blutdruck. Mir fehlte nichts, der Blutdruck war 155/90, der Puls normal, 64 Schläge. Ich tastete, ob es mir irgendwo weh tat. Das linke Bein schmerzte leicht. Das tut es eigentlich immer, und es beunruhigt mich nicht. Aber das Eis da draußen bereitete mir Unbehagen. Es war wie ein eigentümlicher Chor von undeutlichen Stimmen. Ich setzte mich in die Küche und wartete auf die Dämmerung. Es knackte in den Holzbalken. Wahrscheinlich war es das Holz, das sich in der Kälte zusammenzog, oder eine Maus, die sich in einem ihrer heimlichen Gänge bewegte.

Das Thermometer vor dem Haus zeigte minus 19 Grad.

Heute werde ich es wie an allen anderen Wintertagen machen. Ich ziehe einen Bademantel und ein Paar abgeschnittene Stiefel an, nehme die Axt und gehe hinunter zum Landungssteg. Es ist nicht schwer, das Loch aufzuhacken, da das Eis dort nicht stark gefroren ist. Dann ziehe ich mich aus und tauche in das körnige Wasser ein. Es tut weh, aber es ist, als würde sich die Kälte in eine intensive Wärme verwandeln, wenn ich mich erst wieder auf das Eis hochgezogen habe.

Ich steige in mein schwarzes Loch, um zu spüren, daß ich noch lebe. Hinterher ist es, als würde die Einsamkeit langsam verklingen. Vielleicht sterbe ich eines Tages, wenn ich in das Loch hinuntersteige. Da ich den Boden mit den Füßen erreiche, werde ich nicht unter der Eisdecke verschwinden. Ich werde in dem Loch stehen, das um mich bald wieder zufrieren wird. Dort wird Jansson, der die Post hier draußen zwischen den Inseln austrägt, mich finden.

Er wird nie, solange er lebt, verstehen, was geschehen ist.

Aber das ist mir gleich. Ich habe hier draußen auf der Schäre, die ich geerbt habe, mein Zuhause wie eine uneinnehmbare Festung eingerichtet. Wenn ich auf den Felsen hinter dem Haus steige, sehe ich direkt aufs Meer. Dort gibt es nichts als Schären und flache Klippen, die ihre schwarzen glatten Rücken dicht über der Wasseroberfläche oder der Eisdecke sehen lassen. In der anderen Richtung werden die inneren Schären dichter. Aber nirgends sehe ich ein Haus, nur mein eigenes.

Natürlich war es nicht so, wie ich es mir vorgestellt hatte.

Dieses Haus sollte mein Sommerhaus werden. Nicht die äußerste Festung, die ich verteidigen muß. Jeden Morgen, an dem ich mein Loch aufhacke oder in ein sommerwarmes Wasser steige, kehrt meine Verwunderung über das, was mit meinem Leben geschehen ist, zurück.

Ich weiß, was geschehen ist. Ich habe einen Fehler begangen. Und ich habe mich geweigert, die Folgen zu akzeptieren. Hätte ich gewußt, was ich heute weiß, was hätte ich dann getan? Ich kann es nicht beantworten.

Ganz sicher bin ich mir nur, daß ich dann nicht wie ein Gefangener hier draußen am offenen Meer sitzen müßte.

Ich hätte mein Leben nach dem einmal gefaßten Plan gelebt.

Schon früh habe ich beschlossen, Arzt zu werden. Es geschah an dem Tag, an dem ich fünfzehn Jahre alt wurde und mein Vater mich zu meiner großen Überraschung in ein Restaurant einlud. Er, der selbst Kellner war und als Ergebnis eines hartnäckigen Kampfes um seine Würde nur tagsüber arbeitete, nie an den Abenden. Wurde er zur Abendschicht eingeteilt, kündigte er. Ich erinnere mich noch an das besorgte Weinen meiner Mutter, wenn er heimkam und mitteilte, daß er gekündigt habe. Jetzt würde er mich ins Restaurant mitnehmen. Ich hörte meinen Vater und meine Mutter darüber streiten, ob es richtig wäre. Es endete damit, daß meine Mutter sich im Schlafzimmer einschloß. Das tat sie immer dann, wenn ihr etwas zuwiderlief. Während besonders schwieriger Auseinandersetzungen verbrachte sie ganze Tage eingeschlossen in ihrem Zimmer. Dort roch es nach Lavendel und Tränen. Ich selbst schlief dann auf der Küchenbank, und mein Vater legte unter tiefen Seufzern eine Matratze auf den Boden.

Ich bin in meinem Leben vielen weinenden Menschen begegnet. Während meiner Jahre als Arzt habe ich Sterbende kennengelernt und jene, die einsehen mußten, daß ein naher Angehöriger von einer unheilbaren Krankheit befallen war. Aber nie hatten ihre Tränen einen Duft, der an die Tränen meiner Mutter erinnerte. Auf dem Weg zum Restaurant erklärte mir mein Vater, daß sie überempfindlich sei. Manchmal frage ich mich heute noch, was ich geantwortet habe. Was konnte ich eigentlich sagen? Meine ersten Erinnerungen im Leben waren, daß ich meine Mutter Stunde um Stunde über das mangelnde Geld, über die Armut weinen hörte, die an allem in unserem Leben zehrte. Mein Vater schien ihr Weinen nicht zu hören. War sie guter Laune, wenn er heimkam, war alles gut. Lag sie mit ihrem Lavendelduft im Bett, war es auch gut. Mein Vater verbrachte gern seine Abende damit, die große Sammlung von Zinnsoldaten zu ordnen und sie nach den Rekonstruktionen historischer Feldschlachten aufzustellen. Bevor ich einschlief, kam es vor, daß er sich auf meine Bettkante sinken ließ, mir über den Kopf streichelte und bedauernd sagte, es sei leider nicht möglich, mir eine Schwester oder einen Bruder zu schenken.

Ich wuchs in einem Niemandsland auf, zwischen Tränen und Zinnsoldaten. Und mit einem Vater, der hartnäckig behauptete, daß das, was einen Kellner mit einem Opernsänger verbinde, die Notwendigkeit sei, bei der Arbeit ordentliche Schuhe zu tragen.

Es geschah, wie er es beschlossen hatte. Wir gingen ins Restaurant. Ein Kellner kam, um die Bestellung aufzunehmen. Mein Vater stellte weitschweifige und kenntnisreiche Fragen über den Kalbsbraten, den er schließlich bestellte. Ich selbst hatte mich zu Hering entschlossen. Die Sommer draußen auf der Insel hatten mich gelehrt, Fisch zu mögen. Der Kellner entfernte sich.

Es war das erste Mal, daß ich Wein trinken durfte. Ich war sofort betrunken. Nach dem Essen betrachtete mein Vater mich mit einem Lächeln und fragte, was ich mit meinem Leben anfangen wolle.

Ich wußte es nicht. Er hatte es sich geleistet, mich in eine Realschule gehen zu lassen. Die triste Schule mit ihren schäbigen Lehrern und nach Wollsachen riechenden

Korridoren ließ mir keinen Raum, um über eine Zukunft nachzudenken. Es galt, den nächsten Tag zu überleben, am besten nicht dabei ertappt zu werden, daß man seine Hausaufgaben nicht gemacht hatte. Der morgige Tag war immer sehr nah, es war unmöglich, sich einen Horizont jenseits des nächsten Halbjahres vorzustellen. Ich kann mich nicht erinnern, je mit meinen Mitschülern über die Zukunft gesprochen zu haben.

»Du bist fünfzehn Jahre alt«, sagte mein Vater. »Jetzt ist die Zeit gekommen, daran zu denken, was du in Zukunft tun wirst. Interessiert dich die Restaurantbranche? Vielleicht willst du als Tellerwäscher nach Amerika, wenn du deinen Abschluß gemacht hast? Es ist gut, wenn du dich umsiehst. Vergiß nur nicht, ordentliche Schuhe zu tragen.«

»Ich will nicht Kellner werden.«

Ich antwortete sehr bestimmt. Ich konnte nicht erkennen, ob mein Vater enttäuscht oder erleichtert war. Er nippte am Wein, strich sich mit dem Finger über den Nasenrücken und fragte dann, ob ich wirklich keine Pläne für meine Zukunft hätte.

»Nein.«

»Irgendwas mußt du dir doch vorstellen. Welche Fächer magst du am liebsten?«

»Musik.«

»Kannst du singen? Das ist ja ganz was Neues.«

»Ich kann nicht singen.«

»Hast du ein Instrument gelernt, ohne daß ich davon weiß?«

»Nein.«

»Warum magst du dann die Musik am liebsten?«

»Der Musiklehrer Ramberg kümmert sich nicht um mich.«

»Wie meinst du das?«

»Er kümmert sich nur um die, die singen können. Uns andere sieht er nicht.«

»Du magst also das Fach am liebsten, in dem du gar nicht anwesend bist?«

»Chemie ist auch gut.«

Mein Vater war sichtlich erstaunt. Einen Augenblick lang schien er in fernen Erinnerungen an seine eigene ärmliche Schulzeit zu suchen, ob es überhaupt ein Fach Chemie gegeben hatte. Ich betrachtete ihn wie verhext. Er verwandelte sich vor meinen Augen. Früher hatte sich nichts anderes verändert als seine Kleidung, seine Schuhe und die Farbe seines Haars, das immer mehr ergraute. Jetzt geschah etwas Unerwartetes. Es war, als überkäme ihn eine plötzliche Hilflosigkeit, und er würde erst jetzt für mich sichtbar. Auch wenn er oft auf meinem Bettrand gesessen hatte oder mit mir draußen in der Bucht geschwommen war, hatte er sich immer in großem Abstand befunden. Jetzt, in all seiner Hilflosigkeit, kam er mir nah. Ich war stärker als der Mann, der mir gegenüber saß, an dem weißgedeckten Tisch im Restaurant, wo eine Kapelle spielte, der niemand zuhörte, wo Zigarettenrauch sich mit starkem Parfum mischte und der Wein in seinem Glas abnahm.

Da entschied ich mich für eine Antwort. Ich entdeckte meine Zukunft oder erschuf sie in diesem Augenblick. Mein Vater sah mich mit seinen graublauen Augen an. Er schien sich von der Hilflosigkeit erholt zu haben, die ihn überkommen hatte. Aber ich hatte sie bemerkt und würde sie nie wieder vergessen.

»Du sagst, Chemie macht Spaß? Warum?«

»Weil ich Arzt werden will. Da muß man sich mit chemischen Substanzen auskennen. Ich will operieren.«

Plötzlich sah er mich mit Abscheu an. »Willst du in Menschen herumschnippeln?«

»Ja.«

»Du kannst doch mit der mittleren Reife nicht Arzt werden.«

»Ich will Abitur machen und studieren.«

»Um mit den Fingern in den Eingeweiden der Menschen herumzustochern?«

»Ich will Chirurg werden.«

In diesem Augenblick entstand der Plan für mein Leben. Ich hatte nie daran gedacht, Arzt zu werden. Ich wurde nicht ohnmächtig, wenn ich Blut sah oder eine Spritze bekam, aber ich hatte mir nie ein Leben in Krankenhauskorridoren oder Operationssälen vorgestellt. Als wir an diesem Aprilabend heimgingen, mein Vater ein bißchen beschwipst, ich selbst ein vom Wein müder Fünfzehnjähriger, erkannte ich, daß ich nicht nur meinem Vater geantwortet hatte. Ich hatte auch mir selbst ein Versprechen gegeben.

Ich würde Arzt werden. Ich würde mein Leben damit verbringen, in menschlichen Körpern herumzuschnippeln.

2

HEUTE KOMMT keine Post.

Gestern ist auch keine gekommen. Aber Jansson kommt, der hier draußen in den Schären Postbote ist. Für mich hat er nichts. Schon vor zwölf Jahren habe ich ihm gesagt, daß er aufhören soll, zu meinem Landungssteg zu kommen, wenn er nur Werbung hat. Ich will von all diesen Sonderangeboten für Computer und Eisbein nichts wissen. Ich sagte ihm, daß ich mich keinen Menschen aussetzen wolle, die versuchten, über mein Leben zu bestimmen, indem sie mich mit Sonderangeboten jagten. Das Leben handelt nicht von Sonderangeboten, versuchte ich ihm zu erklären. Das Leben handelt im Grunde von etwas Wesentlichem. Ich weiß nicht, wovon, aber man muß doch annehmen, daß es wesentlich ist und daß der verborgene Sinn sich auf einer höheren Ebene als auf der von Rabattmarken und Rubbellosen abspielt.

Wir stritten uns. Es war nicht das erste Mal. Manchmal glaube ich, unser Zorn hält uns zusammen. Aber von da an brachte er keine Werbung mehr. Das letzte Mal, als er einen Brief für mich hatte, war es ein Schreiben von der Gemeinde. Das ist siebeneinhalb Jahre her, es war an einem Herbsttag mit einer steifen Brise von Nordost und niedrigem Wasserstand. Man teilte mir mit, daß ich eine Grabstätte auf dem Friedhof zugewiesen bekommen habe. Jansson behauptete, alle würden das bekommen. Es war ein neuer Service: Wer hier draußen wohnte und Steuern bezahlte, sollte wissen, wo seine Grabstätte lag, falls er hingehen und herausfinden wollte, wen er als Nachbarn bekommen würde.

Es war der einzige Brief, den ich in den letzten zehn Jahren bekommen hatte. Abgesehen von den trostlosen Rentenbescheiden, Steuererklärungen und Bankauszügen. Jansson taucht immer gegen zwei auf. Ich vermute, daß er zu mir kommen muß, um von der Post die volle Kostenerstattung für das Boot oder den Hydrokopter verlangen zu können. Ich habe auch versucht, ihn zu fragen, wie es sich verhält, aber er antwortet nicht. Möglicherweise bin ich es tatsächlich, der ihm Arbeit gibt. Weil er im Winterhalbjahr dreimal und im Sommer fünfmal die Woche an meinem Landungssteg anlegt, ist die Tour nicht abgeschafft worden.

Vor fünfzehn Jahren gab es hier draußen auf den Inseln etwa fünfzig ganzjährige Bewohner. Es gab sogar ein Boot, das vier Kinder zur Dorfschule brachte und wieder abholte. Dieses Jahr sind wir nur noch zu siebt, und nur einer ist unter sechzig. Das ist Jansson. Er ist der jüngste von uns und daher am meisten darauf angewiesen, daß wir anderen uns am Leben halten und darauf bestehen, hier draußen auf den Schären zu wohnen. Sonst wird seine Stelle abgeschafft.

Mir würde das nichts ausmachen. Ich mag Jansson nicht. Er ist einer der schwierigsten Patienten, die ich je hatte. Er gehört zu einer Gruppe von äußerst schwer zu behandelnden Hypochondern. Vor vielen Jahren, als ich ihm in den Rachen geschaut und den Blutdruck kontrolliert habe, sagte er plötzlich, er glaube, einen Gehirntumor zu haben, der seine Sehkraft beeinträchtige. Ich erwiderte, ich hätte keine Zeit, mir seine eingebildeten Gebrechen anzuhören. Aber er gab nicht auf. Etwas sei im Begriff, sich in seinem Gehirn festzusetzen. Ich fragte ihn, warum er das glaube. Hatte er Kopfweh? Schwindel? Andere Symptome? Er ließ nicht locker, bis ich ihn in das Bootshaus zerrte, wo es dunkler ist, und in seine Pupillen geleuchtet und erklärt hatte, alles wirke normal.

Ich bin überzeugt, daß Jansson im Grunde kerngesund ist. Sein Vater ist siebenundneunzig Jahre alt und lebt in einem Pflegeheim, ist aber klar im Kopf. Jansson und sein Vater sind seit 1970 zerstritten. Damals dachte Jansson nicht daran, seinem Vater bei der Aalfischerei zu helfen, sondern fing statt dessen an, in einem Sägewerk in Småland zu arbeiten. Warum er ein Sägewerk wählte, habe ich nie verstanden. Daß er seinen tyrannischen Vater nicht ertrug, kann ich natürlich begreifen. Aber ein Sägewerk? Für mich ist es zwecklos zu versuchen, ihn zu verstehen, da ich zu wenig weiß. Aber seit 1970 waren sie verfeindet. Jansson kehrte erst aus Småland zurück, als der Vater so alt war, daß er in ein Pflegeheim zog. Sie sprechen nicht miteinander.

Jansson hat eine ältere Schwester, Linnea, die auf dem Festland wohnt. Als sie noch verheiratet war, betrieb sie den Sommer über ein Café. Aber dann starb ihr Mann, er stürzte auf dem Hang hinunter zum Supermarkt, und sie schloß das Café und wurde religiös. Sie ist die Botin zwischen Vater und Sohn. Ich möchte wissen, was sie einander zu sagen haben. Vielleicht vermittelt sie seit Jahren nur eine große Stille zwischen den beiden.

Janssons Mutter ist seit vielen Jahren tot. Ich bin ihr ein einziges Mal begegnet. Da war sie schon unterwegs in die erschreckende Nebelwelt der Senilität und glaubte, ich sei ihr Vater, der irgendwann in den zwanziger Jahren gestorben war. Es war ein erschütterndes Erlebnis.

Heute hätte ich kaum so heftig reagiert. Aber damals war ich anders.

Eigentlich weiß ich gar nichts über Jansson, außer daß er mit Vornamen Ture heißt und Postillion ist. Ich kenne ihn nicht, und er kennt mich nicht. Aber wenn er um die Landzunge herumkommt, stehe ich gewöhnlich unten am Landungssteg und warte. Ich stehe da und frage mich, warum, und ich weiß, daß ich keine Antwort bekommen werde.

Es ist, wie auf Gott oder Godot zu warten, aber statt dessen kommt Jansson.

Ich setze mich an den Küchentisch und schlage das Logbuch auf, das ich in all den Jahren geführt habe, seit ich hier wohne. Ich habe nichts zu erzählen, und ich kann mir auch nicht vorstellen, daß es jemand interessieren sollte, was da steht. Aber ich schreibe trotzdem. Jeden Tag, jahraus, jahrein, ein paar Zeilen. Über das Wetter, die Anzahl der Vögel vor meinem Fenster, meine Gesundheit. Nichts weiter. Wenn ich will, kann ich ein Datum von vor zehn Jahren aufschlagen und nachlesen, daß eine Blaumeise oder ein Austernfischer auf dem Steg saß, als ich hinunterging, um auf Jansson zu warten.

Ich schreibe eine Chronik über ein Leben, das jede Orientierung verloren hat.

Der Vormittag war vergangen.

Es war Zeit, die Mütze über die Ohren zu ziehen, sich in die bittere Kälte hinauszubegeben und auf Janssons Ankunft zu warten. In dieser Kälte mußte er in seinem Hydrokopter stark frieren. Manchmal meine ich, einen schwachen Duft von Alkohol zu riechen, wenn er am Steg angelegt hat. Ich kann ihn verstehen.

Als ich vom Küchentisch aufstand, erwachten die Tiere zum Leben. Die Katze war als erste an der Tür, der Hund war bedeutend langsamer. Ich ließ sie hinaus und schlüpfte in einen mottenzerfressenen Pelz, der meinem Großvater gehört hat, wickelte einen Schal um den Hals und zog die dicke Militärmütze aus dem Zweiten Weltkrieg über den Kopf. Dann ging ich zum Steg hinunter. Die Kälte war schneidend. Ich blieb stehen und horchte. Noch immer kein Laut. Keine Vögel, nicht einmal Janssons Hydrokopter.

Ich konnte ihn vor mir sehen. Es war, als käme er in einer altertümlichen Straßenbahn, bei der der Fahrer draußen stehen muß. Seine Winterkleidung war unbeschreiblich. Mäntel, Jacken, Stücke von einem Pelz, sogar einen alten Bademantel wickelte er um sich herum, wenn es so kalt wie heute war. Ich habe ihn oft gefragt, warum er sich nicht einen der modernen Thermoanzüge anschaffte, die ich in einem Geschäft auf dem Festland gesehen hatte. Er erwiderte, er würde ihnen nicht trauen. Natürlich liegt es nur an seinem Geiz. Auf dem Kopf hatte er die gleiche Pelzmütze wie ich. Das Gesicht schützte er mit einer Bankräubermütze und einer alten Motorradbrille.

Ich fragte ihn, ob es nicht die Pflicht der Post sei, ihn warm einzukleiden. Da bekam ich nur undeutliches Gemurmel zur Antwort. Jansson will so wenig wie möglich mit der Post zu tun haben, obwohl sie sein Arbeitgeber ist.

Auf dem Eis neben dem Steg lag eine erfrorene Sturmmöwe. Die Flügel waren zusammengefaltet, die gefrorenen Beine ragten steil in die Höhe. Die Augen glichen zwei funkelnden Kristallen. Als ich sie auf einen Stein am Ufer legte, hörte ich das Motorengeräusch des Hydrokopters. Ich mußte nicht auf die Uhr schauen, um zu wissen, daß er pünktlich war. Jansson kam direkt von Vesselsö. Da wohnt eine alte Frau, Asta Karolina Åkerblom.

Sie ist achtundachtzig Jahre alt, hat starke Schmerzen in den Armen, weigert sich aber hartnäckig, ihr Leben auf der Insel aufzugeben, auf der sie geboren ist. Jansson hat erzählt, daß sie kaum noch sehen kann, jedoch weiterhin Pullover und Socken für ihre vielen Enkel strickt, die überall im Land verteilt sind. Ich möchte wissen, wie die Pullover aussehen. Kann man wirklich stricken und verschiedenen Mustern folgen, wenn man halb blind ist?

Der Hydrokopter näherte sich und tauchte an der Landzunge auf, die Richtung Lindsholmen liegt. Es ist ein bemerkenswerter Anblick, wenn das insektenartige Boot sich zeigt und man den eingemummelten Mann am Steuer sieht. Jansson stellte den Motor ab, der große Propeller verstummte, er glitt an den Steg heran und riß seine Brille und die Maske ab. Sein Gesicht war rot und verschwitzt.

»Ich habe Zahnweh«, sagte er, nachdem er mühsam auf den Landungssteg geklettert war.

»Meinst du, daß ich was dagegen tun kann?«

»Du bist Arzt.«

»Aber kein Zahnarzt.«

»Es tut hier unten links weh.«

Jansson sperrte den Mund auf, als hätte er plötzlich hinter mir etwas Entsetzliches entdeckt. Meine eigenen Zähne sind in einem einigermaßen guten Zustand. Mir reicht gewöhnlich ein Zahnarztbesuch pro Jahr.

»Ich kann nichts tun. Du mußt zum Zahnarzt gehen.«

»Du kannst es dir doch wenigstens anschauen.«

Jansson würde nicht lockerlassen.

Ich ging ins Bootshaus und holte eine Taschenlampe und einen Halsspatel. »Mach jetzt den Mund auf!«

»Er ist auf.«

»Sperr ihn weiter auf.«

»Ich kann nicht.«

»Dann sehe ich nichts. Dreh dein Gesicht zu mir!«

Ich leuchtete Jansson in den Mund und schob die Zunge zur Seite. Die Zähne waren gelb und voller Zahnstein. Er hatte viele Plomben. Aber das Zahnfleisch wirkte gesund, und ich konnte keine Löcher entdecken. »Ich kann nichts sehen.«

»Aber es tut doch weh.«

»Du mußt zum Zahnarzt. Nimm eine Schmerztablette!«

»Die sind mir ausgegangen.«

Aus meiner Medikamentenschublade suchte ich eine Schachtel mit Schmerztabletten heraus. Er steckte sie in die Tasche. Wie üblich machte er keine Anstalten zu fragen, was es kostete. Weder die Konsultation noch die Schmerztabletten. Jansson ist ein Mensch, der meine Großzügigkeit für gegeben nimmt. Wahrscheinlich mag ich ihn deshalb nicht. Es ist schwierig, jemand, den man nicht mag, zum engsten Freund zu haben.

»Ich habe ein Päckchen für dich. Es ist ein Geschenk der Post.«

»Seit wann macht die Post Geschenke?«

»Es ist ein Weihnachtsgeschenk. Jeder bekommt ein Päckchen von der Post.«

»Wozu?«

»Ich weiß nicht.«

»Ich will nichts haben.«

Jansson kramte in seinen Säcken und überreichte mir ein kleines, flaches Päckchen. Auf dem Umschlag wünschte mir der Generaldirektor der Post frohe Weihnachten.

»Es kostet nichts. Wirf es weg, wenn du es nicht haben willst.«

»Du kannst mir nicht weismachen, daß man von der Post irgend etwas gratis kriegt.«

»Ich will dir gar nichts weismachen. Alle bekommen das gleiche Päckchen. Und es kostet nichts.«

Janssons Hartnäckigkeit ist für mich manchmal sehr anstrengend. Ich hatte keine Kraft mehr, hier in der Kälte zu stehen und mit ihm zu streiten. Ich riß das Päckchen auf. Es enthielt zwei reflektierende Bänder und die Aufforderung: »Sei achtsam im Verkehr. Grüße von der Post.«

»Was soll ich mit Reflexbändern anfangen? Hier gibt es keine Autos, und der einzige Fußgänger bin ich.«

»Eines Tages bist du es vielleicht leid, hier zu wohnen. Dann können Reflexbänder nützlich sein. Hast du etwas Wasser? Ich muß eine Tablette nehmen.«

Ich habe Jansson niemals mein Haus betreten lassen. Auch diesmal hatte ich nicht die Absicht. »Du mußt einen Becher mit Schnee am Motor schmelzen.«

Ich ging ins Bootshaus, suchte den Deckel einer alten Thermoskanne heraus und preßte Schnee hinein. Jansson warf eine der Brausetabletten hinein. Während der Schnee an dem heißen Motor schmolz, standen wir schweigend da und warteten.

Er leerte den Becher. »Ich komme am Freitag wieder. Dann fällt es über Weihnachten aus.«

»Ich weiß.«

»Wie wirst du Weihnachten feiern?«

»Ich werde Weihnachten nicht feiern.«

Jansson machte eine Geste zu meinem roten Haus hin. Ich befürchtete, er würde in seinen zusammengewürfelten Sachen wie ein geschlagener Ritter in einer allzu schweren Rüstung umfallen. »Du solltest Lichterketten um dein Haus wickeln. Das belebt.«

»Nein danke. Ich ziehe die Dunkelheit vor.«

»Warum kannst du es dir nicht ein bißchen gemütlich machen?«

»Ich habe es genau so, wie ich es haben will.«

Ich drehte ihm den Rücken zu und begann, zum Haus zurückzugehen. Die Reflexbänder warf ich in den Schnee. Als ich auf der Höhe des Holzschuppens war, hörte ich den Hydrokopter mit einem Aufheulen starten. Es klang wie ein Tier in äußerster Not. Der Hund saß auf der Treppe und wartete. Er kann dankbar dafür sein, daß er nichts hört. Die Katze lauerte am Apfelbaum und betrachtete die Seidenschwänze, die an der Speckschwarte herumpickten.

Manchmal fehlt mir jemand zum Reden. Die Gespräche mit Jansson sind eigentlich keine. Nur Geschwätz. Steggeschwätz. Er schwatzt von Dingen, die mich nicht interessieren. Er verlangt, daß ich Diagnosen über seine eingebildeten Krankheiten stelle. Mein Steg und mein Bootshaus sind zu einer Art Privatklinik mit einem einzigen Patienten geworden. Im Lauf der Jahre habe ich Blutdruckmanschetten und Instrumente für die Entfernung von Wachspfropfen neben den alten Fischergarnen im Bootshaus gelagert. Mein Stethoskop hängt zusammen mit einem Lockvogel, den mein Großvater angefertigt hat, an einem Holzhaken. In einer speziellen Schublade verwahre ich verschiedene Medikamente, die Jansson eventuell brauchen könnte. Die Bank auf dem Steg, auf der mein Großvater gern saß und Pfeife rauchte, nachdem er die Flundergarne gesäubert hatte, nutze ich jetzt als Untersuchungsliege, wenn Jansson sich hinlegen muß. Im Schneegestöber habe ich seinen Bauch abgetastet, wenn er glaubte, von Magenkrebs befallen zu sein, und ich habe seine Beine untersucht, wenn er überzeugt war, daß er an schleichendem Muskelschwund litt. Oft habe ich gedacht, daß meine Hände, die einst dazu dienten, komplizierte Operationen durchzuführen, jetzt einzig und allein dazu taugten, plumpe Leibesvisitationen an Janssons beneidenswert wohlbehaltenem Körper durchzuführen.

Aber Gespräche? So kann man unsere Art, miteinander zu schwatzen, nicht nennen.

Ich war manchmal in Versuchung, Jansson nach seinen Ansichten zu fragen. Über das Leben und den Abgrund, der uns erwartet. Aber er würde nicht verstehen. In seinem Leben geht es um Briefe, Briefmarken, Einschreibe- und Wertbriefe, Ein- und Auszahlungen und eine ungeheure Menge Werbung. Außerdem hat er Probleme mit seinem Boot und mit dem Hydrokopter. Wenn das Meer eisfrei ist, benutzt er ein umgebautes Fischerboot, das er in Västervik gekauft hat. Darin befindet sich ein uralter Säfflemotor, der es bestenfalls auf acht Knoten bringt. Den Hydrokopter hat er in Norwegen gekauft, und er hat zugegeben, daß er gründlich übers Ohr gehauen wurde. Bei all seinen Problemen hat Jansson höchstwahrscheinlich keine Ansichten über den Abgrund.

Jeden Tag mache ich jetzt einen Rundgang um mein eigenes Boot, das an Land steht. Es ist nun drei Jahre her, seit ich es heraufzog, um es in Ordnung zu bringen. Daraus wurde nichts. Es ist ein feines geklinkertes Holzboot, das jetzt von Wetter und Nachlässigkeit zerstört wird. Es sollte nicht so sein. Im Frühjahr will ich mich ernstlich damit befassen.

Ich frage mich, ob ich das wirklich tun werde.

Ich ging hinein und machte mit meinem Puzzle weiter. Das Motiv ist ein Gemälde von Rembrandt, *Die Nacht-*

wache. Ich habe es vor langer Zeit bei einer Lotterie gewonnen, die vom Krankenhaus in Luleå veranstaltet wurde. Damals war ich seit kurzem dort Chirurg und versteckte meine Unsicherheit hinter einer großen Portion Selbstgefälligkeit. Da das Motiv dunkel ist, ist es ein sehr schwieriges Puzzle. An diesem Tag schaffte ich es nur, ein einziges Teil zu plazieren. Ich machte mir etwas zu essen und hörte während der Mahlzeit Radio. Das Thermometer zeigte jetzt minus 21 Grad. Es war sternklar, und es würde vor der Morgendämmerung noch kälter werden. Es schien auf einen Kälterekord hinzusteuern. War es je so kalt gewesen? Vielleicht in einem der Kriegswinter? Ich beschloß, Jansson danach zu fragen, der über solche Dinge gewöhnlich Bescheid weiß.

Etwas beunruhigte mich.

Ich legte mich aufs Bett und versuchte zu lesen. Ein Buch über die Ankunft der Kartoffel in unserem Land. Ich hatte es schon mehrmals gelesen. Vermutlich, weil darin keine Gefahren lauern. Ich konnte umblättern, ohne von etwas Unangenehmem und Unerwartetem überfallen zu werden. Um Mitternacht löschte ich das Licht. Meine beiden Tiere waren schon eingeschlafen. Es knackte und ächzte in den Holzwänden.

Ich bemühte mich, einen Entschluß zu fassen. Sollte ich weiterhin meine Festung bewachen? Oder sollte ich mich geschlagen geben und versuchen, etwas aus dem Leben zu machen, das wahrscheinlich noch vor mir lag?

Ich faßte keinen Entschluß. Ich lag da und schaute in die Dunkelheit hinaus und dachte, mein Leben würde weitergehen wie bisher. Nichts Entscheidendes würde geschehen.

Es war Wintersonnenwende. Die längste Nacht und der kürzeste Tag des Jahres. Später würde ich denken, daß es eine Bedeutung hatte, die mir nicht bewußt war.

Es war ein ganz gewöhnlicher Tag gewesen. An dem es sehr kalt war, und an dem eine erfrorene Sturmmöwe und zwei Reflexbänder von der Post draußen im Schnee an meinem Landungssteg lagen.

3

WEIHNACHTEN GING vorüber. Silvester ging vorüber.

Am dritten Januar zog ein Schneesturm vom Finnischen Meerbusen über das Schärenmeer. Ich stand oben auf dem Felsen hinter dem Haus und sah, wie sich die schwarzen Wolken am Horizont türmten. Innerhalb von elf Stunden schneite es vierzig Zentimeter. Ich mußte durch ein Küchenfenster kriechen, um die Haustür freizuschaufeln.

Als der Schneesturm vorüberzog, notierte ich in meinem Logbuch: »Die Seidenschwänze verschwunden. Die Speckschwarte verlassen. Minus sechs Grad.«

Insgesamt 68 Buchstaben und ein paar Punkte. Wozu tat ich das?

Es war Zeit für mich, in mein Eisloch einzutauchen. Der Wind schnitt durch den Körper, als ich zum Steg stapfte. Ich hackte das Loch auf und stieg hinunter. Die Kälte brannte.

Gerade als ich herausgeklettert war, um zum Haus zurückzukehren, wurde es zwischen zwei Windböen still. Etwas bewirkte, daß ich Angst bekam und den Atem anhielt. Ich drehte mich um.

Draußen auf dem Eis stand ein Mensch.

Eine schwarze Gestalt in all dem Weißen. Die Sonne lag knapp über dem Horizont. Ich kniff die Augen zusammen, um zu erkennen, wer es war. Ich konnte sehen, daß es eine Frau war. Es sah aus, als stünde sie da an ein Fahrrad gelehnt. Dann erkannte ich, daß es ein Rollator war. Ich fror so sehr, daß ich zitterte. Wer es auch war, ich konnte nicht nackt neben meinem Eisloch stehen. Ich eilte zum Haus hinauf und fragte mich, ob ich ein Gespenst gesehen hatte.

Nachdem ich mich angezogen hatte, nahm ich mein Fernglas und stieg auf den Felsen hinauf.

Ich hatte es mir nicht eingebildet.

Die Frau auf dem Eis war noch da. Ihre Hände ruhten auf den Griffen des Rollators. Über einem Arm hing eine Handtasche. Sie hatte einen Schal um die Zipfelmütze gewickelt, die tief in die Stirn gezogen war. Ich hatte Schwierigkeiten, ihr Gesicht im Fernglas zu erkennen. Woher kam sie? Wer war sie?

Ich versuchte zu denken. Wenn sie hier richtig war, wollte sie mich besuchen. Hier gibt es niemand außer mir.

Ich hoffte, sie hätte sich verirrt. Ich wollte keinen Besuch bekommen.

Noch immer stand sie regungslos da, die Hände auf den Handgriffen des Rollators. Ich verspürte ein wachsendes Unbehagen. Es war etwas Bekanntes an der Frau draußen auf dem Eis.

Wie war sie mit dem Rollator durch den Schneesturm übers Eis gelangt? Es waren drei Seemeilen bis zum Festland. Es erschien unglaublich, daß sie so weit gegangen war, ohne zu erfrieren.

Mehr als zehn Minuten stand ich da und betrachtete sie durch das Fernglas. Gerade als ich das Fernglas absetzen wollte, drehte sie langsam den Kopf und blickte in meine Richtung.

Es war einer der Augenblicke im Leben, in denen die Zeit nicht nur still steht, sondern tatsächlich nicht mehr existiert.

Sie kam in den Augen des Fernglases auf mich zu, und ich sah, daß es Harriet war.

Obwohl ich sie zuletzt in einem Frühling vor fast vierzig Jahren gesehen habe, wußte ich, daß sie es war. Harriet Hörnfeldt, die ich mehr geliebt habe als jede andere Frau.

Ich war seit ein paar Jahren Arzt, zum grenzenlosen Erstaunen meines Vaters, des Kellners, und zum fanatischen Stolz meiner Mutter. Es war mir gelungen, mich aus der Armut zu befreien. Damals wohnte ich in Stockholm, der Frühling 1966 war sehr schön, es war, als ob die Stadt überkochen wollte. Etwas war im Begriff zu geschehen, meine Generation hatte die Dämme durchbrochen, die Türen der Gesellschaft aufgerissen und forderte eine Veränderung. Harriet und ich gingen gern in der Abenddämmerung durch die Stadt.

Harriet war ein paar Jahre älter als ich und hatte nie daran gedacht, weiterzustudieren. Sie arbeitete als Verkäuferin in einem Schuhgeschäft. Sie sagte, daß sie mich liebte, und ich sagte, daß ich sie liebte, und jedesmal, wenn ich sie in das kleine Untermietzimmer an der Hornsgatan begleitete, schliefen wir miteinander auf einer Ausziehcouch, die jeden Moment zusammenzubrechen drohte.

Unsere Liebe flammte heftig, kann man sagen. Trotzdem habe ich sie verraten. Ich hatte vom Karolinska Institutet ein Stipendium bekommen, um mich in den USA weiter auszubilden. Am 23. Mai sollte ich nach Arkansas fahren, um ein Jahr lang fort zu sein. Das war es zumindest, was ich Harriet gesagt hatte. Aber das Flugzeug nach Amsterdam und New York ging schon am 22. Mai.

Ich sagte ihr nicht einmal auf Wiedersehen, ich verschwand einfach.

Während des Jahres in den USA ließ ich nichts von mir hören. Ich wußte nichts über ihr Leben, und ich wollte nichts wissen. Es kam vor, daß ich aus Träumen aufwachte, in denen sie sich das Leben genommen hatte. Das Gewissen plagte mich, aber es gelang mir immer, es zu betäuben.

Langsam verblich ihr Bild in meinem Gedächtnis.

Ich kehrte nach Schweden zurück und begann im Krankenhaus von Luleå zu arbeiten. Andere Frauen traten in mein Leben. Mitunter, vor allem wenn ich allein war und zuviel getrunken hatte, konnte ich mir einbilden, ich müßte herausfinden, was mit ihr geschehen war. Dann rief ich die Auskunft an und fragte nach Harriet Kristina Hörnfeldt. Immer legte ich den Hörer auf, bevor die Telefonistin die Suche beendet hatte. Ich hatte nicht den Mut, sie zu treffen. Ich hatte nicht den Mut, die Wahrheit herauszufinden.

Jetzt stand sie mit einem Rollator da draußen auf dem Eis.

Es waren exakt siebenunddreißig Jahre her, seit ich verschwunden war, ohne genau zu erklären, warum. Ich war sechsundsechzig Jahre alt. Also war sie neunundsechzig, bald siebzig. Ich wäre am liebsten ins Haus gegangen und hätte die Tür hinter mir zugemacht. Wenn ich dann wieder auf die Treppe hinausträte, wäre sie verschwunden. Es gab sie nicht. Was sie auch vorhatte, sie würde eine Luftspiegelung bleiben. Ich hatte ganz einfach nicht gesehen, was ich gesehen hatte. Sie hatte nie da draußen auf dem Eis gestanden.

Es vergingen ein paar Minuten.

Das Herz klopfte wild. Die Speckschwarte im Baum vor dem Fenster hing noch immer verlassen da. Die kleinen Vögel waren nach dem Sturm noch nicht zurückgekehrt.

Als ich das Fernglas an die Augen hob, sah ich, daß sie

ausgestreckt auf dem Eis lag, rücklings ausgestreckt, die Arme vom Körper abstehend. Ich warf das Fernglas hin und eilte hinunter zur Eiskante. Mehrmals stürzte ich in dem tiefen Schnee. Nachdem ich zu ihr auf das Eis hinausgekommen war, fühlte ich, ob das Herz schlug, und als ich mich über ihr Gesicht beugte, konnte ich ihren Atem ahnen.

Ich würde es nicht schaffen, sie zum Haus zu tragen. Ich holte die Schubkarre, die an der Rückseite des Geräteschuppens stand. Noch bevor es mir gelang, sie hineinzuhieven, war ich klatschnaß geschwitzt. So schwer war sie nicht gewesen, als wir uns kannten. Oder war ich es, der so viel Kraft verloren hatte? Harriet saß zusammengestaucht in der Schubkarre, eine groteske Gestalt, die noch immer ihre Augen nicht geöffnet hatte.

An der Strandkante blieb die Schubkarre hängen. Für einen kurzen Augenblick überlegte ich, ob ich sie mit Hilfe eines Seils hinaufziehen sollte. Aber ich verwarf den Gedanken wieder, es war allzu unwürdig. Ich holte eine Schaufel aus dem Bootshaus und schippte den Pfad frei. Der Schweiß lief mir unter dem Hemd herunter. Ununterbrochen behielt ich Harriet im Blick. Sie war noch immer bewußtlos. Ich fühlte noch einmal ihren Puls. Er ging schnell. Ich schippte aus Leibeskräften.

Schließlich war es mir gelungen, sie zum Haus zu schleppen. Die Katze saß auf der Bank unter dem Fenster und beobachtete alles. Ich legte Bretter über die Treppe, öffnete die Haustür und nahm mit der Schubkarre Anlauf. Nach drei Versuchen brachte ich Harriet und die Schubkarre in meinen Flur. Der Hund lag unter dem Küchentisch und verfolgte das Geschehen. Ich scheuchte ihn hinaus, schloß die Tür und hob Harriet auf die Küchenbank. Ich war so verschwitzt und außer Atem, daß ich mich hinsetzen und ausruhen mußte, ehe ich sie untersuchte.

Ich maß ihren Blutdruck. Er war niedrig, aber nicht bedenklich. Ich zog ihr die Schuhe aus und betastete ihre Füße. Sie waren kalt, aber nicht steif. Sie hatte also keine Erfrierungen erlitten. Ihre Lippen deuteten auch nicht darauf hin, daß sie ausgetrocknet war. Der Puls ging langsam hinunter auf 66 Schläge pro Minute.

Ich war gerade im Begriff, ein Kissen unter ihren Kopf zu legen, als sie die Augen aufschlug. »Du riechst schlecht aus dem Mund«, sagte sie. »Du hast einen schlechten Atem.«

Das waren ihre ersten Worte nach all diesen Jahren. Ich hatte sie draußen auf dem Eis gefunden, wie ein Irrer hatte ich gekämpft, um sie in mein Haus zu bekommen, und das erste, was sie sagte, war, daß mein Atem schlecht sei. In diesem Moment war ich versucht, sie wieder hinauszuwerfen. Ich hatte sie nicht gebeten zu kommen, ich wußte nicht, was sie wollte, und ich fühlte, wie mein schlechtes Gewissen sich regte. War sie hier, um mich zur Rede zu stellen?

Ich wußte es nicht. Aber konnte es einen anderen Grund geben?

Ich merkte, daß ich Angst hatte. Es war, als wäre eine Falle zugeschnappt.

4

HARRIET SAH sich langsam im Zimmer um. »Wo bin ich?«

»In meiner Küche. Ich habe dich draußen auf dem Eis gesehen. Du bist gestürzt. Ich habe dich hierher gebracht. Wie geht es dir?«

»Mir geht es gut. Aber ich bin müde.«

»Möchtest du Wasser trinken?«

Sie nickte. Ich holte ein Glas. Sie schüttelte den Kopf, als ich sie stützen wollte, und setzte sich auf. Ich betrachtete ihr Gesicht und dachte, daß sie sich nicht sehr verändert hatte. Sie war älter geworden, aber nicht anders.

»Ich muß ohnmächtig geworden sein.«

»Hast du Schmerzen? Fällst du öfter in Ohnmacht?«

»Es kommt vor.«

»Was sagt der Arzt?«

»Der Arzt sagt nichts, da ich ihn nicht frage.«

»Dein Blutdruck ist normal.«

»Ich habe nie Probleme mit dem Blutdruck gehabt.«

Sie betrachtete eine Krähe, die an der Speckschwarte vor dem Fenster hing. Dann sah sie mich mit ganz klaren Augen an. »Es wäre falsch von mir, zu behaupten, es täte mir leid, falls ich dich störe.«

»Du störst nicht.«

»Natürlich tu ich das. Ich komme, ohne mich angemeldet zu haben. Aber das ist mir egal.«

Sie richtete sich auf der Bank auf.

Plötzlich begriff ich, daß sie Schmerzen hatte. »Wie bist du hierher gekommen?« fragte ich.

»Warum fragst du nicht, wie ich dich gefunden habe? Ich wußte von dieser Insel, wo du deine Sommer verbringst und daß sie an der Ostküste liegt. Es war nicht ganz einfach, dich zu finden. Aber schließlich ist es doch gelungen. Bei der Post wußte man, wo ein Fredrik Welin wohnt. Und sie berichteten auch von einer Person, die die Post austrägt.«

Langsam kehrte ein Erinnerungsbild zurück. Ich hatte von einem Erdbeben geträumt. Ein gewaltiges Dröhnen hatte mich umgeben, aber plötzlich war es wieder still geworden. Der Krach hatte mich nicht geweckt, vielmehr schlug ich die Augen auf, als wieder Stille eintrat. Vielleicht war ich ein paar Minuten wach gewesen und hatte in die Dunkelheit hinaus gelauscht. Die Katze hatte zu meinen Füßen geschnarcht.

Alles war wie gewöhnlich gewesen. Ich war wieder eingeschlafen.

Jetzt wurde mir klar, daß das Dröhnen im Traum Janssons Hydrokopter gewesen war. Er war es, der Harriet hierher gebracht und sie auf dem Eis abgesetzt hatte.

»Ich wollte früh am Morgen kommen. Es war, wie in einer Höllenmaschine befördert zu werden. Er war sehr nett. Aber teuer«, sagte Harriet.

»Was mußtest du zahlen?«

»300 für mich und 200 für den Rollator.«

»Das ist ja unverschämt!«

»Gibt es hier noch jemand anders, der einen Hydrokopter hat?«

»Ich werde dafür sorgen, daß er die Hälfte der Summe zurückzahlt.«

Sie deutete auf das Glas.

Ich füllte es mit Wasser. Die Krähe an der Speckschwarte war verschwunden. Ich stand auf und sagte, daß ich ihren Rollator holen würde. Meine Stiefel hatten große Pfützen auf dem Boden hinterlassen. Der Hund tauchte von der Rückseite des Hauses auf und folgte mir hinunter zum Strand.

Ich versuchte, ganz klar zu denken.

Nach fast vierzig Jahren war Harriet aus der Vergangenheit zurückgekehrt. Es zeigte sich, daß es ein trügerischer Schutz war, den ich hier draußen auf der Schäre errichtet hatte. Ein trojanisches Pferd in Form von Janssons Hydrokopter hatte meine Festungsmauer gerammt und sich obendrein reichlich dafür bezahlen lassen.

Ich ging aufs Eis hinaus.

Es wehte schwach aus Nordost. Ein Vogelkeil zog draußen am Rand des Blickfelds vorbei. Die Schären lagen weiß da. Es war ein Tag mit jener sonderbaren Stille, die man nur erlebt, wenn das Meer eisbedeckt ist. Die Sonne stand niedrig am Himmel. Der Rollator war im Eis festgefroren. Ich machte ihn vorsichtig los und schob ihn zum Land. Der Hund trottete hinterher. Bald würde ich ihn einschläfern müssen. Ihn und die Katze. Sie waren alt und plagten sich mit ihren Gebrechen herum.

Als wir am Strand angekommen waren, ging ich ins Bootshaus und holte eine alte Decke, die ich auf Großvaters Bank ausbreitete. Ich konnte nicht zum Haus hinaufgehen, ohne zu wissen, was ich machen sollte. Es gab nur einen einzigen Grund dafür, daß Harriet hier war. Sie würde mich zur Rede stellen. Nach all diesen Jahren wollte sie wissen, warum ich sie verlassen hatte. Was sollte ich erwidern? Das Leben war vergangen, es war, wie es war. Angesichts dessen, was mir zugestoßen ist, sollte Harriet dankbar dafür sein, daß ich aus ihrem Leben verschwunden bin.

Es wurde kalt auf der Bank. Ich wollte gerade aufstehen, als ich in der Entfernung Laute hörte. Stimmen und Geräusche von Motoren wandern weit über Wasser und Eis. Ich begriff, daß es Jansson war, der mit seinem Hydrokopter unterwegs war. Heute war kein Posttag. Aber er übte vielleicht seine illegale Taxitätigkeit aus. Ich ging wieder zum Haus hinauf. Die Katze saß auf der Treppe und wartete. Aber ich ließ sie nicht hinein.

Bevor ich die Küche betrat, warf ich einen Blick auf mein Gesicht im Spiegel, der im Flur hängt. Ein hohläugiges, unrasiertes Gesicht. Die Haare ungekämmt, zusammengepreßte Lippen, tiefliegende Augen. Schön war es nicht. Im Gegensatz zu Harriet, die sich ziemlich gleich geblieben war, hatte ich mich in all den Jahren verändert. Ich glaube, ich habe gut ausgesehen, als ich jung war. Jedenfalls hatte ich damals einen Schlag bei Frauen. Bis das geschah, was meinem Leben als Arzt ein Ende setzte, nahm ich es genau damit, wie ich aussah und wie ich mich kleidete. Als ich hierher auf die Insel zog, setzte der Verfall ein. Irgendwann entfernte ich die drei weiteren Spiegel, die es im Haus gab. Ich wollte mich selbst nicht sehen. Es konnte ein halbes Jahr vergehen, ohne daß ich an Land fuhr und mir die Haare schneiden ließ.

Ich strich mit den Fingern die Haare glatt und betrat die Küche.

Die Bank war verlassen. Harriet war weg. Die Tür zum Wohnzimmer war angelehnt, aber das Zimmer war leer. Bis auf den großen Ameisenhügel. Dann hörte ich, wie auf der Toilette gespült wurde. Harriet kehrte in die Küche zurück und setzte sich wieder auf die Bank.

Wieder erkannte ich an ihren Bewegungen, daß sie Schmerzen hatte. Aber wo im Körper die Schmerzen steckten, konnte ich nicht ausmachen.

Sie setzte sich so auf die Bank, daß das Licht vom Fenster auf ihr Gesicht fiel. Es war, als könnte ich sie sehen, wie sie damals an jenen hellen Frühlingsabenden aussah, als wir in Stockholm herumliefen und ich die ganze Zeit plante, mich ohne Abschied davonzumachen. Je näher der Tag rückte, um so öfter beteuerte ich, daß ich sie liebte. Ich fürchtete, sie würde meine Gedanken lesen, meinen genau geplanten Verrat entdecken. Aber sie glaubte mir.

Sie sah zum Fenster hinaus. »Da sitzt eine Krähe an dem Fleischstück in deinem Garten.«

»Speckschwarte. Nicht Fleischstück. Die kleinen Vögel sind verschwunden, als eine steife Brise zu Sturm und Schneegestöber wurde. Sie verstecken sich, wenn es stürmt. Ich weiß nicht, wo.«

Sie drehte mir ihr Gesicht zu. »Du siehst schrecklich aus. Bist du krank?«

»Ich sehe aus wie gewöhnlich. Wärst du morgen nachmittag gekommen, wäre ich frisch rasiert gewesen.«

»Ich erkenne dich nicht wieder.«

»Du bist dir jedenfalls gleich.«

»Warum hast du einen Ameisenhügel im Wohnzimmer?«

Die Frage kam schnell und bestimmt.

»Hättest du nicht die Tür geöffnet, wäre er dir verborgen geblieben.«

»Ich hatte nicht die Absicht, in deinem Haus herumzuschnüffeln. Ich habe die Toilette gesucht.«

Harriet betrachtete mich mit ihren klaren Augen. »Ich habe eine Frage an dich«, sagte sie. »Ich hätte natürlich von mir hören lassen sollen, bevor ich kam. Aber ich wollte nicht riskieren, daß du wieder verschwindest.«

»Ich kann nirgendwohin gehen.«

»Jeder kann irgendwohin. Aber ich wollte, daß du hier bist. Ich will mit dir reden.«

»Das verstehe ich.«

»Das verstehst du überhaupt nicht. Aber ich muß ein paar Tage hierbleiben, und es fällt mir schwer, Treppen zu steigen. Kann ich auf dieser Bank schlafen?«

Als mir klar wurde, daß Harriet mir im Moment nichts vorwerfen würde, war ich zu allem bereit. Natürlich konnte sie auf der Bank schlafen, wenn sie wollte. Sonst hatte ich ein zusammenklappbares Feldbett, das ich im Wohnzimmer aufstellen konnte. Wenn sie nichts dagegen hätte, das Zimmer mit einem Ameisenhügel zu teilen. Es war ihr recht. Ich holte das Bett heraus und stellte es so weit wie möglich von dem Ameisenhügel entfernt auf. Mitten im Raum befand sich ein Tisch mit einem weißen Tischtuch. Gleich neben dem Tisch lag der Ameisenhügel. Seine Spitze reichte fast bis zur Tischkante. Ein Teil des Tuchs, das vom Tisch herabhing, war in dem Ameisenhügel verschwunden.

Ich richtete das Bett her und legte ein weiteres Kissen dazu, da ich mich erinnerte, daß Harriet den Kopf immer hoch betten wollte, wenn sie schlief.

Aber nicht nur dann.

Auch wenn sie liebte. Ich lernte rasch, daß sie mehrere Kissen unter ihrem Nacken haben wollte. Habe ich je danach gefragt, warum es für sie so wichtig war? Ich konnte mich nicht erinnern.

Ich legte die Decke auf das Bett und schaute durch die halb geöffnete Tür. Harriet betrachtete mich. Ich drehte die beiden Heizkörper auf, fühlte nach, ob sie sich erwärmten, und ging in die Küche hinaus. Harriet schien ihre Kräfte wiederzugewinnen. Aber sie war hohläugig. Sie hatte Schmerzen. Ununterbrochen sah man in ihrem Gesicht die Bereitschaft, einen Schmerz zu parieren, der jederzeit zurückkehren konnte.

»Ich lege mich eine Weile hin und ruhe mich aus«, sagte sie und stand auf.

Ich hielt ihr die Tür auf. Bevor sie lag, hatte ich die Tür schon geschlossen. In mir war eine plötzliche Lust, abzusperren und den Schlüssel fortzuwerfen. Eines Tages würde Harriet ein Teil meines Ameisenhügels werden.

Ich zog meine Jacke an und ging hinaus.

Es war ein klarer Tag. Die Windböen wurden schwächer. Ich horchte auf Janssons Hydrokopter. Vielleicht ahnte ich in weiter Ferne den Laut einer Motorsäge. Es konnte ein Sommergast sein, der die Tage vor Dreikönig dazu nutzte, Ordnung auf dem Grundstück zu schaffen.

Ich ging hinunter zum Steg und betrat das Bootshaus. Dort hing ein Ruderboot an Seilen und Winden. Es glich einem riesigen Fisch, der gestrandet war. Im Bootshaus roch es nach Teer. Schon lange verwendet man hier draußen auf den Inseln keinen Teer mehr für die Fischergeräte und die Boote. Aber ich habe ein paar Dosen, die ich wegen des Geruchs ab und zu öffne. Er gibt mir eine Ruhe wie nichts anderes.

Ich versuchte mich zu erinnern, wie unser Abschied, der kein Abschied gewesen war, sich eigentlich an jenem Frühlingsabend vor siebenunddreißig Jahren abgespielt hatte. Wir waren über die Strömbron gegangen, waren dem Skeppsbrokajen gefolgt und dann weiter über Slussen. Worüber hatten wir geredet? Harriet hatte von ihrem Tag im Schuhgeschäft erzählt. Sie liebte es, von ihren Kunden zu erzählen. Sogar ein Paar Galoschen und eine

Dose Schuhschwärze konnte sie in ein Abenteuer verwandeln. Erinnerungen an Ereignisse und Gespräche tauchten wieder auf. Es war, als hätte sich ein Archiv, das lange geschlossen gewesen war, in mir geöffnet.

Ich blieb einige Zeit auf der Bank sitzen, ehe ich wieder zum Haus hinaufging. Vorsichtig stellte ich mich auf die Zehen und blickte ins Wohnzimmer. Harriet hatte sich wie ein kleines Kind zusammengerollt und schlief. Ich ging langsam auf den Felsen hinter dem Haus und sah auf die weiße Bucht hinaus. Es war, als würde mir erst jetzt klar, was ich damals vor langer Zeit getan hatte. Ich hatte nie gewagt, mir die Frage zu stellen, wie Harriet das erlebt hatte, was geschehen war. Wann hatte sie begriffen, daß ich nicht wiederkehren würde? Den Schmerz, den sie empfunden haben mußte, als ihr klar wurde, daß ich sie verlassen hatte, konnte ich mir nur mit äußerster Anstrengung vorstellen.

Als ich wieder ins Haus zurückkehrte, war Harriet aufgewacht. Sie saß auf der Küchenbank und erwartete mich. Meine alte Katze lag auf ihrem Schoß.

»Hast du geschlafen?« fragte ich. »Haben die Ameisen dich in Ruhe gelassen?«

»Der Ameisenhügel riecht gut.«

»Wenn die Katze dir lästig ist, können wir sie hinauswerfen.«

»Denkst du, daß ich mich belästigt fühle?«

Ich fragte, ob sie hungrig sei, und fing an, das Essen vorzubereiten. In der Tiefkühltruhe hatte ich einen Hasen, den Jansson geschossen hatte. Aber es würde zu lange dauern, ihn aufzutauen und zuzubereiten. Harriet saß auf der Bank und folgte mir mit dem Blick. Ich briet Koteletts und kochte Kartoffeln. Wir sagten fast nichts zueinander, und ich wurde so nervös, daß ich mir die

Hand an der Bratpfanne verbrannte. Warum sagte sie nichts? Warum war sie gekommen?

Wir aßen schweigend. Ich räumte das Geschirr ab und kochte Kaffee. Mein Großvater und meine Großmutter haben ihren Kaffee immer gekocht. Damals gab es nichts, was gebrühter Kaffee hieß. Ich koche meinen Kaffee auch und zähle bis siebzehn, wenn er aufgekocht ist. Dann wird er genau so, wie ich ihn haben will. Ich stellte Tassen hin, tat Katzenfutter in einen Napf und setzte mich auf einen Stuhl. Es war schon dunkel geworden. Immerzu wartete ich darauf, daß Harriet ihre Ankunft erklären würde. Ich fragte, ob sie nachgeschenkt haben wollte. Sie schob mir die Tasse hin. Der Hund kratzte an der Tür. Ich ließ ihn herein, gab ihm Futter und schloß ihn dann zusammen mit dem Rollator im Flur ein.

»Hast du je geglaubt, daß wir uns wiedersehen würden?«

»Ich weiß nicht.«

»Ich fragte, was du geglaubt hast.«

»Ich weiß nicht, was ich geglaubt habe.«

»Du bist genauso ausweichend wie damals.«

Sie zog sich in sich selbst zurück. Wie sie es immer tat, wenn sie verletzt war, daran konnte ich mich erinnern. Ich bekam Lust, die Hand auszustrecken und sie zu berühren. Hatte sie Lust, mich zu berühren? Es war, als würde ein vierzigjähriges Schweigen zwischen uns hin- und herwandern. Eine Ameise kroch über das Wachstuch. Gehörte sie zu dem Hügel im Wohnzimmer oder hatte sie sich aus dem Nest verirrt, das sich, wie ich argwöhne, in der Balkenlage an der Südwand befindet?

Ich stand auf und sagte, ich wolle den Hund hinauslassen. Ihr Gesicht lag im Schatten. Draußen war es sternklar, still. Manchmal wünsche ich, ich könnte komponieren, wenn ich einen solchen Himmel sehe. Ich ging hinunter zum Steg – zum wievielten Mal an diesem Tag? Im Schein der Bootshauslampe lief der Hund aufs Eis hinaus und blieb dort stehen, wo Harriet gelegen hatte. Die Situation war unwirklich. Plötzlich hatte sich eine Tür zu einem Leben geöffnet, das ich nahezu für beendet gehalten hatte, und die schöne Frau, die ich einst geliebt und betrogen hatte, war zurückgekehrt. Damals schob sie meistens ihr Fahrrad, wenn ich sie nach der Arbeit im Schuhgeschäft in der Hamngatan traf. Jetzt schob sie einen Rollator. Ich fühlte mich verloren. Der Hund kam zurück, und wir gingen wieder zum Haus.

Ich stellte mich auf die Rückseite und spähte durch das Küchenfenster.

Harriet saß am Tisch. Es dauert eine Weile, bis ich bemerkte, daß sie weinte. Ich wartete, bis sie sich die Augen getrocknet hatte. Erst dann ging ich hinein. Der Hund mußte draußen im Flur bleiben.

»Ich muß schlafen«, sagte Harriet. »Ich bin müde. Morgen werde ich erzählen, warum ich gekommen bin.«

Sie wartete meine Antwort nicht ab, sondern stand auf, wünschte gute Nacht und sah mich einen Moment lang forschend an. Dann schloß sie die Tür. Ich ging in das Zimmer, in dem ich meinen Fernseher habe, aber ich schaltete ihn nicht ein. Die Begegnung mit Harriet hatte mich sehr angestrengt. Ich fürchtete mich natürlich vor den Anklagen, die unweigerlich kommen würden. Was hatte ich eigentlich zu sagen? Nichts.

Ich schlief auf dem Stuhl ein.

Es war schon Mitternacht, als ich davon aufwachte, daß mein Nacken verspannt war. Ich ging in die Küche hinaus und horchte an der Tür des Zimmers, in dem Harriet schlief. Es war still. Durch die Türspalte sickerte kein Licht. Ich räumte in der Küche auf, nahm einen Brotlaib und einen Hefezopf aus der Tiefkühltruhe, ließ den Hund und die Katze herein und ging zu Bett. Doch ich konnte nicht schlafen. Die Tür zur Vergangenheit, die ich fest verschlossen glaubte, stand offen und schlug. Es war, als hätten Harriet und die Zeit mit ihr mich wie eine kräftige Windbö erfaßt.

Ich zog mir den Morgenmantel an und ging wieder hinunter in die Küche. Die Tiere schliefen. Draußen waren es minus sieben Grad. Harriets Handtasche stand auf der Küchenbank. Ich stellte sie auf den Tisch und öffnete sie. Darin befanden sich Kamm und Bürste, ihre Brieftasche und ein Paar Fingerhandschuhe, ein Schlüsselbund, ein Mobiltelefon und zwei Döschen mit verschiedenen Medikamenten. Die Namen der Präparate kannte ich nicht. Ich versuchte, die Inhaltsstoffe zu deuten, um zu begreifen, wogegen sie waren. Jedenfalls waren es schmerzstillende Medikamente und Antidepressiva. Ausgestellt von einem Doktor Arvidsson in Stockholm. Ich fühlte mich unbehaglich, fuhr aber fort, ihre Handtasche zu durchsuchen. Ganz unten befand sich ein Telefonverzeichnis. Es war alt und abgegriffen, voller Telefonnummern. Als ich die Seite mit dem Buchstaben »W« aufschlug, sah ich zu meinem Erstaunen, daß meine Telefonnummer in Stockholm aus der Mitte der 1960er Jahre darunter war. Sie war nicht einmal durchgestrichen.

Hatte sie das Telefonbuch in all diesen Jahren gehabt? Ich wollte es in die Tasche zurücklegen, als ich ein Papier entdeckte, das im Einband steckte. Ich faltete es auseinander und las, was da geschrieben stand.

Danach ging ich hinaus und stellte mich auf die Vortreppe. Der Hund saß an meiner Seite.

Noch immer wußte ich nicht, weshalb Harriet auf meine Insel gekommen war.

Doch in ihrer Handtasche hatte ich ein Papier gefunden, auf dem stand, daß sie bald sterben würde.

5

DER WIND kam und ging in dieser Nacht.

Ich schlief schlecht und lauschte auf den Wind. Da es vom Fenster an der Nordwand stärker zog als von der, die nach Osten liegt, konnte ich die Windrichtung bestimmen. Böiger Wind aus Nordost. Das würde ich am nächsten Tag in meinem Logbuch verzeichnen. Aber ich fragte mich, ob ich schreiben sollte, daß Harriet zu Besuch gekommen war.

Im Zimmer unter mir lag sie in ihrem Feldbett. Immer wieder ging ich im Kopf das Papier durch, das ich in ihrer Tasche gefunden hatte. Sie hatte einen Tumor im Magen, der bereits metastasiert hatte. Eine Chemotherapie hatte nur kurzfristig geholfen, eine Operation war aussichtslos. Am zwölften Februar sollte sie sich im Krankenhaus einfinden, um mit ihrem Arzt zu sprechen.

Ich war noch immer Arzt genug, um die Schrift an der Wand deuten zu können. Die Maßnahmen, die man jetzt ergriffen hatte, konnten sie nicht heilen, nicht einmal ihr Leben verlängern. Nur ihre Qualen lindern. Sie war auf dem Weg in das terminale und palliative Stadium, um es in der Ärztesprache auszudrücken.

Keine Heilung, aber auch kein unnötiges Leiden.

Als ich da im Dunkeln lag, kehrte ein Gedanke immer wieder: Es war Harriet, die sterben würde. Nicht ich. Obwohl ich mich schuldig gemacht und sie verraten hatte, war sie es, die betroffen war. Ich glaube nicht an Gott. Abgesehen von einer sehr kurzen Periode während meines ersten Jahrs des Medizinstudiums hatten mich keine religiösen Anfechtungen heimgesucht. Ich hatte keine Gespräche mit Repräsentanten des Außerirdischen geführt. Keine inneren Stimmen hatten mich ermahnt, auf die Knie zu fallen. Jetzt lag ich wach und dachte, daß ich Erleichterung verspürte, weil ich nicht der Betroffene war. Viel geschlafen habe ich nicht. Zweimal war ich zum Pinkeln auf, und beide Male horchte ich an Harriets Tür. Sie schien zu schlafen, ebenso wie die Ameisen.

Um sechs Uhr stand ich auf. Als ich in die Küche hinunterkam, sah ich zu meinem Erstaunen, daß Harriet schon gefrühstückt hatte. Zumindest hatte sie Kaffee getrunken. Sie hatte den Kaffeesatz vom vorigen Abend aufgewärmt. Der Hund und die Katze waren draußen. Sie hatte sie hinausgelassen. Ich öffnete die Haustür. Über Nacht war eine dünne Schicht Neuschnee gefallen. Es gab Fährten vom Hund und von der Katze. Aber auch von einem Menschen.

Harriet war hinausgegangen.

Ich versuchte, in der Dunkelheit zu sehen. Die Morgendämmerung war noch fern. Waren Geräusche zu hören? Der Wind kam und ging in schwachen Böen. Alle drei Spuren führten in eine Richtung, zur Rückseite des Hauses. Ich brauchte nicht weit zu gehen. Unter den Apfelbäumen steht eine alte Holzbank. Dort pflegte meine Großmutter zu sitzen. Sie strickte, trotz ihrer stark kurzsichtigen Augen, oder sie saß nur da, die Hände im Schoß, und lauschte dem Meer, das ständig rauscht, wenn das Wasser eisfrei ist. Jetzt war es nicht die gespenstische Gestalt der Großmutter auf der Bank, sondern Harriet. Sie hatte eine Kerze angezündet, die auf dem Boden stand und von einem Stein vor dem Wind geschützt wurde. Der Hund lag zu ihren Füßen. Sie sah aus wie am Tag zuvor, als ich sie auf dem Eis entdeckt hatte. Die Mütze über den Ohren, einen Schal ums Gesicht. Es waren einige Grad unter Null, doch da der Nachtwind nachgelassen hatte, fühlte man die Kälte nicht so stark.

»Es ist schön hier«, sagte sie.

»Es ist dunkel. Du kannst nichts sehen. Nicht einmal das Meer hört man, wenn es eisbedeckt ist.«

»Ich habe geträumt, der Ameisenhügel würde um mich herum wachsen.«

»Ich kann das Bett in die Küche stellen, wenn du willst.«

Der Hund stand auf und machte sich davon. Er bewegte sich vorsichtig, da ein Hund ohne Gehör ängstlich ist. Ich fragte Harriet, ob ihr die Taubheit des Hundes aufgefallen sei. Sie verneinte. Die Katze kam anspaziert, sie betrachtete uns und verschwand dann wieder in der Dunkelheit. Mir kam der Gedanke, wie schon so oft, daß keiner die Wege der Katzen kennt. Kannte ich denn meine eigenen Wege? Kannte Harriet die ihren?

»Du möchtest natürlich wissen, warum ich hergekommen bin«, sagte sie.

Die Kerze flackerte auf, ohne zu erlöschen.

»Ich habe nicht erwartet, daß das geschehen würde.«

»Hast du je gedacht, mich wiederzusehen? Hast du es je gewünscht?«

Ich antwortete nicht. Für einen Menschen, der einen anderen Menschen verlassen hat, ohne zu sagen, warum, gab es eigentlich nichts zu sagen. Es gibt einen Verrat, der nicht verziehen und nicht einmal erklärt werden kann. Solch einen Verrat hatte ich an Harriet begangen. Also antwortete ich nicht. Ich saß da, schaute in die Kerzenflamme und wartete.

»Ich bin nicht hergekommen, um dich anzuklagen,

sondern um dich zu bitten, dein Versprechen einzulösen.«

Ich verstand sofort, was sie meinte.

Der Waldteich.

Darin war ich als Kind geschwommen, in dem Sommer, in dem ich zehn wurde und mit meinem Vater eine Reise ins innere Norrland machte, wo er geboren war. Ich hatte ihr diesen Waldteich versprochen, wenn ich von meinem Jahr in Amerika zurück wäre. Dann wollten wir dahin fahren und zusammen in dem dunklen Wasser unter dem hellen Nachthimmel schwimmen. Ich hatte es mir als eine schöne Zeremonie vorgestellt. Das schwarze Wasser, der helle Sommerhimmel, der Teichtaucher, der aus der Ferne rief, der Waldteich, von dem es hieß, er sei bodenlos. Dort wollten wir schwimmen, und danach würde uns nichts mehr trennen können.

»Du hast dein Versprechen vielleicht vergessen?«

»Ich weiß sehr genau, was ich gesagt habe.«

»Ich will, daß du mich dahin mitnimmst.«

»Es ist Winter. Der Teich ist zugefroren.«

Ich dachte an das Loch, das ich jeden Morgen aufhackte. Würde ich einen ganzen norrländischen Waldteich aufhacken können? Wo das Eis wie Granit ist?

»Ich will den Teich sehen. Auch wenn er mit Schnee und Eis bedeckt ist. Um zu wissen, ob es wahr ist.«

»Es ist wahr. Es gibt diesen Waldteich.«

»Du hast nie gesagt, wie er heißt.«

»Er ist zu klein, um einen Namen zu haben. Dieses Land hat unzählige namenlose kleine Teiche. Es gibt kaum eine Stadtstraße oder Landstraße ohne Namen. Aber Seen und Teiche, die keinen Namen haben, verstecken sich überall in den Wäldern.«

»Ich will, daß du dein Versprechen hältst.«

Mühsam erhob sie sich von der Bank. Die Kerze fiel um und erlosch mit einem Zischen. Es wurde völlig dunkel um uns her. Das Licht vom Küchenfenster reichte nicht bis zu uns hin. Trotzdem konnte ich erkennen, daß sie den Rollator mitgenommen hatte.

Als ich die Hand ausstreckte, um ihr zu helfen, wischte sie sie mit einer Geste weg. »Ich will keine Hilfe. Ich will, daß du dein Versprechen hältst.«

Als Harriet mit ihrem grünen Rollator in das Licht trat, das auf den Schnee fiel, war es, als sähe ich sie auf einer Mondstraße. Damals vor fast vierzig Jahren, als wir zusammenwaren, hatten wir uns auf eine kindliche Art als Mondanbeter gefühlt. Erinnerte sie sich daran? Ich sah sie von der Seite an, wie sie sich mit dem Rollator über die Steine tastete, die sich unter dem Schnee versteckten. Ich konnte mir schwer vorstellen, daß sie sterbenskrank war. Ein Mensch, der sich der äußersten Grenze näherte, wo eine andere Welt oder eine andere Dunkelheit anfingen. Sie parkte ihren Rollator an der Vortreppe und hielt sich am Geländer fest, als sie die drei Stufen erklomm. Als sie die Tür öffnete, schlüpfte die Katze zwischen ihren Beinen hinein. Sie ging in ihr Zimmer. Ich horchte, das Ohr an die geschlossene Tür gepreßt. Das schwache Klirren einer Flasche war zu hören. Ich nahm an, daß sie viele verschiedene Medikamente gegen die Schmerzen dabei hatte, die ständigen Begleiter unheilbarer Tumore. Die Katze jammerte und strich mir um die Beine. Ich gab ihr zu fressen und setzte mich an den Küchentisch.

Noch immer war es draußen dunkel.

Ich versuchte, die Temperatur abzulesen, aber das Glas über der Quecksilbersäule war beschlagen. Die Tür ging auf, und Harriet kam herein. Sie hatte sich die Haare gekämmt und einen neuen Pullover angezogen. Er war lavendelblau. Ich dachte flüchtig an meine Mutter und ihre nach Lavendel duftenden Tränen.

Aber Harriet weinte nicht. Sie lächelte, als sie sich auf die Küchenbank setzte. »Daß du ein Mensch werden würdest, der zusammen mit einem Hund und einer Katze und einem Ameisenhügel lebt, hätte ich mir nie vorgestellt.«

»Das Leben wird selten so, wie man es sich gedacht hat.«

»Ich habe nicht die Absicht, dich zu fragen, wie dein Leben geworden ist. Hingegen will ich, daß du dein Versprechen hältst.«

»Ich weiß nicht mal, ob ich den Waldteich finden würde.«

»Ich bin sicher, daß du ihn findest. Es gab keinen, der ein so gutes Gefühl für Entfernungen und Richtungen hatte wie du.«

Ich konnte Harriet nicht widersprechen, da sie recht hatte. Ich finde mich immer zurecht, selbst in dem chaotischsten Straßengewirr. Auch in der Natur verirre ich mich nicht. »Ich finde vielleicht hin, wenn ich nachdenke. Ich verstehe nur nicht, warum.«

»Willst du wissen, warum ich diesen Waldteich sehen will?«

Plötzlich war es, als bekäme ihre Stimme einen anderen Klang.

»Ja«, sagte ich. »Das will ich wissen.«

»Weil es das schönste Versprechen ist, das ich je in meinem Leben bekommen habe.«

»Das schönste?«

»Das einzige wirklich schöne.«

Genau das sagte sie. Das einzige wirklich schöne Versprechen. Das waren starke Worte. Ich empfand es, als hätte Harriet in meinem Kopf den Einsatz für ein großes Orchester gegeben. Da saß ich inmitten der Instrumente. Mit Streichern an meiner Seite und Bläsern gleich hinter mir.

»Man bekommt ständig Versprechen«, fuhr sie fort. »Man gibt selber Versprechen. Man lauscht den Versprechen anderer Menschen. Politikern, die von einem besseren Leben für die Alternden sprechen, von einer Krankenpflege, bei der niemand wundgelegene Stellen bekommt. Von Banken, die Versprechungen über höhere Zinsen machen, Lebensmittel, die eine Gewichtsabnahme versprechen, und Cremes, die ein Alter mit weniger Falten garantieren. Das Leben ist nichts anderes, als mit seinem kleinen Boot zwischen einem wechselnden, aber nie versiegenden Strom von Versprechungen zu kreuzen. Wie viele von diesen Versprechungen hat man im Gedächtnis? Man vergißt das, woran man sich erinnern will, und erinnert sich an das, wovon man sich am liebsten befreien will. Gebrochene Versprechen sind wie Schatten, die in einer Dämmerung herumtanzen. Je älter ich werde, um so deutlicher sehe ich sie. Das schönste Versprechen in meinem Leben war das von dir, als du mir diesen Waldteich versprochen hast. Ich will ihn sehen und träumen, daß ich darin schwimme, ehe es zu spät ist.«

Ich erkannte, daß mir nichts anderes übrig bliebe, als sie zu dem Waldteich mitzunehmen. Das einzige, was ich vielleicht verhindern könnte, war, daß wir uns mitten im Winter aufmachten. Aber vielleicht wagte sie es wegen ihrer Krankheit nicht, bis zum Frühjahr zu warten?

Ich dachte, ich sollte ihr sagen, wie es war, daß ich von ihrer Krankheit wußte. Aber ich tat es nicht.

»Verstehst du, was ich meine, wenn ich von all den Versprechen rede, die einen im Leben umgeben?«

»Ich habe versucht zu vermeiden, mich von Versprechen verlocken zu lassen. Man wird so leicht betrogen.«

Sie streckte ihre Hand aus und legte sie auf meine. »Einmal habe ich dich gekannt. Wir gingen durch die Straßen von Stockholm. In der Erinnerung ist immer Frühling, wenn wir da gehen. Ich kann mich kaum an Dunkelheit oder Regen erinnern. Der Mensch, den ich damals an meiner Seite hatte, war nicht die gleiche Person, die du jetzt bist. Er hätte alles mögliche werden können, nur kein einsamer Mann auf einer Insel weit draußen am offenen Meer.«

Ihre Hand lag auf meiner. Ich bewegte sie nicht.

»Erinnerst du dich an eine Dunkelheit?«

»Nein. Es war immer hell.«

»Ich weiß nicht, was geschehen ist.«

»Ich auch nicht.«

»Du mußt mich nicht anlügen. Natürlich weißt du es. Du hast mir unendlichen Kummer bereitet. Ich glaube, ich habe ihn immer noch nicht überwunden. Willst du wissen, wie es sich anfühlte?«

Ich antwortete nicht. Sie nahm ihre Hand weg und lehnte sich auf der Bank zurück. »Ich will nur, daß du dein Versprechen hältst. Für ein paar Tage mußt du diese Insel verlassen. Dann kannst du hierher zurückkehren, und ich werde dich nie mehr belästigen.«

»Das geht nicht«, sagte ich. »Die Reise ist zu lang. Mein Auto ist zu klapprig.«

»Ich verlange nur, daß du mir den Weg zeigst.«

Mir wurde klar, daß sie nicht locker lassen würde. Das Versprechen, sie zu dem Waldteich mitzunehmen, hatte mich nach all diesen Jahren eingeholt.

Draußen vor dem Fenster war es allmählich heller geworden. Die Nacht war vorüber.

»Ich habe geheiratet«, sagte sie plötzlich. »Was hast du gemacht?«

»Ich bin geschieden.«

»Du hast also auch geheiratet? Wen?«

»Frauen, die du nicht kennst.«

»Frauen?«

»Zwei. Die erste hieß Birgit und war Krankenschwester. Nach zwei Jahren hatten wir uns nichts mehr zu sagen. Außerdem wollte sie sich zur Bergbauingenieurin umschulen lassen. Was wußte ich von Steinen und Grus und Gruben? Die zweite hieß Rose-Marie und handelte mit Antiquitäten. Du ahnst nicht, wie oft ich nach einem langen Arbeitstag den Operationssaal verließ, um sie zu einer Auktion zu begleiten und dann alte Bauernschränke nach Hause zu schleppen. Wie viele Tische und Stühle ich in Badewannen abgelaugt habe, weiß ich nicht. Nach vier Jahren war es zu Ende.«

»Hast du Kinder?«

Ich schüttelte den Kopf. Vor langer Zeit hatte ich mir vorgestellt, im Alter Kinder zu haben, an denen ich mich erfreute. Jetzt war es zu spät.

Ich war wie mein Boot, das unter einer Persenning an Land liegt.

Ich sah Harriet an. »Hast du Kinder?«

Sie sah mich lange an, ehe sie antwortete. »Ich habe eine Tochter.«

Ich dachte, daß es mein Kind gewesen sein könnte. Wenn ich nicht vor Harriet geflohen wäre und dann nie wieder Kontakt zu ihr aufgenommen hätte.

»Sie heißt Louise«, sagte Harriet.

»Ein schöner Name«, sagte ich.

Ich stand auf und begann, Kaffee zu kochen. Es war jetzt heller Morgen. Ich wartete, bis der Kaffee aufgekocht war, zählte bis siebzehn und ließ den Kessel dann stehen und den Kaffee ziehen. Ich stellte Tassen hin und schnitt das aufgetaute Weizenbrot auf. Wir waren wie zwei alte Leute, die an einem Vormittag im Januar ein Kaffeekränzchen abhalten wollten. Unter all den Tausenden von Kaffeekränzchen, die jeden Tag in diesem Land abgehalten werden, waren wir eins. Ich fragte mich, ob eins von den anderen ähnlich eigentümliche Voraussetzungen hatten wie das, welches sich jetzt in meiner Küche abspielte.

Nach dem Kaffee verschwand Harriet im Zimmer des Ameisenhügels und schloß die Tür.

Zum erstenmal seit vielen Jahren stellte ich mein Bad im Eisloch ein. Ich zögerte lange und war fast auf dem Weg, mich auszuziehen und die Axt zu holen, als ich es mir anders überlegte. Es würde für mich keine Winterbäder mehr geben, bis ich Harriet zu dem Waldteich mitgenommen hatte.

Statt des Bademantels zog ich die Jacke an und ging hinunter zum Steg. Das Wetter war überraschend umgeschlagen, und es taute, der Schnee blieb unter meinen Stiefeln kleben.

Da unten am Steg hatte ich ein paar Stunden für mich allein. Die Sonne brach durch die Wolkendecke, es tropfte vom Dach des Bootshauses. Ich ging hinein, holte eine Dose mit Teer und öffnete sie. Der Geruch beruhigte mich. Ich schlief in dem bleichen Sonnenlicht beinahe ein.

Ich dachte zurück an die Zeit, als wir zusammenwaren. Es war, als gehörte ich jetzt zu einer Epoche, die es nicht mehr gab. Ich lebte in einer eigentümlich öden Landschaft für jene, die übrig geblieben waren, die den Halt in ihrer eigenen Zeit verloren und es nicht vermocht hatten, sich in all das Neue einzuleben. Als Harriet und ich in einander verliebt waren, rauchten alle Menschen. Immer und überall. Meine ganze Jugend ist voller Aschenbecher. Ich kann mich noch an all die kettenrauchenden Ärzte und Professoren erinnern, die mich zu einem Menschen ausbildeten, der das Recht hatte, den weißen Kittel zu tragen. Zu dieser Zeit hieß der Postbote hier draußen zwischen den Inseln Hjalmar Hedelius. Im Winter schnallte er ein Paar Skier an und suchte sich seinen Weg zwischen den Schären. Sein Rucksack muß unheimlich schwer gewesen sein, auch wenn der Wahnsinn der späteren Zeiten mit den unzähligen Werbebroschüren damals noch nicht existierte.

Meine Gedanken wurden von dem Geräusch des Hydrokopters unterbrochen, der sich näherte.

Jansson war bei der Witwe Åkerblom gewesen und gab jetzt Gas, um mich mit seinen Zipperlein zu besuchen. Die Zahnschmerzen, die ihn vor Weihnachten geplagt hatten, waren vergangen. Als er das letztemal an meinem Steg angelegt hatte, mußte ich mir ein paar braune Leberflecken auf dem Rücken der linken Hand ansehen. Ich beruhigte ihn damit, daß es normale altersbedingte Veränderungen seien. Er würde uns alle hier draußen in den Schären überleben. Wenn wir Alten verschwunden sind, wird Jansson weiterhin mit seinem umgebauten Fischerboot vorantuckern oder mit seinem Hydrokopter herumrasen. Wenn seine Stelle nicht abgeschafft worden ist. Was höchstwahrscheinlich der Fall sein wird.

Jansson bog zum Steg ein, stellte den Motor ab und begann, sich aus all seinen Mänteln und Mützen zu pellen.

Er war rot im Gesicht, die Haare standen ab. »Ich möchte ein gutes neues Jahr wünschen«, sagte er, nachdem er auf den Steg gestiegen war.

»Danke.«

»Der Winter dauert an.«

»Das tut er, ja.«

»Ich hatte nach Silvester Probleme mit meinem Magen. Schwierigkeiten, auf die Toilette zu gehen. Verstopfung, wie es heißt.«

»Iß Backpflaumen.«

»Kann es ein Symptom von etwas anderem sein?«

»Nein.«

Jansson fiel es schwer, seine Neugier zu verbergen. Ab und an warf er Blicke auf mein Haus. »Wie hast du Silvester gefeiert?«

»Ich feiere nicht Silvester.«

»Ich habe in diesem Jahr tatsächlich zum erstenmal seit langer Zeit ein paar Raketen gekauft. Eine fuhr leider direkt in den Holzschuppen.«

»Wenn Mitternacht ist, schlafe ich gewöhnlich. Ich sehe keinen Grund dafür, das zu ändern, nur weil es der letzte Tag des Jahres ist.«

Ich konnte sehen, daß Jansson die ganze Zeit Harriets Anwesenheit auf der Zunge lag. Bestimmt hatte sie ihm nicht gesagt, wer sie war, nur, daß sie mich besuchen wollte.

»Hast du Post für mich?«

Jansson betrachtete mich verwundert. Das hatte ich ihn noch nie gefragt. »Nichts«, sagte er. »Anfang des Jahres ist es immer spärlich.«

Das Gespräch und die Konsultation waren beendet. Jansson warf einen letzten Blick aufs Haus und stieg dann wieder in sein Fahrzeug. Ich drehte mich um und ging davon. Als er den Hydrokopter startete, hielt ich mir die Ohren zu. Ich schaute zurück und sah ihn in einer Schneewolke um die Landzunge herum verschwinden. Sie wird Antonssons Landzunge genannt, nach einem Schiffer, der im Rausch den Felsen gerammt hatte, als er sein Boot für den Winter an Land bringen wollte.

Harriet saß am Küchentisch, als ich hereinkam.

Sie hatte sich geschminkt. Zumindest war sie weniger bleich. Wieder dachte ich, daß sie immer noch schön war und daß ich ein Idiot gewesen war, sie zu verlassen.

Ich setzte mich an den Tisch. »Ich werde dich zum Waldteich mitnehmen«, sagte ich. »Ich werde mein Versprechen halten. Es wird zwei Tage dauern, in meinem alten Auto dorthin zu fahren. Eine Nacht müssen wir im Hotel verbringen. Ich bin auch nicht sicher, ob ich den Teich gleich finde. In dieser Gegend ändern sich die Forstwege, je nachdem, wo die Abholzung stattfindet. Außerdem ist es nicht sicher, ob der richtige Weg gebahnt ist. Vielleicht muß ich jemand ausfindig machen, der für uns pflügen kann. Das wird mindestens vier Tage brauchen. Wohin soll ich dich fahren, wenn die Reise vorüber ist?«

»Du kannst mich an der Straße absetzen.«

»Mit dem Rollator? Auf der Straße?«

»Ich habe es geschafft, hierherzukommen, nicht wahr?«

Ich bemerkte die Schärfe in ihrer Stimme und wollte nicht darauf beharren. Wenn sie es vorzog, an der Straße abgesetzt zu werden, würde ich mich nicht weigern.

»Wir können morgen aufbrechen«, sagte ich. »Jansson muß dich und den Rollator an Land bringen.«

»Und was wirst du tun?«

»Ich gehe übers Eis.«

Ich stand auf, weil ich plötzlich viel zu tun hatte. Zu allererst mußte ich eine Katzenklappe an der Haustür anbringen und dafür sorgen, daß mein Hund die Hundehütte benutzen konnte, die viele Jahre lang ungenutzt dagestanden hatte. Ich würde Futter für eine Woche hinterlassen. Die Tiere würden natürlich alles auffressen, sobald sie konnten. Sparsamkeit angesichts der Zukunft kennen sie nicht. Aber sie würden ein paar Tage ohne Futter auskommen.

Ich verbrachte den Tag damit, die Klappe auszusägen, ein paar Federn festzuschrauben und zu versuchen, die Katze dazu zu bringen, sie zu benutzen. Es gelang erstaunlich schnell. Die Hundehütte war in einem schlechteren Zustand, als ich gedacht hatte. Ich nagelte ein Stück Teerpappe auf das Dach, um es wasserdicht zu machen, und breitete ein paar Decken für den Hund aus. Ich war kaum fertig geworden, als der Hund sich hineinlegte.

An diesem Abend rief ich Jansson an. Das war noch nie vorgekommen.

»Postillion Ture Jansson.«

Es klang, als spräche er einen vornehmen Titel aus.

»Hier ist Fredrik. Störe ich?«

»Überhaupt nicht. Es kommt nicht oft vor, daß du anrufst.«

»Ich habe dich noch nie angerufen. Ich möchte fragen, ob du morgen jemand befördern kannst?«

»Eine Dame mit einem Rollator?«

»Da du so unverschämt viel verlangt hast, als du sie hergebracht hast, gehe ich davon aus, daß die Beförderung morgen gratis ist. Andernfalls werde ich dich anzeigen, hier in den Schären ein illegales Taxigeschäft zu betreiben.«

Ich konnte hören, wie Jansson in den Hörer atmete.

»Um wieviel Uhr?« fragte er schließlich.

»Morgen hast du keine Post auszutragen. Kannst du um zehn hier sein?«

Harriet lag den größten Teil des Tages im Bett und ruhte sich aus, während ich alles für die Abreise vorbereitete. Ich fragte mich, ob sie die Anstrengungen meistern würde. Aber das war eigentlich nicht mein Problem. Ich sollte nur mein Versprechen halten, sonst nichts. Ich taute den Hasenbraten auf und stellte ihn in den Ofen. Großmutter hatte ein handgeschriebenes Rezept für die Zubereitung eines Hasenbratens in ein Kochbuch gesteckt. Ich war schon früher erfolgreich ihren Anweisungen gefolgt, und es ging auch diesmal gut. Als wir am Eßtisch saßen, hatte Harriet wieder glasige Augen. Ich begriff, daß das Klirren, das ich manchmal aus ihrem Zimmer hörte, nicht von Medikamenten stammte, sondern von Schnaps- oder Weinflaschen. Harriet trank heimlich in ihrem Zimmer. Ich schlug die Zähne in den Hasen und dachte, daß die Reise zu dem gefrorenen Waldteich noch schwieriger zu werden drohte, als ich es mir vorgestellt hatte.

Der Hase schmeckte gut. Aber Harriet stocherte fast nur im Essen herum. Ich wußte, daß Krebspatienten oft von einem chronischen Appetitmangel betroffen sind.

Dann tranken wir Kaffee. Ich warf die Reste des Bratens für die Katze und den Hund vor die Tür. Gewöhnlich konnten sie sich das Fressen teilen, ohne sich zu kratzen und zu beißen. Manchmal sah ich sie wie ein altes Paar, ungefähr wie Großvater und Großmutter.

Ich sagte, daß Jansson am folgenden Tag kommen würde, übergab ihr meinen Autoschlüssel und erklärte, wie das Auto aussah und wo es geparkt war. Dort könnte sie warten, bis ich übers Eis an Land ging.

Sie nahm den Schlüssel und steckte ihn in die Handtasche. Plötzlich fragte sie, ob ich sie in all den Jahren nie vermißt hätte.

»Doch«, antwortete ich. »Ich habe dich vermißt. Aber Sehnsucht macht mich nur niedergeschlagen. Sehnsucht macht mir Angst.«

Sie fragte nicht weiter, sondern verschwand im Zimmer und hatte noch glasigere Augen, als sie zurückkam. An diesem Abend redeten wir nicht viel miteinander. Ich glaube, wir hatten beide Angst, unsere gemeinsame Reise zu vermasseln. Außerdem ist es uns immer leicht gefallen, miteinander zu schweigen.

Wir sahen uns einen Film an, in dem sich ein paar Menschen kaputt aßen. Als der Film zu Ende war, sagten wir nichts darüber, wie er uns gefallen hatte. Aber ich bin sicher, daß wir das gleiche empfanden.

Es war ein schlechter Film.

In dieser Nacht schlief ich unruhig.

In Gedanken versuchte ich mir alles vorzustellen, was an unserer Reise schiefgehen könnte. Zugleich fragte ich mich, ob Harriet wirklich die ganze Wahrheit gesagt hatte. In mir verstärkte sich das Gefühl, daß sie eigentlich etwas anderes wollte, daß es einen anderen Grund gab, weshalb sie mich nach all diesen Jahren aufgesucht hatte.

Bevor es mir schließlich gelang einzuschlafen, hatte ich beschlossen, auf der Hut zu sein. Was geschehen konnte, war für mich natürlich unmöglich vorherzusagen.

Ich wollte nichts, als bereit zu sein.

Die Unruhe nistete sich ein, mit ihrer tonlosen, warnenden Stimme.

6

DER MORGEN war klar und windstill, als wir aufbrachen. Jansson erschien pünktlich mit seinem Hydrokopter. Er hob den Rollator an Bord, und dann halfen wir Harriet, sich hinter seinem breiten Rücken hineinzuzwängen. Ich sagte ihm nichts davon, daß auch ich aufbrechen würde. Wenn er nächstes Mal käme und ich nicht unten am Steg stünde, würde er zum Haus hinaufgehen. Vielleicht würde er denken, ich läge tot da drin? Deshalb hatte ich einen Zettel geschrieben und ihn an der Haustür befestigt: »Ich bin nicht tot.«

Der Hydrokopter verschwand hinter der Landzunge. Ich hatte ein Paar alte Eissporen an meinen Stiefeln befestigt, um nicht auf dem Eis auszurutschen.

Mein Rucksack wog neun Kilo. Ich hatte das Gewicht auf Großmutters alter Badezimmerwaage kontrolliert. Ich ging schnell, versuchte aber, nicht zu schwitzen. Wenn ich über vereiste Meerestiefen gehe, verspüre ich immer Angst. Kurz vor der östlichen Landzunge der Schäre gibt es eine Bodenschlucht, die Lersänkan heißt. An der tiefsten Stelle ist sie 56 Meter tief. Es ist, als befände man sich auf einem zerbrechlichen Dach über einem Abgrund.

Ich kniff die Augen zusammen. Die Sonne, die vom Eis reflektiert wurde, war gleißend. In der Ferne sah ich einige Menschen auf Langlaufschlittschuhen. Sie waren unterwegs zu den äußersten Schären. Im übrigen war das Eis leer. Das Schärenmeer ist im Winter wie eine Wüste. Eine leere Welt mit vereinzelten Schlittschuh laufenden

Karawanen. Der eine oder andere Nomade wie ich. Sonst gibt es hier nichts.

Als ich an dem alten Fischerhafen, den kaum jemand noch benutzt, an Land kam, saß Harriet in meinem Auto und wartete. Ich verstaute den Rollator im Kofferraum und setzte mich hinters Lenkrad.

»Danke«, sagte Harriet. »Danke, daß du dein Versprechen gehalten hast.«

Sie streifte beiläufig meinen Arm. Ich startete, und wir begannen unsere lange Fahrt gen Norden.

Die Reise fing nicht gut an.

Nach knapp zwei Kilometern trat ein Elch auf die Straße hinaus. Es war, als hätte er in den Kulissen auf seinen Auftritt gewartet. Ich machte eine Vollbremsung und vermied es mit knapper Not, den schweren Körper zu treffen. Der Wagen rutschte auf der glatten Fahrbahn, ich verlor die Kontrolle, und wir blieben in einer Schneewehe am Straßenrand stecken. Es ging alles sehr schnell, ich schrie auf, aber von Harriet war nichts zu hören. Wir saßen still da. Der Elch war mit großen Schritten in den dichten Wald hineinverschwunden.

»Ich bin nicht schnell gefahren«, sagte ich in einem lahmen, aber völlig überflüssigen Versuch, mich zu entschuldigen. Als wäre es meine Schuld, daß der Elch am Waldrand gestanden und auf uns gelauert hatte.

»Es ist ja gutgegangen«, erwiderte Harriet.

Ich sah sie an. Vielleicht kümmert man sich nicht um auftauchende Elche, wenn man bald sterben wird?

Das Auto steckte fest. Ich holte einen Spaten, schaufelte die Vorderräder frei, brach Tannenzweige ab und legte sie auf die Fahrbahn. Das Auto kam mit einem Ruck frei, und wir konnten weiterfahren. Mein Puls ging schnell. Menschen, die nicht todkrank sind, reagieren mit Angst auf Elche.

Ungefähr nach zehn Kilometern spürte ich, daß der Wagen nach links zu ziehen begann. Ich hielt am Straßenrand und stieg aus. Ich hatte eine Panne an einem Vorderrad. Ich dachte, die Reise hätte nicht schlimmer anfangen können. Es war ein widerliches Erlebnis, sich hinknien zu müssen, an Bolzen herumzuschrauben und mit schmutzigen Reifen zu hantieren. Die Forderung des Chirurgen nach Sauberkeit bei einer Operation hatte mich nicht verlassen.

Ich war naß vor Schweiß, als ich endlich das Rad gewechselt hatte. Außerdem war ich wütend. Ich würde den Waldteich niemals finden. Harriet würde kollabieren, und es gab sicherlich jemand in ihrem Hintergrund, der auftauchen und mich beschuldigen würde, verantwortungslos gehandelt zu haben, als ich mit einem schwerkranken Menschen losgezogen war.

Wir setzten unsere Reise fort.

Die Straße war glatt, die Schneewälle an den Seiten türmten sich hoch. Wir begegneten ein paar Lastwagen und kamen an einem alten Amazon am Straßenrand vorbei, aus dem ein Mann mit seinem Hund ausstieg. Harriet war still. Sie schaute durch ihr Seitenfenster hinaus.

Ich dachte an die Reise, die ich einmal mit meinem Vater gemacht hatte. Das Restaurant, in dem er angestellt war, hatte ihm wegen Arbeitsverweigerung an den Abenden gekündigt. Wir fuhren in nördlicher Richtung aus Stockholm heraus und übernachteten in einem einfachen Hotel außerhalb von Gävle. Ich habe in Erinnerung, daß es Furuvik hieß, aber ich kann mich täuschen. Wir schliefen im selben Zimmer, es war Juli, sehr schwül, einer der warmen Sommer am Ende der späten 1940er Jahre.

Da mein Vater in einem der vornehmsten Lokale von Stockholm gearbeitet hatte, war sein Verdienst gut gewesen. Es war eine Zeit, in der meine Mutter ungewöhnlich wenig weinte. Eines Tages kam mein Vater mit einem Hut für sie nach Hause. Diesmal weinte sie vor Freude. An diesem Tag hatte er einen Direktor von einer der Großbanken des Landes bedient. Der Mann hatte sich schon bei dem frühen Lunch betrunken und meinem Vater viel zuviel Trinkgeld gegeben.

Ich hatte begriffen, daß zuviel Trinkgeld für meinen Vater genauso erniedrigend war wie zuwenig oder vielleicht gar keins. Jetzt hatte er das Trinkgeld immerhin in einen roten Hut für meine Mutter verwandelt.

Sie wollte nicht mitkommen, als mein Vater vorschlug, nach Norden zu fahren und uns ein paar Urlaubstage zu gönnen, bevor er wieder Arbeit suchen mußte.

Unser Auto war alt. Mein Vater hatte bestimmt seit seiner Jugend darauf gespart. Wir verließen an einem frühen Morgen Stockholm und begaben uns auf die Straße nach Uppsala.

Wir schliefen in dem Hotel, das vielleicht Furuvik hieß. Ich erinnere mich, daß ich kurz vor der Morgendämmerung davon aufwachte, daß mein Vater nackt am Fenster stand und durch den dünnen Vorhang hinausspähte. Es war, als wäre er in einem Gedanken erstarrt. In einem unendlich langgezogenen, aber sicher sehr kurzen Moment war ich außer mir vor Angst und glaubte, er sei auf dem Weg von mir weg. Es war nur noch seine Haut da, sonst nichts. Wie lange er da regungslos am Fenster stand, weiß ich nicht, aber ich erinnere mich an meine atemlose Angst.

Schließlich drehte er sich um, warf einen Blick auf mich, wie ich da mit der Decke bis zum Kinn und halb geschlossenen Augen lag. Er kehrte zum Bett zurück, und erst, als ich hörte, daß er mit ruhigen Atemzügen schlief, legte ich mich selbst mit an die Wand gepreßtem Kopf zurecht und schlief wieder ein.

Am folgenden Tag kamen wir an.

Der Waldteich war nicht groß. Das Wasser war ganz dunkel. Auf der gegenüberliegenden Seite erhoben sich ein paar große Steinblöcke, im übrigen war da nur der dichte Wald. Es gab keinen Strand, keinen Übergang zwischen dem Wasser und dem Wald. Es war, als hielten sich der Teich und die Bäume in einem Klammergriff umfaßt.

Mein Vater klopfte mir auf die Schulter. »Jetzt wollen wir baden«, sagte er.

»Ich habe keine Badehose mit.«

Er betrachtete mich amüsiert.

»Wer, glaubst du, hat eine Badehose mit? Wer, glaubst du, sieht uns? Gefährliche Waldschrate, die sich zwischen den Bäumen verstecken?«

Mein Vater begann sich auszuziehen. Heimlich betrachtete ich seinen großen Körper und wurde verlegen. Er hatte einen kolossalen Bauch. Ich selbst zog mich aus, als würde mich trotz allem jemand sehen. Mein Vater stapfte ins Wasser und warf sich hinein. Es war, als würde sein Körper sich wie ein Wal voranwälzen und den Teich in Aufruhr versetzen. Die spiegelblanke Oberfläche zersplitterte, das Wasser schlug gegen die großen Steine auf der anderen Seite. Ich ging ins Wasser hinaus und erschrak über die Kälte. Aus irgendeinem Grund hatte ich erwartet, daß das Wasser ähnlich warm wäre wie die Luft. Die Wärme dampfte drüben im Wald. Ich tauchte hastig unter und lief gleich wieder hinaus.

Mein Vater schwamm mit kräftigen Armzügen und Beinschlägen im Teich herum und brachte das Wasser in Wallung. Und er sang. Was er sang, weiß ich nicht mehr, es war eher ein Gebrüll des Wohlbehagens, eine schnaubende Kaskade von schwarzem Wasser, die in den eigensinnigen Gesang meines Vaters überging.

Als ich mit Harriet an meiner Seite im Auto saß, wurde mir klar, daß dieses Ereignis eigentlich das einzige in meinem ganzen Leben war, an das ich mich mit absoluter Schärfe erinnerte. Obwohl es fünfundfünfzig Jahre her war, konnte ich mein Leben in diesem Bild zusammenfassen: Mein Vater schwimmt allein in einem Waldteich. Ich selbst, nackt, zwischen den Bäumen, stehe da und sehe ihm zu. Wir waren zwei Menschen, die zusammengehörten und doch schon getrennt waren.

Ich begann, Vorfreude auf die Begegnung mit dem Teich zu empfinden. Es ging nicht mehr nur darum, ein Versprechen gegenüber Harriet einzulösen. Ich würde mir auch selbst eine Freude bereiten.

Wir fuhren durch ein Winterland.

Schneerauch und gefrorener Nebel lagen über den weißen Feldern. Aus den Schornsteinen stieg der Rauch steil empor. Von den Parabolschüsseln, die ihre Metallaugen zu fernen Satelliten wandten, hingen Eiszapfen herunter.

Nach ein paar Stunden fuhr ich auf eine Tankstelle. Ich mußte die Flüssigkeit für die Scheibenwaschanlage nachfüllen. Außerdem mußten wir etwas essen. Harriet verschwand in Richtung Grillbar, die an die Tankstelle angrenzte. Ich sah ihr nach, wie sie sich vorsichtig bewegte, Schritt für Schritt, schmerzerfüllt. Als ich hereinkam, hatte sie sich schon gesetzt und angefangen zu essen. Das

Tagesgericht war Griebenwurst. Ich wählte ein Fischfilet von der größeren Karte. Harriet und ich waren fast allein im Lokal. An einem Ecktisch saß ein Lastwagenfahrer im Halbschlaf über seiner Kaffeetasse. Auf der Jacke konnte ich lesen, daß er »Schweden in Gang hält«. Was tun wir? dachte ich. Harriet und ich auf unserer Autofahrt nach Norden? Sind wir zwei Geschöpfe am Rand des Lebens, die nichts bewirken?

Langsam kaute Harriet ihre Griebenwurst. Ich schaute auf ihre gealterten Hände und dachte, daß sie einst meinen Körper gestreichelt und in mir Wohlbehagen ausgelöst hatten, wie ich es später im Leben kaum noch empfunden hatte.

Der Lastwagenfahrer stand auf und verließ das Lokal.

Ein Mädchen mit stark geschminktem Gesicht und schmutziger Schürze kam herein und brachte mir meinen Fisch. Von irgendwoher hörte ich den schwachen Laut eines Radios. Daß es die Nachrichten waren, konnte ich verstehen, aber nichts von dem, was gesagt wurde. Früher war ich ein Mensch, der ständig nach Nachrichten verlangte. Ich las, hörte und sah. Die Welt verlangte nach meiner Anwesenheit. An einem Tag ertrinken zwei kleine Mädchen im Göta Kanal, an einem anderen wird ein Präsident erschossen. Ich mußte alles wissen. Während meines immer isolierteren Daseins auf der Insel von Großvater und Großmutter hatte diese Gewohnheit mich langsam verlassen. Ich las keine Zeitungen und schaute mir vielleicht alle zwei Tage die Fernsehnachrichten an.

Harriet ließ das meiste auf ihrem Teller unangerührt. Ich holte Kaffee für sie. Vor den Fenstern hatte es in leichten Flocken zu schneien begonnen. Hinter der Theke war immer noch niemand. Harriet verschwand mit ihrem Rollator zur Toilette. Als sie zurückkam, waren ihre

Augen wieder glasig. Es empörte mich, ohne daß ich sagen konnte, warum. Ich konnte ihr kaum vorwerfen, daß sie versuchte, den Schmerz zu betäuben. Ebensowenig konnte ich als verantwortlich dafür betrachtet werden, daß sie heimlich trank.

Es war, als hätte Harriet meine Gedanken gelesen. Sie fragte plötzlich, woran ich dächte.

»An Rom«, sagte ich ausweichend. »Warum, weiß ich nicht. Einmal habe ich in Rom an einem Chirurgenkongreß teilgenommen, der ermüdend und schlecht organisiert war. Die letzten beiden Tage pfiff ich auf die Kongreßarbeit und streifte durch Villa Borghese und zog von dem teuren Luxushotel, in dem die Kongreßteilnehmer wohnten, in die Pension Dinesen, wo Tanja Blixen ein häufiger Gast war. Ich flog mit dem Gefühl von Rom ab, daß ich nie wiederkehren würde.«

»War das alles?«

»Das war alles. Ich habe an nichts anderes gedacht.«

Aber zwei Jahre später kam ich doch nach Rom zurück. Die große Katastrophe war hereingebrochen, und ich reiste in Raserei von Stockholm ab, um in Ruhe gelassen zu werden. Ich weiß noch, daß ich mich ohne Flugticket nach Arlanda begab. Die Maschinen nach Südeuropa, die abgehen würden, flogen nach Rom und Madrid. Ich wählte Rom, weil die Reise kürzer war.

Eine Woche lang wanderte ich auf den Straßen herum, das Gemüt schwer von dem großen Unrecht, das mich getroffen hatte. Ich trank viel zuviel, geriet bei einigen Gelegenheiten in schlechte Gesellschaft und wurde am letzten Abend niedergeschlagen und ausgeraubt. Ich kehrte mit einem blutigen Klumpen als Nase nach Schweden zurück. Ein Arzt im Söderkrankenhaus rückte sie zurecht und gab mir schmerzstillende Mittel.

Danach war Rom der Ort auf der Welt, an den ich am wenigsten zurückkehren wollte.

»Ich habe Rom besucht«, sagte Harriet. »Es lag daran, daß mein ganzes Leben von Schuhen zu handeln begann. Was ich in jungen Jahren für einen Zufall hielt, nämlich daß ich in einem Schuhgeschäft stand, da mein Vater als Werkmeister bei Oscaria in Örebro gearbeitet hatte, erwies sich als etwas, das mir folgen sollte. Ich habe eigentlich nie etwas anderes getan, als morgens aufzuwachen und sofort an Schuhe zu denken. Einmal fuhr ich nach Rom und blieb als Lehrling einen Monat bei einem alten Meister, der für die wohlhabendsten Füße der Welt Schuhe entwarf. Jedes Paar, das er fertigte, war eine Stradivari. Er beschrieb Füße gern als verschiedene Persönlichkeiten. Eine Opernsängerin, an deren Namen ich mich nicht erinnere, hatte boshafte Füße, die ihre Schuhe nie ernst nahmen und ihnen keinen Respekt erwiesen. Ein ungarischer Finanzmann hingegen hatte Füße, die ihren Schuhen Zärtlichkeit erwiesen. Von dem alten Mann lernte ich etwas über Schuhe wie über Kunst. Danach war es nicht mehr dasselbe, Schuhe zu verkaufen.«

»Aus den meisten Reisen, die man im Leben plant, wird nichts«, sagte ich. »Oder man unternimmt sie in seinem Inneren. Der Vorteil ist, daß es reichlich Platz für die Beine gibt, wenn man seinen inneren Luftlinien folgt.«

Wir fuhren weiter.

Ich machte mir allmählich Gedanken darüber, wo wir übernachten könnten. Es hatte noch nicht zu dämmern begonnen, aber ich wollte lieber nicht nach Anbruch der Dunkelheit fahren. Meine Nachtblindheit hatte während der letzten Jahre zugenommen. Die Winterlandschaft hatte in ihrer Einförmigkeit eine besondere Schönheit.

Wir fuhren durch eine Landschaft, in der fast nichts geschah.

Das war natürlich eine Einbildung. Es geschieht immer irgend etwas und durchbricht die Einförmigkeit. Als ich eine Hügelkuppe passiert hatte, entdeckten wir beide gleichzeitig einen Hund am Straßenrand. Ich bremste ab, um ihn nicht zu überfahren, falls er plötzlich vor das Auto laufen sollte. Nachdem wir an ihm vorbei waren, sagte Harriet, er habe ein Halsband getragen. Im Rückspiegel konnte ich sehen, daß er dem Auto folgte. Als ich bremste, holte der Hund uns ein.

»Er folgt uns«, sagte ich.

»Ich glaube, man hat ihn ausgesetzt.«

»Wie kommst du darauf?«

»Hunde laufen gewöhnlich den Autos nach und bellen. Aber dieser Hund bellt nicht.«

Sie hatte recht. Ich fuhr an den Straßenrand und hielt. Der Hund setzte sich und ließ die Zunge aus dem Maul hängen. Als ich die Hand nach ihm ausstreckte, bewegte er sich nicht. Ich griff nach dem Halsband und sah, daß eine Telefonnummer darauf stand. Harriet kramte ihr Mobiltelefon heraus und wählte die Nummer. Als die Klingelzeichen ertönten, reichte sie mir das Telefon. Niemand antwortete.

»Da ist niemand.«

»Wenn wir weiterfahren, wird der Hund dem Auto folgen, bis er krepiert.«

Harriet tippte eine Telefonnummer ein. Als sich jemand meldete, verstand ich, daß sie die Auskunft angerufen hatte.

»Der Teilnehmer ist Sara Larsson vom Hof Högtunet in Rödjebyn. Hast du eine Karte?«

»Keine, die so detailliert ist.«

»Wir können den Hund nicht hier auf der Straße lassen.«

Ich stieg aus und öffnete die Tür zum Rücksitz. Der Hund sprang sofort hinein und rollte sich zusammen. Ein einsamer Hund, dachte ich. Wie ein sehr einsamer Mensch.

Nach etwa einer Meile kamen wir zu einem kleinen Ort, in dem es einen Kaufladen gab. Ich ging hinein und fragte nach dem Hof Högtunet. Der junge Verkäufer, der eine nach hinten gedrehte Baseballmütze auf dem Kopf hatte, zeichnete eine Karte für mich.

»Wir haben einen Hund gefunden«, sagte ich.

»Sara Larsson hat einen Spaniel«, sagte der Verkäufer. »Vielleicht ist er entlaufen?«

Ich kehrte zum Auto zurück, gab Harriet die gezeichnete Karte und fuhr denselben Weg zurück, den wir gekommen waren. Der Hund lag die ganze Zeit zusammengerollt auf dem Rücksitz. Er war auf der Hut. Harriet lotste mich zu einer Abzweigung, die zwischen den Schneewällen kaum zu entdecken war. Als käme man in eine Welt ohne Himmelsrichtungen. Die Straße schlängelte sich zwischen den schneebeladenen Fichten hindurch. Sie war gebahnt, aber seit dem letzten Schneefall schien niemand dort gefahren zu sein.

»Es sind Tierfährten im Schnee«, sagte Harriet. »Sie führen nach hinten, zur Straße hin.«

Der Hund hatte sich auf dem Rücksitz aufgesetzt. Er witterte angespannt und schaute durch die Windschutzscheibe. Es zuckte im Fell, als würde er frieren. Wir fuhren über eine alte gepflasterte Bogenbrücke. Umgefallene Zaunpfähle lagen am Straßenrand. Der Wald öffnete sich. Auf einer Anhöhe lag ein Haus, das seit vielen Jahren nicht gestrichen worden war. Es gab auch eine Scheune und einen halb zusammengestürzten Stall. Ich hielt an und ließ den Hund hinaus. Er lief zur Haustür, scharrte und setzte sich wartend hin. Ich sah, daß aus dem Schornstein kein Rauch kam. Die Fenster waren mit Rauhreif bedeckt. Die Außenlampe an der Vortreppe brannte nicht. Mir gefiel nicht, was ich sah.

»Es ist, wie ein Gemälde zu betrachten«, sagte Harriet. »Es ist hier im Wald ausgestellt wie auf der Staffelei der Natur. Der Künstler ist weggegangen.«

Ich stieg aus dem Auto und hob den Rollator heraus. Harriet schüttelte den Kopf, sie wollte im Wagen bleiben. Ich stand da auf dem Hof und horchte. Der Hund saß noch regungslos da, die Augen auf die Tür gerichtet. Ein rostiger Pflug ragte wie ein Wrackteil aus dem Schnee. Alles wirkte verlassen. Nirgends sah ich andere Fährten als die des Hundes. Mir wurde immer unbehaglicher zumute.

Ich ging zum Haus hinauf und klopfte an die Tür. Der Hund stand auf.

»Wer soll die Tür aufmachen?« flüsterte ich. »Wen erwartest du? Warum hast du an der Landstraße gesessen?«

Ich klopfte noch einmal und drückte auf die Klinke. Die Tür war unverschlossen. Der Hund lief zwischen meinen Beinen hinein. Im Haus roch es muffig, nicht ungelüftet, sondern so, als wäre die Zeit stehengeblieben und hätte begonnen, einen Duft von Untergang abzusondern. Der Hund war in einen Raum gelaufen, den ich für die Küche hielt, und war nicht zurückgekehrt. Ich rief, ohne eine Antwort zu bekommen. Links gab es ein Zimmer mit altertümlichen Möbeln und einer Uhr, deren Pendel sich lautlos hinter dem Glas bewegte. Rechts führte eine Treppe zum Obergeschoß. Ich folgte dem Hund und blieb an der Küchentür stehen.

Auf dem Boden lag eine alte Frau mit dem Gesicht nach unten. Mir war sofort klar, daß sie tot war. Trotzdem machte ich das, was man tun soll, kniete mich hin und suchte am Hals, am Handgelenk und an einer Schläfe nach ihrem Puls. Eigentlich war es ganz unnötig, da der Körper kalt und schon erstarrt war. Ich nahm an, daß es Sara Larsson war, die da lag. Es war kalt in der Küche, da eins der Fenster halb offen stand. Das war der Weg, auf dem der Hund hinausgelangt war, um zu versuchen, Hilfe zu holen. Ich stand auf und sah mich in der aufgeräumten Küche um. Sara Larsson war aller Wahrscheinlichkeit nach eines natürlichen Todes gestorben. Ihr Herz war stehengeblieben, vielleicht war ein Blutgefäß in ihrem Hirn geplatzt. Ich schätzte, daß sie zwischen achtzig und neunzig Jahre alt war. Sie hatte das dichte weiße Haar im Nacken zu einem Knoten zusammengesteckt. Behutsam drehte ich den steifen Körper um. Der Hund beobachtete gespannt, was ich tat. Als die Frau auf dem Rücken lag, schnupperte der Hund an ihrem Gesicht. Es war, als betrachtete ich ein anderes Gemälde als das, welches Harriet entdeckt hatte. Hier sah ich ein Bild von Einsamkeit, für die man keine Worte finden konnte. Die tote Frau hatte eine schönes Gesicht. Es gibt eine besondere Art von Schönheit, die nur in den Gesichtern ganz alter Frauen sichtbar ist. Die zerfurchte Haut trägt alle Male und Erinnerungen von dem Leben, das vergangen ist. Alte Frauen, nach deren Körper die Erde schon ruft. Ich dachte an meinen Vater, bevor er starb. Er hatte einen Krebs, der sich im ganzen Körper ausbreitete. An seinem letzten Bett standen ein Paar tadellos polierte Schuhe. Aber er sagte nichts. Er hatte solche Angst vor dem Tod, daß er verstummt war. Und bis zur Unkenntlichkeit abgemagert. Auch nach ihm rief die Erde.

Ich ging zu Harriet hinaus, die aus dem Auto gestiegen war und sich an ihren Rollator lehnte. Sie folgte mir zum Haus und hielt mich fest am Arm, als sie die Treppe hinaufstieg. Der Hund saß noch immer in der Küche.

»Sie liegt auf dem Boden«, sagte ich. »Sie ist tot und steif, und das Gesicht hat eine gelbe Farbe. Du mußt sie nicht sehen.«

»Ich habe keine Angst vor dem Tod. Scheußlich finde ich nur, daß ich so lange tot sein muß.«

So lange tot zu sein.

Später würde ich mich an diese Worte von Harriet erinnern, als wir in dem dunklen Flur standen und gerade die Küche betreten wollten, in der die tote Frau lag.

Wir standen still da. Dann gingen wir im Haus herum. Ich suchte nach einem Zeichen dafür, daß es einen Angehörigen gab, den ich benachrichtigen könnte. Einst hatte es einen Mann gegeben, das konnte ich aus den Fotos an der Wand schließen. Aber jetzt war sie allein mit ihrem Hund. Als ich vom Obergeschoß herunterkam, legte Harriet ein Handtuch auf das Gesicht von Sara Larsson. Nur mit großer Mühe gelang es ihr, sich hinunterzubeugen. Der Hund hatte sich in seinen Korb am Herd gelegt und folgte uns mit wachsamem Blick.

Ich rief die Polizei an. Es dauerte eine Weile, bis es mir gelang, zu erklären, wo ich mich befand.

Wir gingen hinaus auf die Vortreppe und warteten. Beide waren wir bedrückt. Wir sagten nichts, aber ich merkte, daß wir die ganze Zeit versuchten, nahe beieinander zu stehen. Dann sahen wir die Scheinwerfer durch den Wald stechen, und ein Polizeiauto fuhr vor. Die beiden, die ausstiegen, waren sehr jung. Die eine, eine Frau mit langen blonden Haaren, die hinter der Polizistenmütze zu einem Pferdeschwanz zusammengebunden waren, schien kaum älter als zwanzig oder einundzwanzig zu sein. Sie hießen Anna und Evert. Sie gingen in die Küche. Harriet blieb auf der Treppe stehen, während ich mit hinein ging.

»Was geschieht mit dem Hund?« fragte ich.

»Wir nehmen ihn mit.«

»Was geschieht dann?«

»Er muß wohl in einer Ausnüchterungszelle schlafen, während wir klären, ob es einen Angehörigen gibt, der Anspruch auf ihn erhebt. Andernfalls landet er in einem Tierheim. Schlimmstenfalls wird er getötet.«

Unaufhörlich schnarrte es in den Empfängern, die an ihren Gürteln befestigt waren. Die junge Frau schrieb meinen Namen und meine Telefonnummer auf.

Sie sagte, wir müßten nicht länger bleiben. Ich hockte mich vor den Korb und tätschelte den Spaniel am Kopf. Hatte die Hündin einen Namen? Was würde jetzt mit ihr geschehen?

Wir fuhren durch die zunehmende Dämmerung. Im Licht der Scheinwerfer könnte ich Schilder mit Ortsnamen erkennen, von denen ich nie etwas gehört hatte.

In einem Auto durch eine Winterlandschaft zu fahren weckt ein Gefühl, als hätte man eine Schallmauer durchbrochen. Alles ist still, um dich her wie in dir drinnen. Der Sommer oder der Frühling sind niemals still. Da gibt es immer Geräusche. Doch der Winter ist stumm.

Wir kamen an eine Straßenkreuzung. Ich hielt an und entdeckte ein Schild, das verkündete, daß man nach neun Kilometern zum Wirtshaus Rävhyttan gelangen würde. Ich hatte keine Ahnung, was für ein Wirtshaus es war, aber irgendwo mußten Harriet und ich für die Nacht absteigen.

Das Wirtshaus erwies sich als ein herrenhausartiges Gebäude mit zwei Seitenflügeln, das in einem großen Park lag. Vor dem Hauptgebäude parkten viele Autos.

Ich verließ Harriet und betrat das erleuchtete Foyer, in dem ein älterer Mann abwesend auf einem alten Klavier klimperte. Als er mich kommen hörte, stand er auf. Ich fragte nach einem Zimmer für die Nacht.

»Es ist fast alles belegt. Wir haben eine große Gesellschaft hier, die einen heimkehrenden amerikanischen Verwandten feiert.«

»Haben Sie gar keine Zimmer mehr?«

Er studierte ein Gästebuch. »Wir haben noch eins.«

»Ich brauche zwei.«

»Wir haben ein großes Doppelzimmer mit Blick auf den Teich. Im Erdgeschoß, sehr ruhig. Es war gebucht, aber jemand in der Gesellschaft ist erkrankt.«

»Ist es ein Doppelbett? Gibt es einen Tisch dazwischen?«

»Es ist ein sehr bequemes Doppelbett. Niemand hat sich je darüber beklagt, daß man nicht gut darin schlafen könne. Einer der älteren Prinzen des Landes, mittlerweile tot, hat viele Male in diesem Bett geschlafen, ohne sich je zu beschweren. Obwohl ich Monarchist bin, gebe ich zu, daß unsere königlichen Gäste mitunter äußerst anspruchsvoll sind. Das gilt für die ältere wie für die jüngere Generation.«

»Kann man das Bett in Einzelbetten teilen?«

»Nur mit einer Säge.«

Ich ging hinaus und berichtete, wie es war. Ein Zimmer, ein Doppelbett. Wir konnten weiterfahren und unsere Suche fortsetzen.

»Gibt es was zu essen?« fragte Harriet. »Schlafen kann ich überall.«

Ich ging zurück. Ich kannte die Melodie, durch die der Mann am Klavier sich vorantastete. Es klang wie etwas, was in meiner Jugend populär gewesen war. Harriet würde ganz bestimmt sagen können, was es war.

Ich fragte, ob ein Abendessen serviert würde.

»Wir haben ein Souper mit Weinprobe, das ich sehr empfehlen kann.«

»Ist das alles?«

»Reicht das nicht?«

Die Antwort drückte eine starke Mißbilligung aus.

»Wir nehmen das Zimmer«, sagte ich. »Wir nehmen das Zimmer, und wir freuen uns auf das Souper mit Weinprobe.«

Ich ging wieder hinaus und half Harriet, sich aus ihrem Sitz zu erheben. Ich sah, daß sie immer noch Schmerzen hatte. Wir gingen langsam durch den Schnee, die Rampe hinauf, die für Rollstühle bestimmt war, und traten in die Wärme ein. Der Mann saß wieder am Klavier.

»Non ho l'età«, sagte Harriet. »Wir haben dazu getanzt. Erinnerst du dich, wer gesungen hat. Gigliola Cinquetti. Sie hat den Eurovisionsschlagerwettbewerb 1963 oder 1964 gewonnen.«

Ich erinnerte mich. Zumindest bildete ich mir ein, es zu tun. Nach all den einsamen Jahren draußen auf der Insel von Großpapa und Großmama verließ ich mich nicht mehr auf mein Gedächtnis.

»Ich melde uns später an«, sagte ich. »Laß uns erst in unser Zimmer gehen.«

Der Mann führte uns mit einem Schlüssel in der Hand durch einen langen Korridor, der in eine vereinzelte Tür mündete, in deren dunkles Holz eine Zahl eingelassen war. In Nummer 3 sollten wir übernachten. Er schloß auf und machte Licht. Das Zimmer war groß, sehr schön.

Aber das Doppelbett war kleiner, als ich es mir vorgestellt hatte.

»Die Küche schließt in einer Stunde.«

Er verließ uns. Harriet setzte sich schwer auf die Bettkante. Die Situation erschien mir plötzlich ganz unwirklich. Worauf hatte ich mich eingelassen? Sollte ich nach
all diesen Jahren das Bett mit Harriet teilen? Warum war
sie damit einverstanden?

»Ich finde bestimmt ein Sofa, auf dem ich schlafen
kann«, sagte ich.

»Das macht mir nichts aus«, sagte Harriet. »Ich habe
niemals Angst vor dir gehabt. Hast du Angst vor mir gehabt? Daß ich dir den Kopf mit einer Axt abhacken
könnte, während du schliefst? Ich brauche eine Weile für
mich allein. In einer halben Stunde würde ich gern essen.
Und du mußt dir keine Gedanken machen. Ich kann für
mich selbst bezahlen.«

Ich ging hinaus zu dem Klavierspieler und trug meinen
Namen ins Gästebuch ein. Von dem Teil des Speisesaals,
der durch eine Schiebetür abgetrennt war, hörte man die
summende Gesellschaft, die ihren amerikanischen Verwandten daheim willkommen hieß. Ich ging in einen der
Gesellschaftsräume und setzte mich zum Warten hin. Es
war ein langer Tag gewesen. Ich war beunruhigt. Die
Tage auf der Insel waren immer langsam verlaufen. Jetzt
war es, als hätten mich Kräfte überfallen, gegen die mich
zu wehren ich unfähig war.

Durch die offene Tür sah ich Harriet mit ihrem Rollator aus dem Korridor kommen. Es war, als stünde sie am
Ruder eines eigentümlichen Schiffs. Sie schwankte voran.
Hatte sie wieder getrunken? Wir gingen in den Speisesaal. Die meisten Tische waren unbesetzt. Eine freundliche Kellnerin mit geschwollenen und bandagierten Bei-

nen wies uns einen Ecktisch an. Ich tat, was mein Vater mich gelehrt hatte, immer zu kontrollieren, ob ein Kellner oder eine Kellnerin ordentliche Schuhe an den Füßen hatte. Das hatte sie, aber sie waren ungeputzt. Im Gegensatz zu mir hatte Harriet jetzt Hunger. Dafür trank ich gierig von dem Wein, den uns ein magerer Jüngling mit Pickeln im Gesicht präsentierte. Harriet stellte Fragen, aber ich sagte nichts, sondern trank nur, was ich eingeschenkt bekam. Es gab australische Weine, und einige aus Südafrika. Aber was für eine Rolle spielte das? In diesem Moment war es der Rausch, auf den ich aus war.

Wir stießen miteinander an, und ich merkte, daß Harriet fast sofort betrunken wurde. Nicht nur ich trank zuviel. Wann war es zuletzt vorgekommen, daß ich zu betrunken war, um meine Bewegungen zu kontrollieren? Gelegentlich, wenn die Schwermut draußen auf der Insel überhand nahm, konnte ich mich am Küchentisch betrinken. Es endete jedesmal damit, daß ich den Hund und die Katze mit Tritten hinausbeförderte und angezogen auf dem Bett einschlief. Im Winterhalbjahr kam es nie vor. Es konnte an einem hellen Frühlingsabend oder im Frühherbst geschehen, wenn die Angst einsetzte, daß ich ein paar von den Flaschen hervorholte, die ich immer auf Vorrat hatte. Man konnte über Jansson Bestellungen beim Spirituosengeschäft aufgeben, aber ich hatte nie daran gedacht, ihm Einblick in meine Trinkgewohnheiten zu gewähren. Ich kaufte meinen Alkohol selber ein.

Der Speisesaal schloß. Wir waren die letzten Gäste. Wir hatten gegessen und getrunken, und wie durch eine schweigende Übereinkunft hatten wir nicht an unser Leben oder an unseren weiteren Weg gerührt. Wir hatten nicht einmal über Sara Larsson und ihren Hund gesprochen. Ich ließ trotz Harriets Protesten unsere Mahlzeit auf die Zimmerrechnung schreiben. Dann schwankten wir davon. Irgendwie gelang es Harriet, mit dem Rollator Fehltritte zu machen, ohne daß ich richtig begriff, wie das zuging. Ich schloß die Tür auf und sagte, ich wolle einen Abendspaziergang machen. Das war natürlich nicht wahr. Aber ich wollte Harriet nicht in Verlegenheit bringen, indem ich da drinnen war, wenn sie zu Bett ging. Ich nehme an, daß ich genauso vermeiden wollte, mich selber in Verlegenheit zu bringen.

Ich setzte mich in einen Leseraum. Da gab es Regale mit alten Büchern und Zeitschriften. Der Raum war leer. Der Mann am Klavier war verschwunden. Ich hatte keine Ahnung, wo die große Gesellschaft geblieben war. Ich horchte, hörte aber nichts. Der Schlaf kam abrupt, als hätte er sich auf mich gestürzt. Als ich aufwachte, wußte ich nicht, wo ich mich befand. Die Uhr sagte mir, daß ich fast eine Stunde lang geschlafen hatte. Ich stand auf, schwankte von all dem Wein, den ich getrunken hatte, und ging in das Zimmer zurück. Harriet schlief. Sie hatte die Bettlampe an meiner Seite angeknipst. Ich zog mich vorsichtig aus, wusch mich im Bad und kroch ins Bett. Ich versuchte herauszuhören, ob sie wirklich schlief oder nur so tat. Sie lag auf der Seite. Ich kam in Versuchung, mit meiner Hand über ihren Rücken zu streichen. Sie trug ein hellblaues Nachthemd. Ich löschte die Lampe und lauschte in der Dunkelheit auf ihren Atem. Irgend etwas in mir war von Unruhe erfüllt. Aber da war noch etwas anderes, was ich lange vermißt hatte. Das Gefühl, nicht allein zu sein. Einfach so. Die Einsamkeit war für einen Augenblick verscheucht.

Ich muß eingeschlafen sein. Als ich aufwachte, war es von Harriets Schreien. Verschlafen gelang es mir, die

Bettlampe anzumachen. Sie saß kerzengerade im Bett, und sie schrie vor Schmerz und tiefer Verzweiflung. Als ich versuchte, sie an der Schulter zu berühren, schlug sie mich, hart, mitten ins Gesicht.

Ich bekam sofort Nasenbluten.

In dieser Nacht schliefen wir nicht mehr.

7

DIE MORGENDÄMMERUNG stieg wie grauer Rauch über dem schneebedeckten See auf.

Ich stand am Fenster und dachte, daß ich meinen Vater auf die gleiche Art gesehen hatte. Ganz so dick wie er war ich nicht, auch wenn mein Bauch angefangen hatte zu hängen. Aber wer sah mich? Niemand außer Harriet, die sich die Kissen hinter den Rücken gestopft hatte.

Ich war ein halbnackter Mann in einer Winterlandschaft, kann man sagen.

Ich überlegte, ob ich zu dem schneebedeckten See hinuntergehen sollte, um mir ein Loch aufzuhacken. Mir fehlte der Schmerz, wenn ich mich dem kalten Wasser aussetzte. Aber ich wußte, daß ich es nicht tun würde. Ich würde mit Harriet im Zimmer bleiben. Wir würden uns anziehen, frühstücken und unsere Reise fortsetzen.

Ich dachte an Harriets Traum, der sie mit einem Schrei geweckt hatte. Was sie erzählte, klang zunächst äußerst verworren. Es war, als suchte sie nach dem Traum und fände ihn nur in Scherben. Jemand hatte Nägel in sie hineingetrieben, weil sie sich geweigert hatte, ihren Körper herzugeben. Es war jemand, der darauf bestand, ihren Brustkorb aufzuschlitzen. Sie hatte dagegen angekämpft, sie hatte sich in einem Zimmer aufgehalten, oder vielleicht war es eine Landschaft, wo sie von Menschen umgeben war, deren Gesichter sie nicht erkennen konnte. Ihre Stimmen waren wie die Laute bedrohlicher Vögel gewesen.

Schließlich hatte sie geschrien und mich geweckt. Als ich versuchte, sie zu berühren, um sie zu beruhigen, oder vielleicht eher, um mich selbst zu beruhigen, hatte sie sich noch im Grenzland des Traums befunden, wo man nicht weiß, wer siegt, der Traum oder die Wirklichkeit. Deshalb hatte sie nach mir geschlagen, sie verteidigte sich gegen die konturlosen Gestalten, die ihren Brustkorb aufbrechen wollten. Ich hatte einen kräftigen Schlag abbekommen, es war wie damals in Rom, als ich niedergeschlagen und ausgeraubt worden war.

Diesmal bekam ich jedoch nur Nasenbluten.

Ich steckte Toilettenpapier in die Nasenlöcher, legte ein mit kaltem Wasser getränktes Handtuch um meinen Nacken und merkte nach einer Weile, daß das Nasenbluten aufhörte. Harriet klopfte an die Badezimmertür und fragte, ob sie mir helfen könne. Ich wollte meine Ruhe haben, und so antwortete ich mit nein. Als ich das Badezimmer mit zwei Papierbäuschen in der Nase verließ, war Harriet in ihr Bett zurückgekehrt. Sie hatte ihr Nachthemd ausgezogen und es über das Fußende gelegt.

Sie sah mich an. »Ich wollte dich nicht schlagen.«

»Natürlich nicht. Du hast geträumt.«

»Jemand hat an meinem Körper gezerrt, um mich zu zerstückeln. Meine Seite des Betts ist ganz naß. Deshalb habe ich das Nachthemd ausgezogen.«

Ich setzte mich auf einen Stuhl an dem großen Fenster, das zum Teich hin ging. Draußen war es noch dunkel. Aus der Ferne hörte ich einen Hund bellen.

Vereinzeltes Gebell, wie unterbrochene Sätze. Oder wie man spricht, wenn niemand zuhört.

Harriet erzählte von ihrem Traum.

Ich sah sie an und dachte, sie sei dieselbe wie damals, als ich sie geliebt hatte. Obwohl sie so anders war. Ich fragte mich, warum ich so dachte. Schließlich wurde mir bewußt, daß ihre Stimme sich in den Jahren, die vergangen waren, nicht verändert hatte. Viele Male hatte ich ihr gesagt, daß sie notfalls jederzeit als Telefonistin arbeiten könnte. Sie hatte die schönste Telefonstimme, die ich je gehört habe.

»Eine feindliche Kavallerie wartete im Wald«, sagte sie. »Plötzlich kamen sie und griffen an, ohne daß ich eine Möglichkeit hatte, mich zu verteidigen. Aber das ist jetzt vorbei. Außerdem weiß ich, daß gewisse Alpträume niemals zurückkehren. Sie werden ihrer Kraft beraubt und existieren nicht mehr.«

»Ich weiß, daß du schwer krank bist«, sagte ich.

Ich hatte überhaupt nicht vorgehabt, das zu sagen. Die Worte fuhren mir aus dem Mund. Harriet sah mich fragend an.

»Da war ein Brief in deiner Handtasche«, sagte ich. »Ich suchte nach einer Erklärung dafür, warum du auf dem Eis umgefallen bist. Ich habe das Papier gefunden und gelesen.«

»Warum hast du nicht gesagt, daß du es wußtest?«

»Ich schämte mich dafür, daß ich in deiner Tasche gekramt habe. Ich würde rasend werden, wenn mir das jemand antäte.«

»Du hast immer schon geschnüffelt. Du bist immer so einer gewesen.«

»Das ist nicht wahr.«

»Es ist wahr. Keiner von uns hat mehr die Kraft zu lügen. Ist es nicht so?«

Ich errötete. Sie hatte recht. Ich habe immer gern in den Habseligkeiten anderer Menschen gestöbert. Ich habe sogar die Briefe anderer geöffnet und sie dann wieder zugeklebt. Meine Mutter hatte eine Sammlung von Briefen aus ihrer Jugend aufbewahrt, in denen sie sich einer Freundin anvertraute. Vor ihrem Tod hatte sie ein Band um die Briefe geknotet und verfügt, daß sie verbrannt werden sollten. Das tat ich, aber erst nachdem ich sie gelesen hatte. Ich stöberte in den Tagebüchern meiner Freundinnen und in Schreibtischschubladen, manchmal durchwühlte ich die Schreibtische meiner Arztkollegen. Es gibt Patienten, deren Brieftaschen ich gründlich untersucht habe. Geld nahm ich nicht. Es war etwas anderes, was mich interessierte. Die Geheimnisse. Die schwachen Punkte der Menschen. Etwas zu wissen, ohne daß der andere wußte, daß ich es wußte.

Die einzige Person, die mich erwischt hatte, war Harriet. Es war zu Hause bei ihrer Mutter. Ich war für einen Augenblick allein und fing an, einen Sekretär zu inspizieren, als Harriet lautlos ins Zimmer kam und fragte, was ich da triebe. Sie hatte schon früher entdeckt, daß ich ihre Handtasche durchsuchte. Es war einer der qualvollsten Momente meines Lebens. Was ich sagte, weiß ich nicht mehr. Wir sprachen nie davon. Ihre Habseligkeiten rührte ich nicht mehr an. Aber ich fuhr fort, mich durch das Leben von Freunden und Kollegen zu wühlen. Jetzt erinnerte sie mich an den, der ich war.

Sie strich die Bettdecke glatt und bedeutete mir, mich neben sie zu setzen. Der Gedanke daran, daß sie unter dem Laken nackt war, erregte mich plötzlich. Ich setzte mich und legte die Hand auf ihren Arm. Sie hatte ein Muster von Muttermalen auf dem Oberarm. Ich erkannte sie. Nach all der Zeit, die vergangen ist, sind wir doch dieselben wie am Ausgangspunkt.

»Ich wollte es nicht erzählen«, sagte sie. »Du hättest glauben können, daß ich dich deshalb aufgespürt habe. Um nach einer Hilfe zu suchen, die es nicht gibt.«

»Nichts ist jemals hoffnungslos.«

»Weder du noch ich glauben an Wunder. Wenn sie geschehen, geschehen sie. Aber an sie zu glauben, auf sie zu warten, ist nur eine Art, die bemessene Zeit zu vergeuden. Vielleicht lebe ich noch ein Jahr, vielleicht ein halbes. Ich glaube jedenfalls, daß ich es noch ein paar Monate mit dem Rollator und all den schmerzstillenden Medikamenten schaffe. Aber erzähle mir nicht, daß nichts hoffnungslos ist.«

»Der medizinische Fortschritt. Manchmal geht die Entwicklung überraschend schnell.«

Sie richtete sich höher an den Kissen auf. »Glaubst du selbst an das, was du sagst?«

Ich antwortete nicht. Mir fiel ein, wie sie davon gesprochen hatte, daß das Leben dem Verhältnis des Menschen zu seinen Schuhen gliche. Man könne nicht hoffen oder sich einbilden, daß sie paßten. Schuhe, die drückten, gehörten zur Wirklichkeit.

»Ich will dich um etwas bitten«, sagte sie und brach plötzlich in Gelächter aus. »Kannst du nicht diese Papierbäusche aus den Nasenlöchern nehmen?«

»War es nur das, worum du mich bitten wolltest?«

»Nein.«

Ich ging ins Badezimmer und entfernte das durchweichte Papier. Es hatte aufgehört zu bluten. Die Nase tat weh, und es würde einen blauen Fleck und eine Schwellung geben. Draußen konnte ich noch das Gebell des einsamen Hundes hören.

Ich kehrte zurück und setzte mich wieder aufs Bett.

»Ich will, daß du dich neben mich legst. Sonst nichts.«

Ich tat, worum sie mich gebeten hatte. Ihr Geruch war stark. Durch das Laken hindurch spürte ich die Konturen ihres Körpers. Ich lag an ihrer linken Seite. So war es immer gewesen. Sie streckte ihre Hand aus und löschte die Bettlampe. Es war zwischen vier und fünf. Das schwache Licht einer Laterne an einem Springbrunnen auf dem Hof sickerte durch den Vorhang.

»Ich will wirklich diesen Waldteich sehen, den du mir geschenkt hast«, sagte sie. »Ich habe keinen Ring von dir bekommen. Ich glaube auch nicht, daß ich einen hätte haben wollen. Aber ich bekam den Waldteich. Ich will ihn sehen, bevor ich sterbe.«

»Du wirst nicht sterben.«

»Natürlich werde ich sterben. Es kommt ein Augenblick, in dem man nicht mehr verleugnen kann, was auf einen zukommt. Der Mensch ist ein Geschöpf, das den Tod als einzigen selbstverständlichen Begleiter im Leben hat. Selbst ein verrückter Mensch spürt, wann es Zeit ist zu gehen.«

Sie verstummte. Ihre Schmerzen kamen und gingen.

»Ich habe mich oft gefragt, weshalb du nie etwas gesagt hast«, fuhr sie nach einer Weile fort. »Daß du eine andere gefunden hast oder ganz einfach nicht mehr wolltest, das kann ich verstehen. Aber warum hast du nichts gesagt?«

»Ich weiß es nicht.«

»Natürlich weißt du es. Du hast immer gewußt, was du tust, auch wenn du behauptet hast, du wüßtest es nicht. Warum hast du dich versteckt? Wo warst du, als ich da auf dem Flugplatz stand und wartete? Stundenlang habe ich gewartet. Obwohl schließlich nur noch ein verspätetes Charterflugzeug nach Teneriffa abgehen sollte, blieb ich stehen. Später habe ich gedacht, du hättest dich vielleicht hinter einer Säule versteckt und mich beobachtet. Und gelacht.«

»Warum hätte ich lachen sollen? Ich war bereits abgereist.«

Sie dachte nach, ehe sie antwortete. »Warst du schon abgereist?«

»Dieselbe Zeit, dieselbe Maschine am Tag zuvor.«

»Du hattest es geplant?«

»Ich wußte nicht, ob ich den Flug bekomme. Ich bin einfach zum Flugplatz gefahren. Ein Passagier ist nicht erschienen, ich konnte mein Ticket umbuchen.«

»Ich glaube dir nicht.«

»Es ist, wie ich es sage.«

»Ich weiß, daß es nicht so ist. Du warst nicht so. Du hast nichts getan, ohne dich vorzubereiten. Du hast gesagt, daß ein Chirurg sich niemals erlauben könne, eine Gelegenheit beim Schopf zu packen. Du hast gesagt, du wärst in deinem ganzen Wesen ein Chirurg. Ich weiß, daß du das geplant hast. Wie kannst du verlangen, daß ich an etwas glauben soll, was nichts als eine Lüge ist? Du bist genau wie damals. Du lügst dich durchs Leben. Ich habe es zu spät bemerkt.«

Ihre Stimme war schrill, sie begann zu schreien. Ich versuchte sie beruhigen, bat sie, an die zu denken, die im Nebenzimmer schliefen.

»Die sind mir egal. Erzähl mir, wie jemand sich so benehmen kann, wie du es mir gegenüber getan hast.«

»Ich habe gesagt, daß ich es nicht weiß.«

»Hast du das auch anderen angetan? Sie in deinen Netzen eingefangen und dann zugesehen, wie sie klargekommen sind?«

»Ich begreife nicht, wovon du sprichst.«

»Hast du nichts anderes zu sagen?«

»Ich versuche, ehrlich zu sein.«

»Du lügst. Kein wahres Wort. Wie hältst du es nur mit dir selber aus?«

»Ich habe nichts mehr zu sagen.«

»Ich möchte wissen, was du denkst.«

Sie klopfte vorsichtig mit einem Finger an meine Stirn. »Was ist da drinnen? Nichts als Dunkelheit?«

Sie legte sich hin und drehte mir den Rücken zu. Ich hoffte, es sei vorbei.

»Hast du wirklich nichts zu sagen? Nicht einmal Verzeihung?«

»Verzeihung.«

»Wäre ich nicht so krank, würde ich dich schlagen. Ich hätte dich niemals in Ruhe gelassen. Es ist dir beinahe gelungen, mein Leben zu zerstören. Ich wünschte nur, du würdest etwas sagen, damit ich verstehe.«

Ich antwortete nicht. Etwas wurde vielleicht leichter, Lügen sind wie Gewichte, auch wenn sie sich anfangs gewichtslos anfühlen. Harriet zog die Decke bis zum Kinn.

»Frierst du?« fragte ich vorsichtig.

Sie klang ganz ruhig, als sie antwortete. »Mein ganzes Leben lang habe ich gefroren. Ich habe in Wüsten und tropischen Ländern nach Wärme gesucht. Aber es ist immer ein kleiner Eiszapfen in mir hängengeblieben. Menschen schleppen immer etwas mit sich herum. Für viele ist es Trauer, für andere Unruhe. Für mich ist es ein Eiszapfen gewesen. Für dich ein Ameisenhügel in der guten Stube eines alten Fischerhauses.«

»Ich benutze dieses Zimmer nie. Es bleibt den Winter über ungeheizt. Mein Großvater und meine Großmutter sind beide in diesem Zimmer gestorben. Sobald ich hineingehe, ist es, als hörte ich ihre Atemzüge und nähme ihren Geruch wahr. Eines Tages entdeckte ich, daß Ameisen da drinnen waren. Als ich ein paar Monate später die Tür öffnete, hatten sie angefangen, einen Hügel zu bauen. Ich ließ sie gewähren.«

Harriet drehte sich um. »Was ist geschehen? Ich mache

kein Theater. Ich weiß nicht, was in deinem Leben geschehen ist. Warum bist du da hinausgezogen? Ich erfuhr vom dem, der mich hinausgefahren hat, daß du fast seit zwanzig Jahren da wohnst.«

»Jansson ist ein Schurke. Immer übertreibt er. Ich wohne seit zwölf Jahren auf der Schäre.«

»Ein Arzt, der mit vierundfünfzig Jahren in Rente geht?«

»Ich will nicht darüber sprechen. Etwas ist geschehen.«

»Mir kannst du es erzählen.«

»Ich will nicht.«

»Ich werde bald sterben.«

Ich drehte ihr den Rücken zu und bereute, nachgegeben zu haben. Nicht auf den Waldteich war sie aus, sondern auf mich.

Weiter kam ich nicht in meinen Gedanken.

Ich spürte, wie sie sich näherte und sich dicht an mich schmiegte. Die Wärme ihres Körpers umschloß mich und füllte das aus, was sich so lange als sinnlose Hülle angefühlt hatte. So hatten wir immer gelegen, wenn wir schliefen. Ich trug sie auf meinem Rücken in den Schlaf hinein. Einen Augenblick lang konnte ich denken, daß wir immer so gelegen hatten. Fast vierzig Jahre lang, ein wundersamer Schlaf, aus dem wir beide erst jetzt erwachten.

»Was ist mit dir geschehen? Jetzt kannst du es mir erzählen«, sagte Harriet.

»Ich habe bei einer Operation einen katastrophalen Fehler begangen. Ich meinte hinterher, ich hätte keine Schuld an dem, was geschehen war. Ich wurde verurteilt. Nicht in einem Prozeß, sondern vom Sozialamt. Ich bekam eine Verwarnung, die ich nicht ertrug. Das ist alles, was ich im Moment sagen möchte. Frag nicht weiter.«

»Erzähl lieber von dem Waldteich«, flüsterte sie.

»Er ist schwarz, angeblich bodenlos, hat keine Strände. Ein armer kleiner Verwandter all der schönen Teiche mit ihrem hellen Wasser. Es fällt einem schwer zu glauben, daß er da ist und nicht nur ein Tropfen Tinte, den die Natur verschüttet hat. Als ich klein war, habe ich meinen Vater einmal da herumschwimmen sehen. Das habe ich dir erzählt. Aber ich habe nicht gesagt, daß ich damals begriff, was das Leben war. Die Menschen sind sich nahe, um sich zu trennen, sonst nichts.«

»Gibt es Fische in dem Teich?«

»Ich weiß es nicht. Aber wenn es sie gibt, müssen sie ganz schwarz sein. Vielleicht unsichtbar, da man sie in dem dunklen Wasser nicht erkennen kann. Schwarze Fische, schwarze Frösche, schwarze Wasserspinnen. Und unten am Boden, wenn es einen Boden gibt, ein einsamer Aal, der sich langsam im Schlamm bewegt.«

Sie drückte sich fester an mich. Ich dachte, sie läge im Sterben, ihre Wärme würde sich bald in eine schleichende Kälte verwandeln. Was hatte sie gesagt? Ein Eiszapfen in ihrem Inneren? Also war der Tod für sie Eis, nichts sonst. Der Tod ist nicht für alle gleich, der Schatten hinter uns tritt in unterschiedlicher Verkleidung auf. Ich wollte mich umdrehen und sie so fest halten, wie ich konnte. Aber etwas hinderte mich daran. Vielleicht hatte ich immer noch Angst vor dem, was mich dazu gebracht hatte, sie zu verlassen? Eine allzu große Nähe, Gefühle, mit denen ich nicht umgehen konnte?

Ich wußte es nicht. Aber vielleicht wollte ich es jetzt doch wissen.

Ich muß für eine kleine Weile eingeschlafen sein. Ich wachte davon auf, daß sie auf der Bettkante saß. Zu meinem Entsetzen sah ich, daß sie auf die Knie niedersank und auf die Badezimmertür zuzukriechen begann. Sie war ganz nackt, die Brüste waren schwer, ihr Körper war älter, als ich ihn mir vorgestellt hatte. Ob sie zum Badezimmer kroch, weil sie zu müde zum Gehen war, oder ob sie mich nicht mit dem Quietschen des Rollstuhls wecken wollte, weiß ich nicht. Mir traten die Tränen in die Augen, mein Blick war getrübt, als sie die Tür schloß. Als sie zurückkam, war es ihr gelungen, sich aufzurichten. Doch ihre Beine zitterten. Sie legte sich wieder dicht neben mich.

»Ich schlafe nicht«, sagte ich. »Ich weiß nicht mehr, was geschieht.«

»Du hast unerwarteten Besuch draußen auf deiner Insel bekommen. Ein altes Weib aus deiner Vergangenheit ist übers Eis gekommen. Jetzt bist du plötzlich unterwegs, um ein Versprechen einzulösen.«

Sie roch nach Alkohol. Hatte sie unter ihren Toilettensachen eine Flasche versteckt?

»Viele Medikamente vertragen sich nicht mit Alkohol«, sagte ich.

»Wenn ich wählen müßte, würde ich den Schnaps vorziehen.«

»Du verheimlichst das.«

»Ich habe natürlich gemerkt, daß du es gerochen hast. Aber es gefällt mir trotzdem, so zu tun, als machte ich ein Geheimnis daraus.«

»Was trinkst du?«

»Gewöhnlichen schwedischen Branntwein. Morgen mußt du an einem Spirituosenladen anhalten. Was ich dabei hatte, ist bald verbraucht.«

Wir lagen da und warteten auf den Morgen.

Hin und wieder schlummerte sie ein. Der Hund da draußen in der Nacht war verstummt. Wieder stand ich auf und stellte mich ans Fenster. Ich dachte, ich hätte mich in meinen eigenen Vater verwandelt. Im Abstand von fünfundfünfzig Jahren waren wir zusammengeschmolzen und ein und derselbe geworden.

An dem Waldteich hatte ich seine Einsamkeit entdeckt. Jetzt erkannte ich, daß sie auch die meine war.

Das machte mir Angst. Ich wollte keine Angst haben.

Ich wollte kein Mann sein, der in ein Eisloch stieg, um zu spüren, daß er lebte.

8

WIR VERLIESSEN das Wirtshaus um kurz vor neun.

Es war ein Morgen mit Nebelschleiern, ein paar Grad über Null und schwachem Wind. Der Klavierspieler war nicht zurückgekehrt. An der Rezeption stand eine junge Dame. Sie fragte, ob wir gut geschlafen hätten und zufrieden wären.

Harriet stand mit ihrem Rollator ein paar Schritte von mir entfernt da. »Wir haben ausgezeichnet geschlafen«, antwortete sie. »Das Bett war breit und bequem.«

Ich zahlte und fragte, ob sie eine Landkarte hätte.

Sie verschwand für einige Minuten und kam mit einem ganzen Kartenbuch zurück. »Das kostet nichts«, sagte sie. »Ein Gast aus Lund hat es vor ein paar Wochen vergessen.«

Wir fuhren davon, direkt in den Nebel hinein.

Es war, als befänden wir uns in einem Land ohne Wege. Wir fuhren langsam, da der Nebel sehr dicht war. Ich dachte daran, wie oft ich bei meiner Insel in einem Gürtel von dicker Suppe gerudert war. Wenn die Nebelschwaden vom Meer her angerollt kamen, konnte ich auf den Rudern ruhen und mich von all dem Weißen umschließen lassen. Ich hatte es immer als eine eigenartige Mischung aus Geborgenheit und Bedrohung erlebt. Großmutter konnte auf der Bank an ihrem Apfelbaum sitzen und von Menschen erzählen, die sich im Nebel verirrt hatten. Sie meinte, es gebe ein Loch im Nebel, von dem man angesogen wurde, um niemals zurückzukehren.

Hin und wieder tauchten Scheinwerfer auf, wir sahen

undeutlich ein Auto oder einen Lastwagen, und dann waren wir wieder allein.

In einem der Orte, durch die wir fuhren, gab es einen Spirituosenladen. Ich kaufte ein, was Harriet haben wollte. Sie bestand darauf, selbst zu zahlen. Wodka, Branntwein, Kognak in Halbliterflaschen.

Der Nebel lichtete sich allmählich. Es lag Schnee in der Luft.

Harriet nahm einen Schluck aus einer der Flaschen, bevor ich es überhaupt geschafft hatte, den Motor zu starten. Ich sagte nichts, da es nichts zu sagen gab.

Plötzlich erinnerte ich mich.

Aftonlöten. Ich erinnerte mich an den Namen des Berges, der in der Nähe des Waldteichs lag, in dem ich meinen Vater wie ein glückliches Walroß hatte herumschwimmen sehen.

Aftonlöten.

Ich fragte ihn, was das bedeute. Das wußte er nicht. Jedenfalls bekam ich keine Antwort.

Aftonlöten.

Es war wie ein Wort aus einem alten Hirtenlied. Ein kleiner, unbedeutender Berg von gut 600 Metern, der zwischen Ytterhogdal, Linsjön und Älvros lag.

Aftonlöten. Ich sagte nichts zu Harriet, da ich immer noch nicht überzeugt war, ob ich zu dem Teich finden würde.

Ich fragte, wie es ihr gehe. Es dauerte fast eine halbe Meile, bis sie reagierte. Wortkargheit und Entfernungen hängen zusammen. Es ist leichter, still zu sein, wenn man sich auf einem langen Weg befindet.

Sie sagte, sie habe keine Schmerzen. Das war nicht wahr, aber ich machte mir nicht die Mühe, noch einmal zu fragen.

In der Nähe der Grenze von Härjedalen machten wir halt, um zu essen. Auf dem Parkplatz stand ein einsames Auto. Etwas an dem Lokal und dem Ort verwirrte mich, ohne daß ich hätte sagen können, was es war. Drinnen in dem alten Holzhaus brannte ein Feuer. Es roch nach Preiselbeersaft. Diesen Geruch kannte ich aus meiner Kindheit. Ich hatte gedacht, Preiselbeersaft sei etwas, was es kaum mehr gäbe. Aber hier wurde er serviert.

Wir setzten uns in den Speisesaal mit den gezimmerten Wänden, von denen Elchgeweihe und ausgestopfte Vögel auf uns herunterblickten. Auf einem Regal lag ein Totenschädel. Ich konnte nicht umhin, den Versuch zu machen zu bestimmen, was es für einer war. Es dauerte eine Weile, bis ich erkannte, daß es ein Bärenschädel war.

Die Kellnerin, die uns die Gerichte genannt hatte, zwischen denen wir wählen konnten, kam herein und sah mich mit dem Schädel in der Hand. »Er starb eines natürlichen Todes«, sagte sie. »Mein Mann wollte, daß ich sage, ich hätte ihn erlegt. Jetzt, wo er tot ist, sage ich, wie es ist. Er ist von selbst gestorben. Er lag unten am Risvattnet. Ein alter Bär, der sich zum Sterben neben die Wurzeln einer umgestürzten Kiefer gelegt hatte.«

Ich wußte plötzlich, daß ich schon einmal hier gewesen war. Damals hatte ich die Reise zusammen mit meinem Vater unternommen. Vielleicht war es der Duft des Preiselbeersafts, der bewirkt hatte, daß die Erinnerung wiederkehrte.

Hatten sich die ausgestopften Vögel schon damals an der Wand befunden und die Besucher mit ihren starren Augen betrachtet? Ich erinnerte mich nicht. Aber ich wußte, daß ich hier gewesen war. Ich konnte meinen Vater sehen, wie er sich mit der Serviette den Mund abwischte, auf die Uhr schaute und mich aufforderte, schnell aufzuessen. Es lag noch ein langer Weg vor uns.

Neben dem offenen Kamin, in dem ein Feuer brannte, hing eine Karte an der Wand. Darauf waren Aftonlöten, Linsjön und ein Berg, den ich vergessen hatte.

Er hieß Fnussjen.

Der Name war unbegreiflich, wie ein Witz. Ein fünfhundert Meter hoher bewaldeter Witz. Im Gegensatz zu Aftonlöten, diesem zugleich ernsten und schönen Namen.

Wir aßen Gulasch. Ich war vor Harriet fertig, setzte mich ans Feuer und wartete.

Sie hatte Schwierigkeiten, den Rollator über die Schwelle zu heben, nachdem sie den Eßtisch verlassen hatte. Ich stand auf, um ihr zu helfen.

»Ich schaffe das selbst.«

Es klang wie ein plötzliches Brüllen.

Wir gingen langsam durch den Schnee zurück zum Auto. Wir haben nie zusammengelebt, dachte ich. Trotzdem betrachten diejenigen, die uns begegnen, uns als ein altes Paar mit unendlicher Geduld füreinander.

»Heute schaffe ich nichts mehr«, sagte Harriet, als wir im Auto saßen.

Ich sah, daß ihr von der Anstrengung der Schweiß auf der Stirn stand. Ihre Augen waren halb geschlossen, als wäre sie im Begriff einzuschlafen. Sie stirbt, dachte ich. Sie stirbt hier im Auto. Ich habe mich immer gefragt, an welchem Ort ich sterben werde. In meinem Bett, auf einer Straße, in einem Laden oder unten an meinem Steg, in Erwartung von Jansson. Aber ich hatte mir nie vorgestellt, in einem Auto zu sterben.

»Ich muß mich ausruhen«, sagte sie. »Sonst weiß ich nicht, wie es gehen soll.«

»Du mußt mir sagen, wieviel du verträgst.«

»Das tue ich gerade. Morgen wird der Tag des Waldteichs. Nicht heute.«

Ich fand eine kleine Pension im nächsten größeren Ort.
Ein gelbes Haus hinter der Kirche. Eine freundliche
Dame empfing uns. Als sie den Rollator sah, gab sie uns
ein großes Zimmer im Erdgeschoß. Eigentlich hätte ich
ein eigenes Zimmer haben wollen, konnte mich aber nicht
aufraffen, etwas zu sagen. Harriet legte sich zum Ausruhen hin. Ich blätterte einen Stapel alter Illustrierter
durch, der auf einem Tisch lag, bevor ich einschlum-
merte. Ein paar Stunden später ging ich hinaus und kaufte
Pizza in einem verlassenen Lokal, in dem ein alter Mann
mit einem grauen Spitz zu seinen Füßen saß und vor sich
hin murmelte.

Wir aßen auf dem Bett sitzend. Harriet war sehr müde.
Nachdem sie gegessen hatte, legte sie sich wieder hin. Ich
fragte, ob sie reden wolle, aber sie schüttelte nur den
Kopf.

Ich ging in die Dämmerung hinaus und wanderte in
dem kleinen Ort herum, wo viele Geschäfte leer auf die
Straße glotzten. An den Schaufenstern hingen Zettel mit
Namen und Telefonnummern, an die jeder, der interessiert war, den Laden zu mieten, sich wenden konnte. Es
war wie ein Hilferuf, ein kleiner schwedischer Ort in
höchster Seenot. Großvaters und Großmutters Insel war
ein Teil dieses riesigen, verlassenen, ungenutzten schwedischen Archipels, der nicht nur aus Inseln entlang der
langen Küsten besteht, sondern auch aus kleinen Orten
in Wäldern und im Inland. Hier gab es keine Anlegestege,
wo man an Land ging, keine wütenden Hydrokopter, die
Schneewolken hochwirbelten, wenn sie sich mit der Post

und der Werbung näherten. Trotzdem war mir, als wanderte ich auf einer der äußersten Inseln, als ich in dem menschenleeren Ort herumging. Durch die Fenster fiel das blaue Fernsehlicht auf den Schnee, manchmal drangen die Geräusche hinaus, von jedem Fenster Fetzen verschiedener Programme. Ich stellte mir die Einsamkeit so vor, daß die Menschen nur selten dieselbe Sendung anschauten. An den Abenden vergruben sich die Generationen oder Familien in verschiedenen Welten, die von den verschiedenen Satelliten ausgesandt wurden.

Früher hatte man immerhin gemeinsame Sendungen gehabt, über die man reden konnte. Worüber redete man jetzt?

Ich blieb am ehemaligen Bahnhof stehen und knotete den Schal fester um den Hals. Es war kalt und hatte angefangen zu stürmen. Ich trat auf den verlassenen Bahnsteig hinaus. Auf einem Abstellgleis stand ein Güterwagen, ein verlassener Stier in seinem Verschlag. Im schwachen Licht einer einsamen Laterne versuchte ich, den alten Fahrplan hinter einer zerschlagenen Glasscheibe an der Wand des Bahnhofsgebäudes zu lesen. Ich schaute auf meine Armbanduhr. In wenigen Minuten sollte ein südwärts fahrender Zug vorbeikommen. Ich wartete und dachte, daß merkwürdigere Dinge geschehen waren, als daß ein geisterhafter Zug sich im Dunkeln näherte, um dann hinunter zur Brücke über den zugefrorenen Fluß zu verschwinden.

Aber es kam kein Zug. Nichts kam. Hätte ich etwas Heu gehabt, hätte ich es vor den einsamen Güterwagen gelegt. Ich setzte meine Wanderung fort. Der Himmel war sternklar. Ich versuchte, Bewegungen da oben zu erkennen, Sternschnuppen, einen Satelliten, vielleicht ein Flüstern von einem der Götter, die angeblich dort lebten.

Aber nichts geschah. Der Nachthimmel war stumm. Ich ging weiter zu der Brücke hinunter, die über den zugefrorenen Fluß führte. Ein Baumstamm lag auf dem Eis. Ein schwarzer Riß in all dem Weißen. Wie der Fluß hieß, wußte ich plötzlich nicht mehr. Ich dachte, es sei Ljusnan, war aber nicht sicher.

Ich blieb lange auf der Brücke stehen. Plötzlich war es, als wäre ich nicht mehr allein unter den hohen Eisenbögen. Es gab dort noch andere, und ich erkannte, daß ich selbst es war, den ich sah. In allen Altersstufen, angefangen mit dem, der auf Großvaters und Großmutters Insel herumgelaufen war und gespielt hatte, bis zu dem, der Harriet vor vielen Jahren verlassen hatte, und schließlich zu dem Mann, der ich jetzt war. Für einen kurzen Moment hatte ich den Mut, mich selbst zu sehen, wie ich war und wie ich geworden bin.

Ich suchte unter den Gestalten, die mich umgaben, nach einem Menschen, der anders war, der jener Mensch war, der ich hätte sein können, aber ich fand keinen. Nicht einmal einen Mann, der wie sein Vater in verschiedenen Restaurants kellnerte.

Wie lange ich da auf der Brücke stand, weiß ich nicht. Als ich in die Pension zurückging, waren die Gestalten, die mich umgeben hatten, verschwunden.

Ich legte mich aufs Bett, streifte Harriets Arm und schlief ein.

In dieser Nacht träumte ich, ich würde auf der Eisenbrücke herumklettern. Ich stellte mich ganz oben auf eine der gewaltigen Bögen und wußte, ich würde bald aufs Eis hinunterstürzen.

Es schneite leicht, als wir am folgenden Tag anfingen, nach dem Forstweg zu suchen. Ich hatte keine Erinnerung daran, wie er ausgesehen hatte. Es gab nichts in der einförmigen Landschaft, was Richtpunkte an mein Gedächtnis schickte. Das einzige, was ich wußte, war, daß wir ganz in der Nähe waren. Irgendwo in der Mitte des Dreiecks zwischen Aftonlöten, Ytterhogdal und Fnussjen lag der Waldteich, den wir suchten.

Harriet schien es an diesem Morgen etwas besser zu gehen. Als ich aufwachte, war sie schon angezogen. Wir frühstückten in einem kleinen Speisesaal, wir waren die einzigen Gäste. Auch Harriet hatte in der Nacht geträumt. Es ging um uns, eine Erinnerung an einen Ausflug, den wir zu einer Insel im Mälarsee gemacht hatten. Für mich war dieses Erinnerungsbild ausgelöscht.

Aber ich nickte, als Harriet fragte, ob ich mich erinnerte. Natürlich erinnerte ich mich. Ich erinnerte mich an alles, was uns zugestoßen war.

Die Schneewälle waren hoch, es gab nur wenige Abzweigungen, einige nicht geräumt. Plötzlich erinnerte ich mich an etwas aus meiner Jugend. Die Forstwege. Oder vielleicht eher das Gefühl eines Forstwegs.

Einen Sommer hatte ich bei einem der Verwandten meines Vaters in Jämtland verbracht. Meine Großmutter war krank, in diesem Sommer konnte ich nicht draußen auf der Insel sein. Ich fand einen Freund, einen Jungen in meinem Alter, dessen Vater Vorsitzender Richter war. Zusammen waren wir in die Kanzlei des Gerichtsbezirks gegangen und hatten die Bänder um die alten Prozeßprotokolle und polizeilichen Ermittlungen aufgeknotet. Wir suchten nach Vaterschaftsprozessen mit all ihren erstaunlichen und verlockenden Einzelheiten über das, was sich in den Samstagnächten auf den Autorücksitzen abgespielt hatte. Immer hatten diese Autos auf Forstwegen gestanden. Es war, als gäbe es keine Menschen, die nicht auf dem Rücksitz von Autos gezeugt worden waren. Wir verschlangen die Zeugenverhöre mit den jungen Männern, die vor Gericht widerwillig und wortkarg aussagten, was auf dem betreffenden Forstweg geschehen oder nicht geschehen war. In diesen Zeugenaussagen schneite es immer, nie gab es einfache und geradlinige Wahrheiten, immer herrschte ein großes Zögern, wobei die jungen Männer schworen, es nicht gewesen zu sein, und die genauso jungen Frauen darauf bestanden, daß er und kein anderer es war, auf diesem und keinem anderen Rücksitz. Wir schwelgten in den geheimnisvollen Einzelheiten, und ich glaube, daß wir, ehe die Wirklichkeit uns einholte, davon träumten, uns Frauen auf Autorücksitzen von Autos zu nähern.

Das, wonach wir uns sehnten, spielte sich immer auf einem verschneiten Forstweg ab.

Ohne daß ich eigentlich wußte, warum, fing ich an, Harriet davon zu erzählen. Ich hatte begonnen, methodisch in alle Abzweigungen einzubiegen, auf die wir stießen.

»Ich denke nicht daran, dir von meinen Rücksitzerlebnissen zu erzählen«, sagte sie. »Ich habe es früher nicht getan, und ich tue es jetzt nicht. Es gibt einen Zug von Erniedrigung im Leben aller Frauen. Am schlimmsten für viele von uns war das, was geschah, als wir sehr jung waren.«

»Als praktizierender Arzt sprach ich manchmal mit meinen Kollegen darüber, wie viele Menschen nicht wissen, wer ihr leiblicher Vater ist. Viele haben die Vaterschaft abgestritten, andere haben freiwillig eine Verantwortung übernommen. Nicht einmal die Mütter selbst wußten immer, wer der Vater war.«

»Die einzige Erinnerung, die ich an diese frühen und

ganz hoffnungslosen Versuche habe, mich der Erotik zu nähern, war, daß ich immer so komisch roch. Und an den Jungen, der auf mir herumturnte. Das ist alles, woran ich mich erinnere, die verwirrende Erregung und alle komischen Gerüche.«

Wie ein großes Untier kam uns plötzlich eine Abholzungsmaschine auf dem Forstweg entgegen. Ich machte eine Vollbremsung und rutschte in eine Schneewehe. Der Mann, der das Untier steuerte, kletterte aus seinem Fahrerhaus heraus. Er schob an, als ich zurücksetzte. Nach einiger Mühe kam der Wagen los. Ich stieg aus. Der Mann war kräftig und hatte einen Kautabakrand am Mundwinkel. Irgendwie glich er seiner gigantischen Maschine mit ihren Greifern und Kränen.

»Biste falsch gefahrn?« fragte er.

»Ich suche einen Waldteich.«

Er kniff die Augen zusammen. »Suchste ein Walddeich?«

»Ja. Einen Waldteich.«

»Hat er nen Namen?«

»Er hat keinen Namen.«

»Trotzdem suchste nach eim? Hier gibt's verdammt viele Walddeiche. Du kannst dirs aussuchen. Was willste denn damit?«

Ich sah ein, daß nur ein Narr in einem Winterwald nach einen namenlosen Waldteich suchen konnte. Deshalb sagte ich es genau so, wie es war. Ich dachte, es könnte eigentümlich genug sein, um ganz wahr zu wirken.

»Du bist vor fünfundfünzig Jahren mit deim Vadder innem Walddeich bei Aftonlöta geschwomm? Hab ich das recht verstahn?«

»Ich habe der Frau, die hier im Auto sitzt, versprochen, daß sie ihn zu sehen bekommt. Sie ist krank.«

Ich sah, daß er zögerte, ehe er sich entschloß, mir zu glauben. »Wird se denn davon gesund? Wenn se den Walddeich sieht?«

»Vielleicht.«

Er nickte und überlegte. »Es liegt 'n Walddeich am Ende des Wegs, kann er das sein?«

»Ich erinnere mich daran, daß er ganz rund war, nicht groß, und daß der Wald bis dicht hinunter ans Wasser reichte.«

»Das kanner sein, sonst weiß ich nich. Der Wald is voll von Deichen.«

Er gab mir die Hand und stellte sich vor. »Ich heiß Harald Svanbäck. Man trifft im Winter nich viele Leute aufm Weg. Das is selten. Aver ich wünsch dir Glück. Kümmer dich um die Mudder da im Auto.«

»Das ist nicht meine Mutter.«

»Aver sie is doch die Mudder von jemand?«

Er kletterte in seine Maschine hinauf, startete den Motor und fuhr vorsichtig auf dem Forstweg vorbei. Ich setzte mich wieder ins Auto.

»Was für eine Sprache hat er gesprochen?« fragte Harriet.

»Die Sprache des Waldes. In dieser Gegend hat wohl jeder zweite seinen eigenen Dialekt. Sie verstehen einander. Aber sie haben ihre ganz eigene Sprache. Es ist am sichersten so. In Randgebieten kann man manchmal denken, daß jeder Mensch eine eigene Rasse ist. Ein eigenes Volk, ein eigener Stamm mit seiner einzigartigen Geschichte. Wenn sie ganz allein zurückbleiben, ist niemand da, der ihre Sprache vermissen wird, die mit ihm stirbt.«

Wir fuhren auf dem Forstweg weiter. Der Wald war sehr dicht, der Weg stieg leicht an. Konnte ich mich daran erinnern, als ich hier mit meinem Vater in dem taubenblauen Chevrolet, den er so sorgfältig pflegte, unterwegs war? Ein Pfad, der aufwärts führte? Ich hatte das Gefühl, daß wir auf dem rechten Weg waren. Wir kamen an einem Holzlager mit frisch gefällten Stämmen vorbei. Der Wald war zerrissen von der großen Maschine, über die Harald Svanbäck gebot. Alle Entfernungen schienen plötzlich endlos. Ich prüfte im Rückspiegel, ob der Wald hinter uns im Begriff war, zusammenzuwachsen. Es war, als führen wir in der Zeit rückwärts. Ich erinnerte mich an meine Wanderung vom gestrigen Abend, die Brücke, die Schatten aus meiner Vergangenheit. Vielleicht waren wir unterwegs zu einem Sommerteich, wo mein Vater und ich darauf warteten, daß wir ankämen?

Wir passierten eine enge Kurve. Die Schneewälle waren hoch.

Der Weg nahm ein Ende.

Vor mir lag der Waldteich unter seiner weißen Hülle. Ich hielt an und stellte den Motor ab. Wir waren angekommen. Das war alles, was gesagt werden mußte. Ich zögerte nicht. Dieser Waldteich war der richtige. Nach fünfundfünfzig Jahren war ich zurückgekehrt.

Das weiße Tuch war ausgebreitet und hieß uns willkommen. Ich verspürte eine Art Ehrerbietung, weil Harriet mich auf meiner Insel gefunden hatte. Sie war eine Abgesandte, auch wenn sie von sich selbst abgesandt war. Oder hatte ich sie gerufen? Hatte ich während all dieser Jahre darauf gewartet, daß sie eines Tages zurückkehren würde?

Ich wußte es nicht. Aber wir waren angekommen.

9

ICH SAGTE Harriet, daß der Waldteich vor uns liege.

Sie schaute lange in all das Weiß hinein. »Hier gibt es also Wasser unter dem Schnee?«

»Schwarzes Wasser. Alles schläft. Alles Gewürm, das im Wasser lebt. Aber dies ist der Teich, nach dem wir gesucht haben.«

Wir stiegen aus. Ich hob den Rollator heraus. Er versank im Schnee.

Ich nahm den Spaten aus dem Kofferraum. »Setz dich in die Wärme. Ich starte den Motor. Und dann schippe ich einen Pfad für dich. Wohin willst du? An den Rand?«

»Ich will bis zur Mitte des Sees hinauskommen.«

»Es ist kein See. Es ist ein Waldteich.«

Ich startete den Motor, half Harriet wieder ins Auto und fing an zu schippen. Zwanzig Zentimeter unter dem oberen Schnee lag eine Frostschicht. Es war schwer zu schippen. Ich könnte hier zusammenklappen und sterben.

Der Gedanke machte mir angst. Ich schippte langsamer, lauschte auf mein Herz. Bei meiner letzten Vorsorgeuntersuchung hatte ich einen leicht erhöhten Glycohämoglobinwert. Alle anderen metabolischen Werte waren gut. Aber ein Herzanfall kann unerwartet zuschlagen, als würde sich ein unbekannter Selbstmordbomber in einer Herzkammer in die Luft sprengen.

In meinem Alter ist es nicht ungewöhnlich, daß Männer sich zu Tode schippen. Sie sterben einen plötzlichen und fast peinlichen Tod mit einem kleinen Metallspaten zwischen den steifen Fingern.

Ich brauchte lange, um mich zur Mitte des Teichs durchzuschaufeln. Ich war verschwitzt und hatte Schmerzen in Rücken und Armen, als ich endlich am Ziel war. Die Abgase standen wie eine Wolke hinter dem Auto. Aber hier draußen auf dem Teich konnte ich den Motor nicht hören. Es war ganz still. Keine Vögel, keine Bewegung in den Bäumen.

Ich wünschte, ich hätte mich selbst aus der Ferne sehen können. Tief drinnen zwischen den Bäumen, versteckt, ein Betrachter, der sich selbst sah.

Als ich zurück zum Auto ging, dachte ich, alles wäre bald vorbei. Harriet würde ich dort absetzen, wo sie Abschied nehmen wollte. Noch immer wußte ich nur, daß sie irgendwo in Stockholm wohnte. Bald konnte ich zu meiner Insel zurückkehren. Ich beschloß, Jansson eine Karte zu schicken. Nie hatte ich mir vorgestellt, daß ich ihm schreiben würde. Aber jetzt brauchte ich ihn. Ich würde eine Ansichtskarte mit den endlosen Wäldern kaufen, am liebsten eine, auf der die Bäume mit Schnee bedeckt waren. Ich würde ein Kreuz mitten in den Bäumen machen und schreiben: »Hier bin ich. Bald komme ich zurück. Gib meinen Tieren zu fressen.«

Harriet war schon ausgestiegen. Sie stand da, den Rollator vor sich. Zusammen gingen wir den Pfad entlang, den ich freigeschaufelt hatte. Mich überkam das Gefühl, wir wären Teil einer Prozession auf einem Gang hinauf zum Altar.

Ich fragte mich, was sie dachte. Aber alles war still, außer dem leisen Schnurren des Automotors.

»Ich habe immer Angst vor dem Eis gehabt«, sagte sie plötzlich.

»Trotzdem hast du es gewagt, dich hinaus zu meiner Insel zu begeben?«

»Angst zu haben bedeutet nicht, daß ich dem nicht zu trotzen wage, was mich erschreckt.«

»Hier ist es nicht bis auf den Grund gefroren«, erwiderte ich. »Aber nahezu. Das Eis ist meterdick. Es würde notfalls einen Elefanten tragen.«

Sie brach in Gelächter aus. »Wäre das nicht sonderbar? Ein Elefant, der hier draußen auf dem Eis steht, um mich zu beruhigen? Ein heiliger Elefant, der jene erlöst, die sich vor dem dünnen Eis fürchten?«

Wir erreichten die Mitte des Teichs.

»Ich glaube, ich kann dich vor mir sehen«, sagte sie. »Wenn das Eis fort ist.«

»Am schönsten ist es, wenn es regnet«, antwortete ich. »Ich möchte wissen, ob es etwas gibt, was einen stillen schwedischen Sommerregen übertrifft. Andere Länder haben bemerkenswerte Gebäude oder schwindelerregende Gipfel und Schluchten. Wir haben unsere Sommerregen.«

»Und die Stille.«

Eine ganze Weile sagten wir nichts mehr. Ich versuchte zu verstehen, was es bedeutete, daß wir hierher gekommen waren. Ein Versprechen wurde eingelöst, viele Jahre zu spät. Das war alles. Hier endete die Reise. Jetzt blieb nur noch der Epilog, eine Anzahl von Meilen auf gefrorenen Wegen in Richtung Süden.

»Ich habe nie verstanden, warum«, sagte sie. »Warum du mich gerade hierher bringen wolltest.«

»Verstehst du es jetzt?«

»Vielleicht. Ich ahne, daß es im Sommer schön ist.«

Sie sah mich an. »Bist du hier gewesen, seit du mich verlassen hast? Bist du mit einer anderen hier gewesen?«

»Ich bin noch nicht einmal auf den Gedanken gekommen.«

»Warum hast du mich verlassen?«

Die Frage kam mit plötzlicher Kraft. Ich sah, daß sie wieder erregt war.

Sie stützte die Fäuste auf die Griffe des Rollators. »Du hast mir einen höllischen Schmerz bereitet«, sagte sie. »Ich habe viel Kraft aufbringen müssen, um dich zu vergessen. Es ist mir nicht gelungen. Jetzt, da ich endlich auf dem Deckel deines Teichs stehe, bereue ich, daß ich dich jemals aufgesucht habe. Was habe ich mir dabei gedacht? Das weiß ich nicht mehr. Ich werde bald sterben. Warum verwende ich meine Zeit darauf, alte Wunden aufzureißen? Warum bin ich hier?«

Wir standen vielleicht eine Minute schweigend da, nicht länger. Stille, Blicke, die sich nicht trafen. Dann wendete sie den Rollator und begann, den Weg zurückzugehen. Ich zögerte ein paar Sekunden lang und folgte ihr dann in der Spur. Bald wäre alles vorbei. Der Ausflug näherte sich seinem Ende.

Es lag etwas im Schnee, was ich nicht bemerkt hatte, als ich den Pfad für Harriet freischippte. Es war schwarz. Ich kniff die Augen zusammen, ohne erkennen zu können, was es war. Ein totes Tier? Ein Stein? Harriet hatte nicht gemerkt, daß ich stehengeblieben war. Ich stieg in den Schnee neben dem Pfad und näherte mich dem dunklen Gegenstand.

Ich hätte die Gefahr erkennen müssen. Mein Gefühl und mein Wissen um das Eis und seine Launenhaftigkeit hätten mich warnen sollen. Viel zu spät erkannte ich, daß das Dunkle nur das Eis selber war. Ich wußte, daß eine Eisfläche aus verschiedenen Gründen sehr dünn werden kann, obwohl das Eis ringsum dick ist. Es gelang mir fast, zu stoppen und einen Schritt zurück zu tun. Aber es war zu spät, das Eis öffnete sich, und ich brach ein. Das Wasser reichte mir bis zum Kinn. Ich hätte von all meinen Winterbädern an den plötzlichen Schock von dem eiskalten Wasser gewöhnt sein müssen. Aber das hier war etwas anderes. Ich war nicht vorbereitet, ich hatte das Loch nicht selbst aufgehackt. Ich schrie auf. Erst bei meinem zweiten Ruf drehte Harriet sich um und entdeckte mich in dem Loch. Schon hatte die Kälte angefangen, mich zu lähmen, es brannte in der Brust, krampfhaft zog ich eiskalte Luft in die Lungen und suchte verzweifelt nach dem Boden unter meinen Füßen. Ich griff mit den Händen um die Eiskanten, doch meine Finger waren schon zu steif.

Ich schrie in Todesangst. Später erzählte mir Harriet, daß sie das Gefühl gehabt hatte, den Schrei eines Tieres zu hören.

Ich dachte, sie sei der am wenigsten geeignete Mensch, um mir hinaufzuhelfen. Sie, die selbst kaum auf den Beinen stehen konnte.

Aber sie überraschte mich, genauso, wie sie sich selbst da draußen auf dem Eis überraschte. Sie kam mir mit dem Rollator entgegen, sie bewegte sich so schnell, wie sie konnte. Dann legte sie sich aufs Eis, nachdem sie den Rollator umgeworfen hatte, und stieß ihn auf die Eiskante zu, so daß ich eins der Räder zu packen bekam. Wie ich heraufkam, weiß ich nicht. Sie muß mit ihren Armen gezogen haben, während sie zugleich versuchte, im Schnee rückwärts zu rutschen. Nachdem ich herausgekommen war, stolperte und kroch ich auf den Wagen zu. Ich hörte ihre Stimme hinter mir, ohne zu verstehen, was sie sagte, aber ich wußte, wenn ich stehenbliebe und im Schnee hinfiele, würde ich nicht die Kraft haben, mich wieder aufzurichten. Ich war nicht länger als ein paar Minuten im Wasser gewesen, aber es hatte fast gereicht, um mich zu töten. Ich habe keine Erinnerung an den Weg zwischen dem Loch und dem Auto. Ich erkannte nichts, vielleicht machte ich die Augen zu, um die Entfernung nicht sehen zu müssen, die mich immer noch vom Auto trennte. Als ich mit dem Gesicht gegen den Kofferraum stieß, hatte ich nur einen einzigen Gedanken im Kopf, die nassen Sachen auszuziehen und die Decke, die auf dem Rücksitz lag, um meinen Körper zu wickeln. Ein starker Geruch von Abgasen umgab mich, als ich mich aus den letzten Klamotten schälte und es schaffte, die Klappe zu öffnen. Ich hüllte mich in die Decke, und von da an erinnere ich mich nicht mehr, was geschah.

Ich wachte davon auf, daß sie mich in den Armen hielt und daß sie genauso nackt war wie ich.

Tief unten in meinem Bewußtsein hatte die Kälte sich in das Gefühl verwandelt, ich würde brennen. Als ich die Augen aufschlug, war das erste, was ich sah, Harriets Haar und ihr Nacken. Langsam kehrte die Erinnerung zurück.

Ich lebte. Und Harriet hatte sich bis auf die Haut ausgezogen und hielt mich unter der Decke umarmt, um mich zu wärmen.

Sie merkte, daß ich aufwachte. »Frierst du? Du hättest sterben können.«

»Das Eis hat sich einfach geöffnet.«

»Ich dachte, es wäre ein Tier. Ich habe dich noch nie so schreien hören.«

»Wieviel Zeit ist vergangen?«

»Eine Stunde.«

»So viel?«

Ich schloß die Augen. Mein Körper war brennend heiß.

»Ich wollte nicht den Teich sehen, damit du stirbst«, sagte sie.

Es war vorbei. Zwei alte Menschen, nackt auf dem Rücksitz eines alten Wagens. Wir hatten über alles gesprochen, was sich gewöhnlich früher, und vielleicht immer noch, auf dem Rücksitz alter Autos abspielt, die auf einsamen Forstwegen abgestellt sind. Man liebte sich und schwor sich frei. Aber wir zwei, die zusammen ein Alter von hundertfünfunddreißig Jahren hatten, klammerten uns nur aneinander fest, der eine, da er überlebt hatte, die andere, da sie nicht allein im Wald zurückgelassen worden war.

Nach etwa einer weiteren Stunde setzte sie sich auf den Beifahrersitz und zog sich an. »Es ging leichter, als man jung war«, sagte sie. »Ein altes unbeholfenes Weib wie ich hat Schwierigkeiten, in einem Auto in die Kleider zu kommen.«

Aus dem Rucksack im Kofferraum holte sie Sachen für mich. Bevor ich sie anzog, wärmte sie die Kleidungsstücke über dem Lenkrad, wo die Wärme des Motors in das Auto strömte. Durch die Windschutzscheibe sah ich, daß es angefangen hatte zu schneien. Ich fürchtete, der Schnee könnte zum Schneetreiben werden und uns daran hindern, wieder auf die Landstraße zu gelangen.

Ich zog mich an, so schnell ich konnte. Immer noch bewegte ich mich, als wäre ich betrunken.

Es schneite kräftig, als wir den Waldteich verließen. Aber der Forstweg war noch nicht zugeweht.

Wir kehrten in die Pension zurück. Diesmal war es Harriet, die mit ihrem Rollator hinausgehen und Pizza kaufen mußte, die zu unserer Abendmahlzeit wurde.

Wir teilten eine ihrer Kognakflaschen.

Das letzte, was ich sah, ehe ich einschlief, war ihr Gesicht.

Es war sehr nah. Vielleicht lächelte sie. Ich hoffe, daß sie es tat.

10

ALS ICH am folgenden Tag aufwachte, saß Harriet vor dem aufgeschlagenen Kartenbuch. Mein Körper schmerzte, als hätte ich eine Schlägerei hinter mir. Sie fragte, wie ich mich fühle. Ich antwortete, es gehe mir gut.

»Die Zinsen«, sagte sie und lächelte.

»Die Zinsen?«

»Für das Versprechen. Nach all diesen Jahren.«

»Was verlangst du?«

»Einen Umweg.«

Sie deutete auf den Punkt auf der Karte, an dem wir uns befanden. Statt sich nach Süden zu wenden, führte sie den Finger nach Osten, zur Küste und auf Hälsingland zu. In der Nähe von Hudiksvall hielt ihr Finger inne.

»Dahin.«

»Was erwartet dich da?«

»Meine Tochter. Ich will, daß du sie triffst. Das macht einen Tag extra, vielleicht zwei.«

»Warum wohnt sie da?«

»Warum wohnst du auf deiner Insel?«

Natürlich bekam sie ihren Willen. Wir fuhren auf die Küste zu. Die Landschaft war unverändert, überall die vereinzelten Häuser mit ihren Satellitenschüsseln und menschenleeren Höfen.

Spätnachmittags sagte Harriet, sie habe keine Kraft mehr. Wir machten an einem Hotel in Delsbo halt. Das Zimmer war klein und staubig. Harriet nahm ihre Medikamente und Schmerztabletten und schlief vor Erschöpfung ein. Vielleicht hatte sie auch etwas getrunken, ohne daß ich es merkte. Ich ging hinaus, machte eine Apotheke ausfindig und kaufte die Rote Liste. Dann setzte ich mich in eine Konditorei und schlug bei ihren Medikamenten nach.

Es war unwirklich, mit einer Tasse Kaffee und einem Stück Mandelgebäck in der Konditorei zu sitzen, neben mir ein paar schreiende Kinder, die sich um die Aufmerksamkeit ihrer Mütter stritten, während diese in Illustrierte versunken dasaßen, und ganz im Ernst zu begreifen, wie krank Harriet war. Ich spürte mehr und mehr, daß ich in einer Welt zu Besuch war, die mir während meiner Jahre auf Großvaters und Großmutters Insel verlorengegangen war. Zwölf Jahre lang hatte ich geleugnet, daß es ein Dasein außerhalb der Strände und Klippen rund um mich her gab, eine Welt, die mich tatsächlich etwas anging. Ich hatte mich in einen Eremiten verwandelt, der nicht wußte, was außerhalb der Höhle geschah, in der er sich versteckt hatte.

Doch in der Konditorei von Delsbo sah ich ein, daß ich nicht fortfahren konnte, dieses Leben zu führen. Natürlich würde ich zu meiner Insel zurückkehren, ich hatte sonst keinen Ort, aber nichts würde wieder so werden wie zuvor. In dem Augenblick, in dem ich den schwarzen Schatten da draußen auf dem Eis entdeckt hatte, war eine Tür hinter mir zugeschlagen, die sich nie wieder öffnen würde.

An einem Kiosk hatte ich eine Ansichtskarte gekauft. Sie zeigte einen verschneiten Holzzaun. Ich schickte sie an Jansson.

Ich bat ihn, die Tiere zu füttern. Sonst nichts.

Harriet war wach, als ich zurückkam. Sie schüttelte den Kopf über die Rote Liste, die ich in der Hand hielt. »Ich möchte heute nicht über mein Elend sprechen.«

Wir gingen zum Essen in die angrenzende Grillbar.

Wir leben in der Zeit der Fertiggerichte und des Fetts, dachte ich, als ich die dunstige Küche betrachtete. Harriet schob den Teller bald von sich und sagte, sie könne nichts mehr hinunterbringen. Ich wollte sie bitten, doch noch ein bißchen zu probieren. Aber warum? Ein sterbender Mensch ißt nicht mehr, als er für das kurze verbleibende Leben braucht. Wir kehrten bald in unser Zimmer zurück. Die Wände waren dünn. In einem angrenzenden Zimmer hörten wir zwei Menschen miteinander reden. Die Stimmen wurden stärker und schwächer. Sowohl Harriet als auch ich bemühten uns, doch es gelang uns nicht, die Worte zu verstehen.

»Bist du immer noch ein heimlicher Lauscher?« fragte sie.

»Auf meiner Insel finden keine Gespräche statt, die ich belauschen könnte.«

»Du hast immer gelauscht, wenn ich telefonierte, obwohl du dich gleichgültig gabst und in einem Buch oder einer Zeitung blättertest. So hast du versucht, deine großen Ohren zu verbergen. Erinnerst du dich?«

Ich war empört. Aber natürlich hatte sie recht. Ich war immer ein Lauscher gewesen, seit ich die geflüsterten und angstvollen Gespräche belauscht hatte, die sich zwischen meiner Mutter und meinem Vater abgespielt hatten. Ich hatte hinter angelehnten Türen gestanden und meine Kollegen belauscht, Patienten, intime Gespräche zwischen Menschen in Cafés oder im Zug. Ich lernte, daß die meisten Gespräche kleine, fast unmerkliche Einschläge von Lügen enthielten. War es immer schon so gewesen? hatte ich mich gefragt. Bedurften die Gespräche unter den Menschen kaum merkliche, lügenhafte Abweichungen, um überhaupt irgendwohin zu führen?

Das Gespräch im Nachbarzimmer hatte aufgehört. Harriet war müde. Sie legte sich hin und schloß die Augen.

Ich zog die Jacke an und ging hinaus in den menschenleeren Ort. Überall das blaue Licht durch die Sprossenfenster. Vereinzelte Mopeds, ein Auto mit überhöhter Geschwindigkeit, dann wieder Stille. Harriet wollte, daß ich ihre Tochter kennenlernte. Ich fragte mich nach dem Grund. War es, um zu zeigen, daß sie gut ohne mich zurechtgekommen war, daß sie das Kind bekommen hatte, welches mir nicht vergönnt war? Ein Gefühl der Trauer durchzog mich, als ich da durch den Winterabend ging.

Ich blieb an einer beleuchteten Eisbahn stehen, auf der ein paar Jugendliche mit Bandyschlägern und einem roten Ball herumsausten. Meine eigene Jugend rückte sehr nah. Das trockene Geräusch von Schlittschuhen, die ins Eis schnitten, die Schläger, die den Ball trafen, vereinzelte Ausrufe, der eine oder andere, der hinfiel, um dann schnell wieder aufzustehen. So war es mir in Erinnerung, obwohl ich nie einen Bandyschläger in der Hand hatte, sondern auf eine Eishockeyfläche angewiesen war, wo das Spiel sicher sehr viel mehr Schmerzen verursacht hatte als jenes, das sich jetzt vor meinen Augen abspielte.

Rasch aufstehen, wenn man hingefallen war. Das war die schlichte Lehre von den gefrorenen Eishockeyflächen der Kindheit.

Niemals liegenbleiben. Aber genau das hatte ich getan. Ich war liegengeblieben, nachdem ich meinen großen Fehler begangen hatte.

Ich beobachtete das Spiel und entdeckte nach einer Weile einen sehr kleinen Jungen, er war der kleinste von allen und noch dazu dick, oder war er vielleicht nur besonders stark eingemummelt? Aber er war der beste. Er beschleunigte schneller als die anderen, behandelte den Ball mit seinem Schläger, ohne ihn eigentlich anzusehen, machte blitzschnelle Finten und stand immer für einen Paß bereit. Ich sah, daß es allen dort auf dem Eis klar war, daß er ihnen überlegen war. Ein kleiner dicker Junge, der auf seinen Schlittschuhen schneller war als die anderen. Ich versuchte, mich selbst als einen der Spieler da draußen auf dem Eis zu sehen. Wer war ich mit meinem viel zu schweren Hockeyschläger gewesen? Jedenfalls nicht der schnelle und ganz einzigartig ballbegabte Junge. Ich war einer der anderen gewesen, eine Blaubeere, die jederzeit abgepflückt und von einer anderen Blaubeere ersetzt werden konnte.

Niemals liegenbleiben.

Ich hatte das getan, was man nicht tun soll.

Ich ging zurück zum Hotel. Es gab keinen Nachtportier, die Haustür war mit dem Zimmerschlüssel zu öffnen. Harriet hatte sich unter die Decke gelegt. Auf ihrem Nachttisch stand eine der Branntweinflaschen.

»Ich dachte, du bist abgehauen«, sagte sie. »Ich schlafe jetzt ein. Ich habe einen Schluck und eine Schlaftablette genommen.«

Sie drehte sich auf die Seite. Bald schlief sie. Vorsichtig zählte ich ihren Puls, indem ich ihr Handgelenk berührte. 78 Schläge pro Minute. Ich setzte mich auf einen Stuhl, machte den Fernseher an und sah eine Nachrichtensendung, stellte aber den Ton so leise, daß nicht einmal meine heimlich lauschenden Ohren auffangen konnten, was gesagt wurde. Die Bilder schienen die gleichen zu sein wie immer. Blutende, hungernde, gequälte Menschen. Und dann die lange Reihe von korrekt gekleideten Männern, die endlose Erklärungen abgaben, ohne Gnade, immer lächelnd und arrogant. Ich schaltete den Fernseher aus und legte mich aufs Bett. Bevor ich einschlief, dachte ich an die junge Polizistin mit ihren blonden Haaren.

Um ein Uhr mittags näherten wir uns Hudiksvall. Es hatte aufgehört zu schneien, die Fahrbahn war eisfrei. Harriet zeigte auf ein Schild, auf dem Rångevallen stand. Die Straße war schlecht, von vielen Waldmaschinen zerfurcht. Wir bogen noch einmal ab, diesmal in eine Anliegerstraße. Der Wald war dicht. Ich fragte mich, was für ein Mensch Harriets Tochter sein mochte, die allein so tief im Wald wohnte. Das einzige, was ich Harriet während der Reise gefragt hatte, war, ob Louise einen Mann oder Kinder hätte. Das hatte sie nicht. Auf mehreren Lagerplätzen stapelten sich Baumstämme. Die Straße erinnerte an jene, die zu Sara Larssons Haus geführt hatte. Als der Wald sich öffnete, sah ich ein paar zusammengesunkene Gebäude und Holzzäune. Dort stand ein großer Wohnwagen mit angrenzendem Zelt.

»Wir sind angekommen«, sagte Harriet. »Hier wohnt meine Tochter.«

»In dem Wohnwagen?«

»Siehst du ein anderes Haus, dessen Dach nicht eingestürzt ist?«

Ich half ihr aus dem Wagen und holte den Rollator heraus. Aus etwas, was anscheinend früher eine Hundehütte gewesen war, drang das Geräusch eines Motors. Es konnte nichts anderes sein als ein Generator. Auf dem Dach des Wohnwagens war eine Schüssel angebracht. Der Blick von der anderen Seite des Hauswagens war schön. Wir standen mehrere Minuten da, ohne daß etwas geschah. Ich sehnte mich intensiv nach meiner Insel zurück.

Die Tür des Hauswagens ging auf. Eine Frau trat heraus.

Sie trug einen rosa Bademantel und hochhackige Schuhe. Ich fand es schwierig, ihr Alter zu schätzen. Sie hielt ein Kartenspiel in der Hand.

»Das ist meine Tochter«, sagte Harriet.

Dann ging sie, ihren Rollator schiebend, zu der Frau hin, die auf ihren hohen Absätzen im Schnee balancierte.

Ich blieb stehen, wo ich stand.

»Das ist dein Vater«, sagte Harriet zu ihrer Tochter.

Es war Schnee in der Luft. Ich dachte an Jansson und wünschte, er hätte mit seinem Hydrokopter kommen und mich abholen können.

Der Wald

I

MEINE TOCHTER besitzt keinen Brunnen.

Natürlich war keine Wasserleitung in ihren Wohnwagen gelegt. Aber es stand auch keine Pumpe auf dem Hof. Um Wasser zu holen, mußte ich einem Pfad den Hang hinunter folgen, durch ein Wäldchen und hin zu einem anderen verlassenen Hof, wo die Fenster leer starrten und wachsame Krähen auf dem Schornsteinrand balancierten. Dort gab es eine uralte Pumpe, aus der Wasser kam. Als ich den Griff hob und senkte, kreischte es in dem rostigen Eisen.

Die Krähen bewegten sich nicht.

Das war das erste, worum meine Tochter mich bat. Zwei Eimer Wasser zu holen. Ich war froh, daß sie nichts anderes sagte. Sie hätte mich anschreien können, daß ich verschwinden solle, oder von einem unsinnigen Freudenrausch gepackt werden, weil sie endlich ihren Vater treffen durfte. Aber sie bat mich nur, Wasser zu holen. Ich nahm die Eimer und folgte dem Pfad durch den Schnee. Ich fragte mich, ob sie in hochhackigen Schuhen und Bademantel Wasser holte. Aber vor allem hätte ich gern gewußt, was vor so vielen Jahren geschehen war und warum ich nichts erfahren hatte.

Es waren zweihundert Meter bis zu dem verlassenen Hof. Als Harriet erklärt hatte, die Frau vor dem Wohnwagen sei meine Tochter, hatte ich sofort verstanden, daß es wahr war. Harriet konnte nicht lügen. Ich fing an, in meinem Gedächtnis den Augenblick zu suchen, in dem sie gezeugt worden war. Das einzig Plausible, dachte ich, während ich durch den Schnee stapfte, war, daß Harriet nach meinem Verschwinden entdeckt hatte, was geschehen war. Also müßte die Befruchtung ungefähr einen Monat vor unserer Trennung stattgefunden haben.

Ich versuchte, mich zu erinnern.

Der Wald war still. Es war, als schliche ich durch den Schnee wie ein Wichtel, der einem alten Märchen entsprungen war. Wir hatten nie woanders miteinander geschlafen als auf ihrer Ausziehcouch. Dort war meine Tochter entstanden. Als ich abreiste und Harriet vergeblich auf mich wartete, wußte sie es noch nicht. Erst später wurde es ihr klar, und da war ich weg.

Ich pumpte Wasser hoch. Dann stellte ich die Eimer ab und ging in das verlassene Haus hinein. Die Haustür war zerbrochen. Sie fiel aus den Angeln, als ich sie mit dem Fuß aufschob.

Ich ging in den Zimmern umher, ich roch den Schimmel und das vermoderte Holz. Alles, was noch vorhanden war, glich den Überresten eines Wracks. An den Wänden ragten Fetzen von Zeitungen unter den abgeblätterten Tapeten hervor. Die Zeitung Ljusnan vom 12. März 1969. *Ein Autozusammenstoß ereignete sich in …* Der Rest war unleserlich. *Frau Mattsson zeigt auf dieser Fotografie einen ihrer liebevoll angefertigten Wandbehänge …* Das Foto war zerrissen, nur Frau Mattssons Gesicht und eine Hand waren zu sehen, aber kein Wandbehang. Im Schlafzimmer lagen die Trümmer eines Doppelbetts. Es war zerschlagen, schien mit einer Axt zerhackt worden zu sein. Ein Mensch in Wut hatte das Bett so gespalten, daß es nie mehr benutzt werden konnte.

Ich versuchte, die Menschen zu sehen, die hier gelebt hatten und eines Tages aufgebrochen waren, um nie mehr wiederzukommen. Doch die Gesichter waren abgewandt.

Verlassene Häuser sind wie Vitrinen in einem Museum, die ihren Inhalt verloren haben. Ich ging wieder hinaus und dachte, daß ich eine Tochter bekommen hatte, ganz unerwartet, in den Wäldern südlich von Hudiksvall. Eine Tochter, die siebenunddreißig Jahre alt sein mußte und in einem Wohnwagen lebte. Eine Frau, die in einem rosa Bademantel und in hochhackigen Schuhen in den Schnee hinaustrat.

Eines hatte ich verstanden.

Harriet hatte sie nicht vorbereitet. Sie wußte nicht, daß ich ihr Vater war. Ich war nicht allein mit meinem Erstaunen. Harriet hatte uns beide in Erstaunen versetzt.

Ich nahm die Eimer und machte mich auf den Rückweg. Warum lebte meine Tochter in einem Wohnwagen mitten im Wald? Wer war sie? Wir hatten einander die Hand gegeben, aber ich hatte nicht den Mut gehabt, ihr in die Augen zu schauen. Ein starker Parfumduft war mir entgegengeschlagen. Ihre Hand war verschwitzt.

Ich stellte die Eimer ab und ruhte meine Arme aus.

»Louise«, sagte ich laut zu mir selbst. »Ich habe eine Tochter, die Louise heißt.«

Die Worte machten mich verlegen, ein wenig ängstlich, beflügelten mich aber auch. Harriet war mit Janssons Hydrokopter übers Eis angereist gekommen, und sie hatte Neuigkeiten über das Leben mitgebracht, nicht nur über den Tod, der sie bald holen würde.

Ich trug die Eimer hinauf zum Wohnwagen und klopfte an die Tür. Louise machte auf. Sie trug immer noch die Schuhe mit den hohen Absätzen, doch den Bademantel hatte sie gegen Hosen und einen Pullover getauscht. Sie hatte eine sehr gute Figur. Das machte mich verlegen.

Der Wohnwagen war eng. Harriet saß eingeklemmt hinter einem kleinen Tisch am Fenster. Sie lächelte. Ich erwiderte das Lächeln. Hier drinnen war es warm. Louise kochte Kaffee.

Louise hatte eine schöne Stimme, genau wie ihre Mutter. Das Eis konnte singen, aber meine Tochter konnte es auch.

Ich sah mich im Wohnwagen um. Von der Decke hingen getrocknete Rosen herab, es gab ein Regal mit Papieren und Briefen und eine alte Schreibmaschine auf einem Hocker. Sie hatte ein Radio, aber keinen Fernseher. Allmählich beunruhigte mich die Frage, was für ein Leben sie führte. Es schien dem meinen zu gleichen.

So kamst du zu mir, dachte ich. Die größte Überraschung, die ich jemals erlebt habe.

Louise stellte eine Thermoskanne und Plastiktassen auf den Tisch. Ich setzte mich neben Harriet.

Louise blieb stehen und sah mich an. »Es freut mich, daß ich nicht weine«, sagte sie. »Aber noch mehr freut es mich, daß du nicht hysterisch wirst und deine Freude über die Neuigkeit beteuerst, die dir zugestoßen ist.«

»Ich habe wohl nicht richtig verstanden, daß dies hier wirklich geschieht. Außerdem verliere ich nicht so schnell die Kontrolle.«

»Vielleicht glaubst du, es ist nicht wahr?«

Ich dachte an die verstaubten Schwarten mit den einförmigen Berichten über die jungen Männer, die die Vaterschaft abgestritten hatten. »Ich bin davon überzeugt, daß es wahr ist.«

»Empfindest du Trauer darüber, daß du mich nicht früher kennengelernt hast? Daß ich so spät in dein Leben getreten bin?«

»Ich bin gegen Trauer ziemlich abgehärtet«, antwortete ich. »In diesem Moment bin ich vor allem verwundert. Bis vor einer Stunde hatte ich kein Kind. Ich hätte nie gedacht, daß das geschehen würde.«

»Was machst du beruflich?«

Ich sah Harriet an. Sie hatte also nichts über den Mann erzählt, der Louises Vater war, nicht einmal, daß er Arzt war. Das empörte mich. Was hatte sie über mich gesagt? Daß ihre Tochter einen Vater hatte, der zufällig vorbeigeflattert war?

»Ich bin Arzt. Jedenfalls bin ich es gewesen.«

Louise sah mich mit dem Kaffeebecher in der Hand prüfend an. Sie trug an allen Fingern Ringe, sogar am Daumen. »Was für eine Art Arzt?«

»Ich war Chirurg.«

Sie verzog das Gesicht. Ich dachte an meinen Vater und seine Reaktion, als ich ihm damals mit fünfzehn von meiner Berufswahl erzählte.

»Kannst du Rezepte ausstellen?«

»Jetzt nicht mehr. Ich habe mich pensionieren lassen.«

»Schade.«

Louise stellte die Kaffeetasse ab und zog eine Strickmütze über den Kopf. »Pinkeln tut man hinter dem Wohnwagen und streut anschließend Schnee darauf. Muß man etwas Größeres verrichten, benutzt man das Trokkenklosett neben dem Holzschuppen.«

Sie verschwand durch die Tür hinaus, auf ihren hohen Absätzen balancierend.

Ich drehte mich zu Harriet hin. »Warum hast du mir nichts erzählt? Das ist schändlich!«

»Sprich du mir nicht von Schande! Ich wußte nicht, wie du reagieren würdest.«

»Es wäre einfacher gewesen, wenn du mich vorbereitet hättest.«

»Ich hatte nicht den Mut dazu. Ich fürchtete, du würdest mich am Straßenrand absetzen und die Reise abbrechen. Wie hätte ich wissen können, daß du wirklich ein Kind haben willst?«

Harriet hatte recht. Sie konnte nicht wissen, wie ich reagieren würde. Sie hatte allen Grund, mir zu mißtrauen. »Warum wohnt sie so? Wovon lebt sie?«

»Sie hat es selbst gewählt. Was sie macht, weiß ich nicht.«

»Irgendwas mußt du doch wissen.«

»Sie schreibt Briefe.«

»Davon kann sie doch nicht leben.«

»Offenbar ist das möglich.«

Mir kam plötzlich der Gedanke, daß die Wände des Wohnwagens dünn waren und daß meine Tochter vielleicht draußen stand, das Ohr an die kalte Außenseite gedrückt. Vielleicht hatte sie meinen Drang zum Lauschen geerbt?

Ich senkte die Stimme zu einem Flüstern. »Warum sieht sie so aus? Warum läuft sie hier draußen im Schnee mit hochhackigen Schuhen herum?«

»Meine Tochter ...«

»Unsere Tochter!«

»Unsere Tochter ist immer schon ein eigensinniges Kind gewesen. Schon als sie fünf Jahre alt war, hatte ich das Gefühl, sie wüßte, was sie mit ihrem Leben anfangen wollte, und ich würde aus ihr nie schlau werden.«

»Was meinst du damit?«

»Sie hat immer leben wollen, ohne allzuviel darauf zu geben, was andere Menschen denken und von ihr halten. Zum Beispiel ihre Schuhe. Sie sehen sehr teuer aus. Ajello, in Mailand hergestellt. Es ist sehr selten, daß Menschen den Mut haben, so zu leben.«

Die Tür ging auf, unsere Tochter kam herein.

»Ich muß mich ausruhen«, sagte Harriet. »Ich bin müde.«

»Du bist immer schon müde gewesen«, sagte Louise.

»Ich bin nicht immer todkrank gewesen.«

Für einen kurzen Moment fauchten sie, wie Katzen. Ein nicht gerade freundliches, aber auch nicht bösartiges Fauchen. Es schien jedenfalls keine von ihnen zu überraschen. Für Lousie war es also kein Geheimnis, daß Harriet bald sterben würde.

Ich stand auf, damit Harriet sich auf dem schmalen Bett ausstrecken konnte.

Louise zog ein Paar Stiefel an. »Wir gehen nach draußen«, sagte sie. »Ich muß mich bewegen. Außerdem nehme ich an, daß wir beide etwas durcheinander sind.«

Es gab einen Trampelpfad in die entgegengesetzte Richtung, von dem verlassenen Hof weg. Er führte an einem alten Erdkeller vorbei und in ein dichtes Fichtenwäldchen. Sie ging schnell, ich hatte Mühe, ihr zu folgen.

Plötzlich drehte sie sich um. »Ich dachte, ich hätte einen Vater, der nach Amerika gefahren und verschollen ist. Einen Vater, der Henry hieß, Bienen liebte und ihr Leben erforschte. In all diesen Jahren, die vergangen sind, hat er mir kein einziges Glas Honig geschickt. Ich dachte, er sei tot. Aber du bist nicht tot. Es war mir vergönnt, dich zu treffen. Wenn wir zum Wohnwagen zurückkommen, werde ich dich und Harriet fotografieren. Ich habe massenhaft Fotos von ihr allein oder zusammen mit mir. Aber ich möchte von meinen beiden Eltern ein Foto machen, bevor es zu spät ist.«

Wir gingen weiter den festgetrampelten Pfad entlang.

Ich dachte, Harriet hätte eigentlich gesagt, wie es war.

Wenigstens so viel, wie sie sagen konnte, ohne daß es eine richtige Unwahrheit war. Ich war in Amerika verschwunden, und ich hatte mich tatsächlich in meiner Jugend für Bienen interessiert. Außerdem war es unleugbar wahr, daß ich noch nicht tot war.

Wir gingen durch den Schnee.

Sie sollte ihr Foto von ihren Eltern bekommen.

Es war noch nicht zu spät, das fehlende Bild zu machen.

2

DIE SONNE war zum Horizont gesunken.

Auf einem Feld stand ein verschneiter Boxring. Er schien in all das Weiße hinausgeschleudert worden zu sein. Zwei beschädigte Holzbänke, die einst in einer Frei-kirche oder in einem Kino gestanden haben könnten, wa-ren im Schnee halb begraben.

»Wir boxen im Frühjahr und im Sommer«, sagte sie. »Gewöhnlich eröffnen wir die Saison Mitte Mai. Dann wiegen wir uns auf einer alten Molkereiwaage.«

»Wir? Bedeutet das, daß du auch boxt?«

»Warum nicht?«

»Mit wem boxt du?«

»Mit meinen Freunden. Menschen hier in der Gegend, die sich entschieden haben, so zu leben, wie es ihnen ge-fällt. Mit Leif, der mit seiner alten Mutter zusammen-wohnt. Sie war früher hier die bekannteste heimliche Schnapsbrennerin. Mit Amandus, der Spielmann ist und starke Fäuste hat.«

»Man kann doch nicht an einem Tag boxen und am nächsten Geige spielen? Wie schaffen die Finger das?«

»Frag Amandus. Frag die anderen.«

Welche das waren, erfuhr ich nicht. Sie folgte weiter dem festgetrampelten Pfad zu einer Scheune jenseits des Boxrings. Als ich sie von hinten betrachtete, erinnerte mich ihr Körper an den von Harriet. Aber wie hatte meine Tochter ausgesehen, als sie ein kleines Mädchen war? Oder als Teenager? Ich stapfte durch den Schnee und versuchte, in der Zeit rückwärts zu gehen. Louise war 1969 geboren. Ihre Teenagerzeit fiel in die Jahre, in denen ich in meinem Beruf am erfolgreichsten gewesen war. Es gab mir einen Stich von plötzlichem Zorn, der von tief innen heraufdrang. Warum hatte Harriet nichts gesagt?

Louise zeigte auf Spuren im Schnee und sagte, sie stammten von einem Dachs. Auf dem Boden der Scheune stand eine Petroleumlampe, die sie anzündete und an die Decke hängte. Es war, wie in ein altes Trainingsstudio für Boxer oder Ringer einzutreten. Auf dem Boden lagen Scheibenhanteln, von der Decke herab hing ein Sandsack, auf einer Bank lagen sorgfältig zusammengerollte Springseile und mehrere rote und schwarze Boxhandschuhe.

»Wäre es Frühling, hätte ich vorgeschlagen, ein paar Runden zu boxen«, sagte Louise. »Ich kann mir schwer eine bessere Art vorstellen, einen Vater kennenzulernen, den man noch nie zuvor getroffen hat. In mehr als einer Hinsicht.«

»Ich habe nie in meinem Leben Boxhandschuhe an den Händen gehabt.«

»Aber du hast doch an Schlägereien teilgenommen?«

»Als ich dreizehn, vierzehn Jahre alt war. Aber das waren wohl eher Rangeleien auf dem Kies des Schulhofs.«

Louise stellte sich an den Sandsack und versetzte ihn mit ihrer Schulter in leichte Schwingungen. Die Petroleumlampe beleuchtete ihr Gesicht. Ich meinte immer noch, daß es Harriet war, die ich sah.

»Ich bin nervös«, sagte sie. »Hast du noch andere Kinder?«

Ich schüttelte den Kopf.

»Keine?«

»Überhaupt keine. Und du?«

»Keine.«

Der Sandsack schwang hin und her.

»Ich bin ebenso verwirrt wie du«, sagte sie. »Manchmal, wenn ich daran gedacht habe, daß ich trotz allem einen Vater habe, bin ich wütend geworden. Ich glaube, das ist der Grund, warum ich boxen gelernt habe. Ich wollte ihn an dem Tag zu Boden schlagen, an dem er von den Toten aufersteht, und ihn für die Ewigkeit auszählen, weil er mich verlassen hat.«

Das Licht der Lampe fiel auf die morschen Wände. Ich erzählte ihr, wie Harriet plötzlich draußen auf dem Eis gestanden hatte, von dem Waldteich und dem Umweg, den sie plötzlich verlangt hatte.

»Hat sie nichts von mir gesagt?«

»Sie sprach nur von dem Waldteich. Dann sagte sie, sie wolle, daß ich ihre Tochter treffe.«

»Eigentlich sollte ich sie rausschmeißen. Sie hat sowohl dich wie mich hereingelegt. Aber man wirft keinen Menschen raus, der krank ist.«

Sie legte die Hand auf den Sandsack, so daß er aufhörte zu schwingen. »Ist es wahr, daß sie bald sterben wird? Du bist Arzt. Du mußt wissen, ob sie die Wahrheit sagt.«

»Sie ist sehr krank. Wann sie sterben wird, weiß ich nicht. Das weiß niemand.«

»Ich will nicht, daß sie bei mir stirbt«, sagte Louise, nahm die Lampe von der Decke und blies die Flamme aus.

Wir standen in völliger Dunkelheit da. Unsere Finger streiften sich.

Sie packte meine Hand. Sie war stark. »Ich bin froh, daß du gekommen bist«, sagte sie. »Ich habe zuinnerst nie etwas anderes geglaubt, als daß du nur vorübergehend verschwunden bist.«

»Ich habe nie geglaubt, daß ich ein Kind bekommen würde.«

»Kein Kind. Eine erwachsene Frau auf dem Weg in die mittleren Jahre.«

Als wir aus der Scheune kamen, sah ich sie als Silhouette vor mir. Der Sternenhimmel war nah, er funkelte.

»Es ist nie ganz dunkel, wenn man in der norrländischen Nacht unterwegs ist«, sagte Louise. »In den Städten sieht man keine Sterne mehr. Deshalb lebe ich hier. Als ich in der Stadt lebte, fehlten mir das Dunkel und die Stille, aber vor allem das Sternenlicht. Ich verstehe nicht, warum niemand darauf gekommen ist, daß wir in diesem Land phantastische Naturressourcen haben, die nur darauf warten, genutzt zu werden. Wer verkauft die Stille wie den Wald oder das Erz?«

Ich verstand, was sie meinte. Die Stille, der Sternenhimmel, vielleicht auch die Einsamkeit, waren für viele Menschen nicht mehr zu haben. Ich dachte, sie sei mir vielleicht ähnlich, trotz allem.

»Ich habe vor, ein Unternehmen zu gründen, in dem meine Boxfreunde Teilhaber sind. Wir werden diese funkelnden, stillen Nächte verkaufen. Eines Tages werden wir sehr wohlhabend sein, davon bin ich überzeugt.«

»Wer sind deine Freunde?«

»Ein paar Kilometer nördlich liegt ein verlassenes Dorf. An einem Tag in den 1970er Jahren verlor es seinen letzten Einwohner. Die Häuser standen leer, niemand wollte sie auch nur als Sommerhaus haben. Aber Giaconelli, ein alter italienischer Schuhmacher, kam auf seiner Reise in die Stille dorthin. Jetzt sitzt er in einem der Häuser und fertigt zwei Paar Schuhe im Jahr. Jedes Jahr Anfang Mai landet ein Helikopter auf dem Acker hinter seinem Haus. Dann kommt ein Mann aus Paris und holt die

Schuhe, zahlt für die Arbeit und gibt eine Bestellung für die Schuhe auf, die Giaconelli im kommenden Jahr anfertigen soll. In Sparrmans Dorfladen, der vor vielen Jahren geschlossen wurde, wohnt ein alter Rocksänger. Er nannte sich meistens Roter Bär, hat zwei gelbe Singles aufgenommen und mit Rock-Ragge och Rock-Olga darum konkurriert, wer der König im Reich des schwedischen Rocks war. Seine Haare waren ganz rot, er machte eine göttliche Aufnahme von ›Peggy Sue‹. Aber wenn wir Mittsommerfest haben und unseren Tisch im Boxring decken, wollen wir alle, daß er ›The Great Pretender‹ singt.«

Ich konnte mich gut an das Lied erinnern, das im Original von The Platters gesungen worden war. Harriet und ich hatten dazu getanzt. Wenn ich mich anstrengte, würde ich mich bestimmt an alle Strophen erinnern können.

Der Rote Bär und seine gelben Singles waren mir hingegen unbekannt. »Es klingt, als wohnten viele eigentümliche Menschen in dieser Gegend.«

»Es gibt sie überall, aber niemand sieht sie, da sie alt sind. Wir leben in einer Zeit, in der alte Menschen durchscheinend wie Glas sein sollen. Wir sollen sie am liebsten nicht bemerken. Auch du wirst immer durchsichtiger werden. Meine Mutter ist es schon geworden.«

Wir standen still da. In der Ferne sah ich das Licht des Wohnwagens.

»Manchmal will ich mich in meinem Schlafsack hier draußen in den Schnee legen«, sagte Louise. »Bei Vollmond gibt mir das blaue Licht das Gefühl, mich in einer Wüste zu befinden. Auch dort ist es in den Nächten kalt.«

»Ich bin noch nie in einer Wüste gewesen. Es sei denn, der Flugsand in Skagen zählt.«

»Eines Tages werde ich mich hier draußen hinlegen. Ich werde das Risiko eingehen, nie mehr aufzuwachen. Wir haben nicht nur Rocker hier in der Gegend. Es gibt auch Jazzmusiker. Wenn ich hier draußen liege, sollen sie um mich herumstehen und ein langsames Klagelied spielen.«

Ich folgte ihr durch den Schnee. Irgendwo in der Ferne rief ein Nachtvogel. Sterne fielen und schienen wieder angezündet zu werden. Ich versuchte zu verstehen, was sie mir erzählt hatte.

Der Abend wurde seltsam.

Im Wohnwagen bereitete Louise Essen zu, während Harriet und ich uns auf dem engen Bett drängten. Als ich sagte, wir müßten entscheiden, wo wir übernachten würden, antwortete Louise, wir würden alle drei in ihrem Bett Platz finden. Ich wollte protestieren, schaffte es aber nicht. Dann holte Louise einen Kanister mit Wein hervor, der sehr stark war und nach Stachelbeeren schmeckte. Louise servierte einen Eintopf, der angeblich Elchfleisch enthielt, sowie Gemüse, das einer ihrer Freunde in einem Gewächshaus anbaute, in dem er auch wohnte. Er hieß Olof, schlief zwischen seinen Gurken und gehörte zu denen, die Louise im Frühjahr im Boxring traf.

Bald waren wir alle drei betrunken. Harriet am meisten. Sie schlummerte hin und wieder ein. Louise hatte ein lustige Art, mit den Zähnen zu klappern, nachdem sie ein Glas geleert hatte. Ich selbst versuchte zu vermeiden, mich allzusehr zu betrinken. Doch es gelang mir nicht.

In einem immer verwirrteren Gespräch begann ich etwas von Louises und Harriets gemeinsamer Geschichte zu erahnen. Sie hielten immer Kontakt miteinander, stritten sich oft und waren fast nie einer Meinung. Aber sie liebten einander auch. Ich hatte eine Familie bekommen, in der es viel Wut gab, aber auch eine starke, verbindende Liebe.

Lange sprachen wir über Hunde. Nicht solche, die angeleint waren, sondern die wilden Hunde auf den afrikanischen Ebenen. Meine Tochter sagte, sie erinnerten sie an ihre Freunde im Wald, eine afrikanische Hundemeute, die angesichts der norrländischen Boxermeute mit dem Schwanz wedelte. Ich erzählte, daß ich einen Hund hatte, dessen Rassenmischung sich nicht genau feststellen ließ. Als Louise begriff, daß der Hund auf Großvaters und Großmutters Insel frei herumlief, nickte sie anerkennend. Auch die alte Katze erregte ihr Interesse.

Harriet schlief schließlich vor Müdigkeit von dem Schnaps und dem Stachelbeerwein ein.

Louise legte behutsam eine Decke über sie. »Sie hat immer schon geschnarcht. Als Kind tat ich so, als wäre nicht sie es, sondern mein Vater, der jede Nacht als schnarchendes unsichtbares Wesen zu Besuch kam. Schnarchst du?«

»Ich schnarche.«

»Danke und Prost! Auf meinen Vater.«

»Prost auf meine Tochter.«

Sie schenkte unsere Gläser nachlässig voll, der rote Wein lief über den Tisch. Sie wischte ihn mit der Handfläche weg. »Als ich das Auto halten hörte und auf den Hof hinausging, fragte ich mich, was Harriet sich für einen alten Kerl geschnappt hat.«

»Kommt sie öfter mit verschiedenen Männern zu Besuch?«

»Alten Kerlen. Keinen Männern. Sie findet immer jemanden, der sie herfährt und dann wieder nach Hause bringt. Sie kann sich in Söder in Stockholm in eine Konditorei setzen und traurig und müde aussehen. Immer taucht jemand auf, der fragt, ob er ihr helfen, sie vielleicht mit dem Auto nach Hause bringen könne. Wenn sie erst im Auto sitzt, jetzt mit dem Rollator im Kofferraum, sagt sie, sie würde ungefähr dreihundert Kilometer nördlich wohnen, gleich südlich von Hudiksvall. Erstaunlicherweise gibt es fast keinen, der sie nicht hierher fährt. Aber sie wird es schnell leid und wechselt ihn aus. Meine Mutter ist ungeduldig. In meiner Jugend fand sich über lange Zeiträume am Sonntagmorgen immer ein neuer Mann in ihrem Bett. Ich liebte es, auf ihnen herumzuspringen und sie mit der unangenehmen Entdeckung zu wecken, daß es mich gab. Dann konnte lange Zeit vergehen, ohne daß sie einen Kerl auch nur ansah.«

Ich ging hinaus und pinkelte. Die Nacht funkelte. Durch das Fenster konnte ich sehen, wie Louise ein Kissen unter den Kopf ihrer Mutter legte. Ich bekam Lust zu weinen. Oder wegzulaufen, das Auto zu nehmen und mich davonzumachen. Aber ich sah sie weiter durch das Fenster an, mit dem Gefühl, daß sie wußte, daß ich da stand und sie heimlich beobachtete. Plötzlich drehte sie den Kopf zum Fenster und lächelte.

Ich nahm nicht das Auto, sondern ging wieder hinein. Wir saßen in dem engen Wohnwagen und führten ein tastendes Gespräch. Ich glaube, wir sagten beide nicht, was wir eigentlich sagen wollten. Louise holte Fotoalben aus einer Schublade. Verblichene schwarzweiße Fotografien, aber vor allem die schlechten Farbbilder, die man in den sechziger Jahren machte, wobei fast alle Blitzreflexe in den Augen bekamen und den Betrachter wie Vampire anstarrten. Da gab es Fotografien von der Frau, die ich verlassen hatte, und von der Tochter, die ich mir am meisten gewünscht hätte. Ein kleines Mädchen, keine erwachsene

Frau. Es war etwas Abwartendes in ihrem Blick, als wollte sie eigentlich nicht gesehen werden.

Ich blätterte das Album durch, sie sagte nicht viel, antwortete nur, wenn ich fragte. Wer hatte das Bild gemacht? Wo befanden sie sich? Im Sommer, in dem Louise sieben geworden war, verbrachten Harriet und ein Mann namens Rickard Munter ein paar Wochen auf Getterön außerhalb von Varberg. Rickard Munter war kräftig gebaut, glatzköpfig und hatte immer eine Zigarette im Mund. Ich verspürte einen Anflug von Eifersucht. Er war mit meiner Tochter zusammengewesen, als sie so klein war. Er war ein paar Jahre später gestorben, als seine und Harriets Beziehung schon beendet war. Ein Bagger war umgekippt, er war zermalmt worden. Jetzt existierte er nur noch mit seiner Zigarette und den roten Lichtreflexen in den Pupillen.

Ich klappte das Album zu, ich hatte genug von den Bildern. Der Inhalt des Weinkanisters verringerte sich. Harriet schlief. Ich fragte Louise, an wen sie Briefe schreibe.

Sie schüttelte den Kopf. »Nicht jetzt. Morgen, nach dem Aufwachen, wenn wir den Kater losgeworden sind. Jetzt müssen wir schlafen. Zum ersten Mal in meinem Leben werde ich zwischen meinen Eltern liegen dürfen.«

»In diesem Bett haben wir doch keinen Platz«, sagte ich. »Ich lege mich auf den Fußboden.«

»Wir haben Platz.«

Behutsam schob sie Harriet zur Seite und klappte den Tisch zusammen, nachdem sie Tassen und Gläser abgeräumt hatte. Man konnte das Bett vergrößern, aber mir war klar, daß es trotzdem furchtbar eng werden würde.

»Ich ziehe mich nicht vor meinem Vater aus«, sagte sie. »Geh hinaus. Ich klopfe an die Wand, wenn ich unter der Decke liege.«

Ich tat, was sie gesagt hatte.

Der Sternenhimmel drehte sich. Ich stolperte und fiel im Schnee hin. Ich hatte eine Tochter bekommen, und vielleicht würde sie den Vater, den sie noch nie zuvor getroffen hatte, mit der Zeit mögen, vielleicht sogar lieben.

Ich sah mein Leben.

Bis hierher war ich gekommen. Ein paar Kreuzwege standen vielleicht noch aus. Aber nicht sehr viele. Und nicht mehr sehr lange.

Louise klopfte an die Wand. Sie hatte alle Lampen gelöscht und eine Kerze angezündet, die auf dem kleinen Kühlschrank stand. Ich sah zwei Gesichter dicht beieinander. Harriet ganz hinten, neben ihr meine Tochter. Ein schmaler Streifen des Bettes würde mir gehören.

»Puste die Kerze aus«, sagte Louise. »Ich möchte nicht in der ersten Nacht verbrennen, die ich mit meinen Eltern verbringe.«

Ich legte die Kleider ab, behielt aber die Unterhose und das Unterhemd an, blies die Kerze aus und kroch unter die Decke. Es war unmöglich, Louise nicht zu streifen. Zu meinem Entsetzen merkte ich, daß sie nackt schlafen wollte.

»Kannst du dir nicht ein Nachthemd anziehen?« sagte ich. »Ich kann nicht neben dir schlafen, wenn du nackt bist. Das mußt du verstehen.«

Sie kletterte über mich hinweg auf den Boden und zog etwas an, das ein Kleid war, wie ich glaube. Dann legte sie sich wieder ins Bett. »Jetzt schlafen wir«, sagte sie. »Endlich werde ich meinen Vater schnarchen hören. Ich werde wach liegen, bis du einschläfst.«

Harriet murmelte im Schlaf. Als sie sich umdrehte, mußten wir anderen uns auch umdrehen. Louise war warm. Ich wünschte, sie wäre ein kleines Mädchen, das geborgen in ihrem Nachthemd neben mir schlief. Keine erwachsene Frau, die plötzlich in mein Leben getreten war.

Ich weiß nicht, wann ich einschlief. Es dauerte lange, bis das Bett aufhörte, sich zu drehen. Als ich aufwachte, war ich allein im Bett.

Der Wohnwagen war leer. Ich brauchte nicht aufzustehen und die Tür zu öffnen, um zu wissen, daß das Auto verschwunden war.

3

ICH KONNTE sehen, wie Louise gewendet hatte und weggefahren war. Plötzlich kam mir der Gedanke, daß alles schon von Anfang an so geplant war. Harriet hatte mich geholt, mich meine unbekannte Tochter treffen lassen, und dann hatten sie mein Auto genommen und sich davongemacht. Mich hatten sie hier im Wald deponiert.

Es war Viertel vor zehn. Das Wetter war umgeschlagen, es war einige Grad über Null. Die Nässe troff von dem schmutzigen Wohnwagen. Ich ging wieder hinein. Ich hatte Kopfschmerzen und einen trockenen Mund. Es lag keine Nachricht da, die die Abfahrt erklärte. Eine Thermoskanne mit Kaffee stand auf dem Tisch. Ich holte mir eine gesprungene Tasse, die Reklame für eine Reformhauskette machte.

Der Wald schien fortwährend im Begriff, sich dem Wohnwagen zu nähern.

Der Kaffee war stark, der Kater schlimm. Ich nahm die Kaffeetasse mit hinaus. Über dem Wald lag Dunst. Von fern war ein Gewehrschuß zu hören. Ich hielt den Atem an. Es folgte noch einer, dann nichts mehr. Es war, als müßten alle Geräusche Schlange stehen, um in der Stille Einlaß zu finden, nur zögernd, ein Laut nach dem anderen.

Ich ging wieder hinein und fing an, den Wohnwagen methodisch zu durchsuchen. Obwohl es eng war, enthielt er verblüffend viel Stauraum. Bei Louise herrschte Ordnung. Sie trug gern Kastanienbraun, manchmal dumpfes Rot, meistens Erdfarben.

In einem kleinen Bauernschrein, auf dessen Deckel die Jahreszahl 1822 gemalt war, fand ich zu meiner Überraschung eine große Summe Geld. Tausender und Fünfhunderter im Wert von 47 500 Kronen. Dann fuhr ich fort, ein paar Kästen mit Papieren und Briefen durchzugehen.

Das erste, was ich fand, war ein signiertes Foto von Erich Honecker. Auf der Rückseite stand, es sei 1986 aufgenommen und von der Botschaft der Deutschen Demokratischen Republik in Stockholm abgeschickt worden. Es gab eine weitere Anzahl von Fotografien in dem Kasten, sämtlich signiert. Von Gorbatschow, Ronald Reagan sowie einigen mir unbekannten afrikanischen Personen, von denen ich annahm, es seien Staatsmänner. Dazu kam ein Foto von einem australischen Premierminister, dessen Namen ich nicht entziffern konnte.

Ich ging zum zweiten Kasten über, der mit Briefen gefüllt war. Nachdem ich fünf durchgelesen hatte, begann ich zu ahnen, womit sich meine Tochter beschäftigte. Sie schrieb Briefe an politische Führer in der Welt und protestierte gegen die Art, wie sie sowohl ihre eigenen Mitbürger als auch die Menschen in anderen Ländern behandelten. In jedem Umschlag lagen eine Kopie des Briefs, den sie in ihrer fahrigen Schrift verfaßt hatte, sowie die Antwort darauf. An Erich Honecker hatte sie in empörtem Englisch geschrieben, daß die Mauer, die Berlin teilte, eine Schande sei. Die Antwort, die sie bekommen hatte, war die Fotografie, auf der Honecker auf einem Podium stand und einer verschwommenen Volksmenge zuwinkte. An Margaret Thatcher hatte Louise geschrieben, daß sie die streikenden Kohlenbergarbeiter anständig behandeln müsse. Eine Antwort von der eisernen Lady konnte ich nicht finden, jedenfalls war der Umschlag leer bis auf eine Fotografie der Dame mit der hoch erhobenen Handtasche. Aber woher hatte Louise ihr Geld? Darauf fand ich keine Antwort.

Weiter kam ich nicht. Ich hörte das Geräusch eines Autos, das sich näherte. Ich schob die Kästen an ihren Platz zurück und ging hinaus. Louise fuhr schnell. Das Auto schlitterte in dem nassen Schnee.

Louise holte den Rollator aus dem Kofferraum. »Wir wollten dich nicht wecken. Ich bin froh, daß mein Vater die Kunst des Schnarchens beherrscht.«

Sie half Harriet aus dem Auto. »Wir haben eingekauft«, sagte diese fröhlich. »Ich habe Strümpfe, einen Rock und einen Hut gekauft.«

Louise nahm ein paar Tüten mit Kleidern vom Rücksitz. »Meine Mutter hat sich immer schlecht angezogen«, sagte sie.

Ich trug die Tüten zum Wohnwagen, während Louise Harriet den glatten Abhang hinauf half.

»Wir haben gegessen«, sagte Louise. »Bist du hungrig?«

Ich war hungrig, schüttelte aber den Kopf. Mir gefiel es nicht, daß sie mein Auto genommen hatte, ohne zu fragen.

Harriet legte sich aufs Bett und ruhte sich aus. Ich verstand, daß der Ausflug ihr gutgetan, sie aber zugleich angestrengt hatte. Bald war sie eingeschlafen.

Louise packte den roten Hut aus, den Harriet gekauft hatte. »Er steht ihr«, sagte sie. »Ein Hut, wie für sie gemacht.«

»Ich habe sie nie mit Hut gesehen. Als wir jung waren, trugen wir nichts auf dem Kopf. Auch wenn es kalt war.«

Louise legte den Hut in die Tüte zurück und sah sich im Wohnwagen um. Hatte ich irgendwelche Spuren hinterlassen? Sie drehte sich zu mir hin und betrachtete dann meine Schuhe, die auf einer Zeitung neben der Eingangstür standen. Ich hatte sie viele Jahre lang getragen. Jetzt waren sie ausgetreten, die Löcher für die Schnürsenkel ausgefranst.

Sie stand auf, legte behutsam eine Decke über Harriet und zog ihre Jacke an. »Wir gehen hinaus«, sagte sie.

Das tat ich gern. Die Kopfschmerzen lasteten auf mir.

Wir standen vor dem Wohnwagen und sogen die rauhe Luft in die Lungen. Ich dachte, daß ich jetzt seit mehreren Tagen darauf verzichtet hatte, Eintragungen in mein Logbuch zu machen. Ich mißfalle mir, wenn ich mit meinen Gewohnheiten breche.

»Dein Auto ist schlecht gewartet«, sagte Louise. »Die Bremsen ziehen verschieden an.«

»Für mich taugt es. Wohin wollen wir?«

»Wir wollen einen guten Freund besuchen. Ich will dir ein Geschenk machen.«

Ich wendete das Auto im Schneematsch. Als ich auf die Hauptstraße hinauskam, gab sie mir die Anweisung, nach links einzubiegen. Einige mit Holz beladene Lastwagen wirbelten dichte Schneewolken auf. Nach ein paar Kilometern zeigte sie nach rechts, ein Schild verkündete, daß wir unterwegs zum Motjärvsbyn waren. Die Kiefern standen dicht an der Straße, die schlampig geräumt war. Louise saß da und schaute durch die Windschutzscheibe hinaus. Sie summte leise eine Melodie. Ich erkannte sie, wußte aber nicht, wie sie hieß.

Die Straße teilte sich. Louise zeigte nach links. Nach einem weiteren Kilometer öffnete sich der Wald, da lag eine Reihe von Höfen, doch die Gebäude waren leer, tot, die Schornsteine ohne Rauch. Nur das Haus am Ende der Straße, ein zweistöckiger Kasten mit einer Vortreppe in abgeblättertem Grün, zeigte Anzeichen von Leben. Eine Katze saß auf der Treppe, dünner Rauch stieg aus dem Schornstein.

»Via Salandra in Rom«, sagte Louise. »Das ist eine Straße, die ich einmal in meinem Leben besuchen werde. Bist du schon in Rom gewesen?«

»Ich bin bei mehreren Gelegenheiten da gewesen. Aber die Straße, von der du sprichst, kenne ich nicht.«

Louise stieg aus. Ich folgte ihr. Aus dem Holzhaus, das sicher über hundert Jahre alt war, ertönte Opernmusik.

»Hier drinnen wohnt ein Genie«, sagte Louise. »Giaconelli Mateotti. Er ist jetzt alt. Seinerzeit hat er bei der berühmten Schuhmacherfamilie Gatto gearbeitet. Als ganz junger Mann wurde er von Angelo Gatto selbst angelernt, der seine Werkstatt Anfang des 20. Jahrhunderts gegründet hat. Jetzt hat er seine Kenntnisse hierher in die Wälder mitgebracht. Er war den Autoverkehr leid, all die wichtigen Kunden, die ständig ungeduldig waren und nicht respektierten, daß es Geduld und Zeit braucht, um gute Schuhe anzufertigen.«

Louise sah mir in die Augen und lächelte. »Ich will dir ein Geschenk machen«, sagte sie. »Ich will, daß Giaconelli für dich ein Paar Schuhe anfertigt. Die, die du anhast, sind eine Zumutung für deine Füße. Giaconelli hat mir von all den wunderbaren kleinen Knochen und Muskeln erzählt, welche die Voraussetzung dafür bilden, daß wir gehen und rennen können, auf den Fußspitzen stehen, Ballett tanzen oder uns nur nach etwas hoch oben auf einem Regal strecken. Ich weiß von Opernsängerinnen, die sich weder um Regisseure noch um Dirigenten scheren, noch um ihre Kostüme oder die hohen Töne, die sie erreichen sollen. Solange sie nur in ordentlichen Schuhen singen.«

Ich starrte sie an. Es war, als hörte ich meinen eigenen Vater. Der schikanierte Kellner, der jetzt seit vielen Jahren in seinem Grab lag. Er hatte auch von Opernsängerinnen gesprochen.

Es ist ein merkwürdiger Gedanke, daß mein Vater und meine Tochter viel gemeinsamen Gesprächsstoff gehabt hätten.

Aber die Schuhe, die sie mir anbot? Ich wollte protestieren, aber sie hob die Hand, ging die Treppe hinauf, schob die Katze beiseite und öffnete die Haustür. Die Opernmusik schlug uns entgegen. Sie kam aus einem der hinteren Zimmer. Wir gingen durch den Raum, in dem Mateotti wohnte und wo er seine Schuhleder und seine Leisten verwahrte. An einer Wand hing eine handgemalte Devise, wie ich vermutete, von Giaconellis eigener Hand. Jemand, der Zhuang Zhou hieß, hatte gesagt: »Wenn der Schuh paßt, denkt man nicht an den Fuß.«

Ein Raum war voll mit Holzleisten, in Regalen gelagert, vom Fußboden bis zur Decke. An jedem Leistenpaar hing ein Namensschild. Louise zog Leisten an verschiedenen Stellen heraus, und ich staunte, als ich die Namen las.

Giaconelli hatte Schuhe für amerikanische Präsidenten angefertigt, die mittlerweile tot waren, aber ihre Schuhleisten existierten noch. Es gab Namen von Dirigenten und Schauspielern, von Menschen, die später verurteilt oder heilig gesprochen worden waren. Es war ein seltsam schwindelerregendes Erlebnis, zwischen all diesen berühmten Füßen umherzugehen. Es war, als wären die Leisten selbst durch Schnee und morastigen Boden gewandert gekommen, damit der Meister, den ich noch nicht getroffen hatte, die Möglichkeit bekommen sollte, seine wunderbaren Schuhe herzustellen.

»Zweihundert Arbeitsschritte«, sagte Louise. »So viel braucht es, um einen einzigen Schuh anzufertigen.«

»Das muß sehr teuer werden«, sagte ich. »Wenn Schuhe zu Juwelen erhoben werden.«

Sie lächelte.

»Giaconelli ist mir einen Gefallen schuldig. Er wird froh sein, ihn vergelten zu können.«

Vergelten.

Wann hatte ich zuletzt einen Menschen dieses altertümliche Wort aussprechen hören? Ich konnte mich nicht erinnern. Vielleicht überlebte die Sprache tief in den Wäldern auf eine andere Art, während die Wörter in den großen Städten wie Vogelfreie gejagt wurden?

Wir gingen weiter durch das alte Haus. Überall Leisten, Werkzeug, in einem Raum roch es stark nach den gegerbten Häuten, die in Packen auf einfachen Holztischen lagen.

Die Musik hatte aufgehört, das Opernfinale war zu Ende. Es knackte in den alten Holzplanken, wenn wir uns bewegten.

»Ich hoffe, du hast dir die Füße gewaschen«, sagte Louise, als wir vor der letzten geschlossenen Tür standen.

»Was passiert, wenn ich das nicht getan habe?«

»Giaconelli sagt nichts. Aber er wird traurig werden, auch wenn er es nicht zeigt.«

Sie klopfte an die Tür und öffnete sie.

An einem Tisch, auf dem Werkzeug in ordentlichen Reihen lag, saß ein alter Mann über einen Leisten gebeugt, der teilweise mit Leder bezogen war. Der Mann trug eine Brille und war kahlköpfig, abgesehen von ein paar Haarbüscheln im Nacken. Er war sehr dünn, einer dieser Menschen, die den Eindruck machen, fast gewichtslos zu sein. Das Zimmer enthielt nur diesen einen Tisch. Die Wände waren leer, keine Regale mit Leisten, nur die nackten Holzwände. Die Musik kam aus einem Radio, das an einem der Fenster stand. Louise beugte sich vor und küßte den alten Mann auf die Stirn. Er schien entzückt, sie zu sehen, und legte behutsam den braunen Schuh ab, den er anzufertigen im Begriff war.

»Das hier ist mein Vater«, sagte meine Tochter. »Er ist nach all den Jahren zurückgekommen.«

»Ein guter Mensch kommt immer zurück«, erwiderte Giaconelli in gebrochenem Schwedisch.

Er stand auf und drückte fest meine Hand. »Du hast eine schöne Tochter«, sagte er. »Eine ausgezeichnete Boxerin obendrein. Sie lacht viel und hilft mir, wenn es nötig ist. Warum hast du dich ferngehalten?«

Er hatte meine Hand immer noch nicht losgelassen. Der Griff wurde fester.

»Ich habe mich nicht ferngehalten. Ich wußte nichts davon, daß ich eine Tochter habe.«

»Ein Mann weiß zuinnerst immer, ob er Kinder hat oder nicht. Aber du bist zurückgekommen. Louise ist froh. Das ist alles, was ich wissen muß. Sie hat lange genug darauf gewartet, daß du durch den Wald gegangen kommst. Vielleicht bist du in all diesen Jahren auf dem Weg gewesen, ohne es zu wissen? Es ist genauso leicht, sich in sich selbst zu verirren wie auf Waldpfaden oder in Städten.«

Wir gingen hinaus in Giaconellis Küche. Im Gegensatz zu seiner asketischen Werkstatt war die Küche überfüllt mit Töpfen, von der Decke hingen getrocknete Kräuter und Stränge von Knoblauch, auf schön geschnitzten Regalen drängten sich Petroleumlampen und Reihen von

Gewürzdosen. Mitten im Raum stand ein großer, schwerer Tisch.

Giaconelli folgte meinem Blick und strich mit der Hand über die glatte Fläche. »Buche«, sagte er. »Dieses wunderbare Holz, aus dem ich meine Leisten anfertige. Früher bekam ich mein Holz aus Frankreich. Kein Leisten kann aus etwas anderem hergestellt werden als aus der Buche, die in Hügellandschaften wächst, die Schatten verträgt und von starken und unerwarteten Klimawechseln nicht beeinflußt wird. Ich habe immer selbst die Bäume ausgewählt, die gefällt werden sollten. Zwei oder drei Jahre bevor ich mein Lager auffüllen mußte, habe ich die Bäume ausgewählt. Sie wurden immer im Winter gefällt, in eine Länge von zwei Metern gespalten, nie mehr, und dann lange Zeit im Freien gelagert. Als ich nach Schweden umzog, fand ich einen Lieferanten in Schonen. Jetzt bin ich zu alt, um jedes Jahr Reisen zu machen und meine Bäume auszuwählen. Das hat mir viel Kummer gemacht. Aber ich fertige immer seltener Leisten an. Ich gehe in diesem Haus herum und denke, daß ich bald keine Schuhe mehr herstellen werde. Der Mann, der die Bäume auswählt, die gefällt werden sollen, hat mir diesen Tisch geschenkt, als ich neunzig wurde.«

Der alte Meister bot uns einen Platz an und holte eine Flasche Rotwein, eingebettet in eine Basthülle.

Seine Hand zitterte nicht, als er einschenkte. »Prost auf den zurückgekehrten Vater«, sagte er und hob sein Glas.

Der Wein war sehr gut. Mir wurde klar, daß ich während meiner Jahre draußen auf der einsamen Insel etwas vermißt hatte, ohne es zu wissen. Zusammen mit Freunden ein Glas Wein zu trinken.

Giaconelli begann, bemerkenswerte Geschichten von all den Schuhen zu erzählen, die er im Lauf der Jahre angefertigt hatte, von Kunden, die ständig wiedergekommen waren, und deren Kinder, nachdem sie selbst verstorben waren, eines Tages vor der Tür seiner Werkstatt standen. Aber vor allem erzählte er von all den Füßen, die er gesehen und vermessen hatte, um dann die Leisten dafür anzufertigen. Von dem Fuß, auf dem alles ruhte, dem Körperteil, der mich in meinem Leben schon 150 000 Kilometer getragen hatte. Von der Bedeutung des Sprungbeinkopfs – caput tali – für die Kräfte im Fuß. Nicht einmal von dem kleinen, unbedeutenden Würfelbein – os cuboideum – konnte er sprechen, ohne mein großes Interesse zu fesseln. Er schien alles über die Knochen und Muskeln des Fußes zu wissen. Vieles von dem, wovon er redete, kannte ich von meinem Medizinstudium her, beispielsweise die unglaublich sinnvolle anatomische Konstruktion, die sich darauf gründete, daß alle Muskeln kurz waren, um Stärke, Geduld und Geschmeidigkeit zu verleihen.

Louise sagte, sie wolle, daß Giaconelli ein Paar Schuhe für mich anfertige. Er nickte nachdenklich, betrachtete lange mein Gesicht, bevor er anfing, sich für meine Füße zu interessieren.

Er schob eine Tonschüssel mit Nüssen und Mandeln beiseite und bat mich, auf den Tisch zu steigen. »Ohne Schuhe und ohne Strümpfe. Ich weiß, daß es moderne Schuhmacher gibt, die erlauben, daß der Fuß im Socken vermessen wird. Aber ich bin altmodisch. Ich will den nackten Fuß sehen, nichts anderes.«

Ich hätte nie im Leben gedacht, daß jemand eines Tages an meinem Fuß Maß nehmen würde, um ein Paar Schuhe anzufertigen. Schuhe waren etwas, was man in einem Geschäft anprobierte. Ich zögerte, zog aber die schlechten Schuhe aus, streifte die Socken ab und kletterte auf den Tisch. Traurig betrachtete Giaconelli meine Schuhe. Louise hatte offenbar schon öfter daran teilgenommen, die Füße von Menschen zu vermessen, da sie in eins der hinteren Zimmer verschwunden war und jetzt mit einer Anzahl von Papieren, einer Schreibunterlage und einem Bleistift wiederkam.

Es war, als wohnte man einer Zeremonie bei. Giaconelli schaute meine Füße an, strich mit seinen Fingern über sie und fragte dann, ob es mir gutgehe.

»Das glaube ich schon.«

»Bist du ganz gesund?«

»Ich habe Kopfschmerzen.«

»Geht es deinen Füßen gut?«

»Sie schmerzen jedenfalls nicht.«

»Sie sind nicht geschwollen?«

»Nein.«

»Das Wichtigste, wenn man einen Schuh herstellt, ist, daß man unter ruhigen Umständen an dem Fuß Maß nimmt, niemals in der Nacht, niemals bei künstlichem Licht. Ich will deinen Füßen nur begegnen, wenn sie gesund sind.«

Ich fragte mich, ob ich einem Scherz ausgesetzt war. Aber Louise war ernst, bereit, mit dem Aufschreiben zu beginnen.

Giaconelli brauchte zwei Stunden, um meine Füße zu beurteilen und ein Protokoll mit all den verschiedenen Maßen zu erstellen, die dazu führen sollten, daß meine Leisten angefertigt werden konnten, und danach die Schuhe, die meine Tochter mir zum Geschenk machen wollte. In diesen zwei Stunden lernte ich, daß das Universum der Füße bedeutend komplizierter und umfassender ist, als man gemeinhin denkt. Giaconelli suchte lange nach der gedachten Längenachse, die entschied, ob mein linker oder mein rechter Fuß nach innen oder außen zeigte. Er kontrollierte die Form des Ballens und Fußrückens, suchte nach charakteristischen Deformationen, ob ich plattfüßig war, einen vorgeschobenen kleinen Zeh hatte oder überstreckte und gebeugte Mittel- und Endgelenke, sogenannte Hammerzehen. Ich erkannte, daß es eine goldene Regel gab, die Giaconelli sorgfältig befolgte, daß nämlich die besten Resultate die einfachsten Meßwerkzeuge voraussetzten. Er begnügte sich mit zwei Schuhfersen und einem Schuhmachermaßband. Das gelbe Maßband hatte zwei Skalen. Die eine Skala wurde benutzt, um die Länge des Fußes in französischen Stichen zu messen, entsprechend je 6,66 Millimetern. Die andere maß die Breite und den Umkreis des Fußes nach dem metrischen System, in Zentimetern und Millimetern. Außer diesen Instrumenten gebrauchte er einen uralten Winkelhaken, und als ich mich auf das weiße Indigopapier stellte, zeichnete er die Konturen meiner Füße mit einem einfachen Bleistift nach. Die ganze Zeit redete er, wie ich es von meinen frühesten Jahren als Chirurg in Erinnerung hatte, wenn die älteren Ärzte jede ihrer Bewegungen referierten, jeden Schnitt beurteilten, den Blutfluß, den Allgemeinzustand des Patienten. Giaconelli erzählte, während er die Konturen meiner Füße nachzeichnete, daß der Winkel des Bleistifts exakt 90 Grad bei der Ausführung dieses Arbeitsschritts betragen müsse. Wenn der Winkel unter 90 Grad lag, erklärte Giaconelli in seinem gebrochenen Schwedisch, würden die Schuhe mindestens eine Größe zu klein ausfallen.

Mit dem Bleistift folgte er der Kontur des Fußes von der Ferse an, immer begann man an der Ferse, entlang der Innenseite des Fußes und wieder zurück zur Ferse. Er bat mich, die Zehen fest auf den Boden zu pressen. Er sagte das so, obwohl ich auf einem Tisch mit Papier stand. Für Giaconelli war die Unterlage immer der Boden, nichts anderes.

»Gute Schuhe sollen einem Menschen helfen, seine Füße zu vergessen«, sagte er. »Niemand wandert auf einem Tisch oder auf ausgebreiteten Papieren durchs Leben. Der Fuß und der Boden gehören zusammen.«

Da ein rechter und ein linker Fuß nie genau gleich sind, müssen die Konturen von beiden nachgezeichnet werden. Als die Fußkonturen fertig waren, markierte Giaconelli die Lage des ersten und des fünften Zehenknochens sowie die am meisten hervortretenden äußeren Punkte des Ballens und der Ferse. Er zeichnete langsam, als folgte er nicht nur sorgfältig den Konturen meines Fußes, sondern gehorchte auch einem inneren Prozeß, von dem ich nichts wußte, den ich nur erahnen konnte. Ich war ähnlichem Verhalten bei Chirurgen, die ich bewunderte, begegnet. Es waren Ärzte, die während ihrer Operationen etwas schufen, das sie geheimnisvoll für sich behielten.

Als ich endlich vom Tisch hinuntersteigen durfte, wurde alles wiederholt, während ich in einem alten geflochtenen Korbstuhl saß. Ich nahm an, daß Giaconelli ihn aus Rom mitgebracht hatte, nachdem er sich entschlossen hatte, seine Meisterschaft tief in den norrländischen Wäldern zu praktizieren. Weiterhin zeigte er dieselbe Gründlichkeit, doch diesmal redete er nicht, sondern summte etwas aus der Oper, der er gelauscht hatte, als Louise und ich in sein Haus gekommen waren.

Später, als die Messungen abgeschlossen waren und ich die Socken und meine alten Schuhe in ihrem traurigen Zustand wieder anziehen konnte, tranken wir noch ein Glas Wein.

Giaconelli wirkte müde, als hätte ihn die Vermessung meiner Füße erschöpft. »Ich schlage ein Paar schwarze Schuhe mit einem Zug ins Violette vor«, sagte Giaconelli. »Ein Stichmuster auf der Oberseite und eingelassene Löcher für die Schnürsenkel. Um die diskrete Wirkung zu erhalten, sie aber dennoch persönlich zu gestalten, benutzen wir zwei verschiedene Ledersorten. Für die Oberseite der Schuhe habe ich ein Stück Leder, das vor zweihundert Jahren gegerbt wurde. Das ergibt etwas Eigenes in Farbe und Gefühl.«

Er schenkte uns noch ein Glas Wein ein, den Rest aus der Flasche.

»In einem Jahr werden die Schuhe fertig sein«, sagte er. »Zur Zeit arbeite ich an einem Paar Schuhe für einen der führenden Kardinäle im Vatikan. Außerdem stelle ich ein Paar Schuhe für den Dirigenten Keskinen her, und ich habe der Meistersängerin Klinkowa ein Paar Schuhe für ihre Romanzenabende versprochen. In acht Monaten fange ich an, in einem Jahr sind die Schuhe fertig.«

Wir leerten die Gläser. Er gab uns die Hand und verließ uns. Als wir durch die Haustür nach draußen traten, hörten wir wieder die Musik aus dem Zimmer, in dem er seine Werkstatt hatte.

Ich war einem Meister begegnet, der in einem verlassenen Dorf in den großen Wäldern wohnte. Weit entfernt von den Städten verbargen sich Menschen, die wunderbare und unerwartete Kenntnisse besaßen.

»Ein bemerkenswerter Mann«, sagte ich, als wir zum Auto gingen.

»Ein Künstler«, sagte meine Tochter. »Seine Schuhe können mit keinen anderen verglichen werden, sie lassen sich nicht imitieren.«

»Warum ist er hierher gekommen?«

»Die Stadt begann ihn verrückt zu machen. Das Gedränge, all die Ungeduld, die ihm nicht erlaubte, seine Arbeit zu tun. Er wohnte in der Via Salandra. Ich habe beschlossen, mir einmal anzusehen, was er verlassen hat.«

Wir fuhren durch die zunehmende Dunkelheit. Als wir uns einer Bushaltestelle näherten, bat sie mich, abzubiegen und zu halten.

Der Wald stand nah.

Ich sah sie an. »Warum halten wir?«

Sie streckte ihre Hand aus. Ich nahm sie. Ein Holzlaster donnerte vorbei und wirbelte dicke Schneewolken auf.

»Ich weiß, daß du meinen Wohnwagen durchsucht hast, als wir fort waren. Das macht nichts. Meine Geheimnisse kannst du nicht in Schubladen oder auf Regalen finden.«

»Ich habe gesehen, daß du Briefe schreibst und manchmal Antwort bekommst. Aber wohl kaum die Antworten, die du haben willst.«

»Ich bekomme signierte Fotos von Politikern, die ich Verbrecher nenne. Die meisten antworten mit ausweichenden Worten oder überhaupt nicht.«

»Was hoffst du damit zu erreichen?«

»Einen Unterschied, der so klein ist, daß er vielleicht nicht abzulesen ist. Aber trotzdem einen Unterschied.«

Ich hatte viele Fragen. Aber sie unterbrach mich, ehe ich sie zu stellen in der Lage war.

»Was willst du über mich wissen?«

»Du lebst ein eigentümliches Leben hier im Wald. Aber vielleicht nicht sonderbarer als mein eigenes. Es fällt mir schwer, nach allem zu fragen, was ich gern wissen möchte. Aber ich kann manchmal ein guter Zuhörer sein. Das gehört zu einem Arzt.«

Sie saß eine Weile schweigend da, ehe sie zu sprechen begann. »Du hast eine Tochter, die im Gefängnis gesessen hat. Das war vor elf Jahren. Ich habe keine Gewaltverbrechen begangen. Nur Betrügereien.«

Sie machte die Tür einen Spalt weit auf, obwohl es im Auto schnell kalt wurde. »Ich sage es, wie es ist«, fuhr sie fort. »Du und Mama scheinen einander dauernd belogen zu haben. Ich will nicht so sein wie ihr.«

»Wir waren jung«, erwiderte ich. »Wir wußten nicht genug über uns selbst, um richtig zu handeln. Mit der Wahrheit umzugehen kann manchmal sehr schwer sein. Die Lüge ist einfacher.«

»Ich will, daß du weißt, wie es mir ergangen ist. Ich habe mich wie ein Wechselbalg gefühlt, als ich ein Kind war. Oder als wäre ich vorübergehend bei Mutter einquartiert, wartend auf die, die meine richtigen Eltern waren. Wir haben uns bekämpft, sie und ich. Du mußt wissen, daß es nicht leicht war, mit Harriet zu leben. Das ist dir erspart geblieben.«

»Was ist geschehen?«

Sie zuckte die Achseln. »Das übliche Elend. Alles nacheinander. Klebstoff, Verdünner, Drogen, Schule schwänzen. Aber ich bin nicht untergegangen, ich habe mich herausgezogen. Ich erinnere mich an diese Zeit als an ein Blindekuhdasein. Ein Leben mit einem Halstuch vor den Augen. Mutter schimpfte, statt zu helfen. Sie versuchte, die Liebe zwischen uns herbeizuschreien. Ich flüchtete von Zuhause, sobald ich konnte. Es gab ein Schuldengewirr, dann folgten die Betrügereien, und schließlich war da eine Tür, die zuschlug. Weißt du, wie viele Male Harriet mich besucht hat, als ich im Knast saß?«

»Nein?«

»Ein Mal. Kurz bevor ich entlassen wurde. Um sich zu vergewissern, daß ich nicht nach Hause ziehen wollte. Danach haben wir fünf Jahre nicht miteinander gesprochen. Es dauerte, bis wir wieder in Kontakt kamen.«

»Was geschah dann?«

»Ich lernte Janne kennen, der aus der Gegend hier oben war. Eines Morgens lag er kalt im Bett neben mir. Jannes Begräbnis fand in einer Kirche in der Nähe statt. Es tauchten Verwandte auf, von denen ich nichts gewußt hatte. Plötzlich stand ich auf und sagte, ich wolle ein Lied singen. Ich weiß nicht, woher ich den Mut nahm. Vielleicht aus Zorn darüber, daß ich wieder allein zurückgeblieben war, und auf alle Verwandten, die sich nicht gezeigt hatten, als wir sie gebraucht hätten. Alles, was ich in Erinnerung hatte, war die erste Strophe von »Ein Seemann liebt des Meeres Wellen«. Die sang ich zwei Mal, und später habe ich gedacht, daß das vielleicht das Beste war, was ich in meinem Leben getan habe. Als ich aus der Kirche kam und diese bläulichen Wälder von Hälsinge sah, überkam mich ein Gefühl der Zugehörigkeit zum Wald und der Stille. So bin ich hierher gekommen, nichts war geplant, alles war Zufall. Während alle anderen von hier weggingen, drehte ich den Städten den Rücken. Hier fand ich Menschen, wie ich sie mir nie hätte vorstellen können. Niemand hatte von ihnen erzählt.«

Sie unterbrach sich und sagte, es sei zu kalt im Auto, um weiterzuerzählen. Sie hatte mir die Zusammenfassung eines Lebens gegeben, den Text auf der Rückseite eines Buches. Aber eigentlich wußte ich doch nichts über meine Tochter. Immerhin hatte sie angefangen zu reden.

Ich startete das Auto. Die Scheinwerfer erhellten die Dunkelheit.

»Ich wollte, daß du es weißt«, sagte sie. »Ein Schritt nach dem anderen.«

»Man nähert sich anderen Menschen am besten mit langsamen Schritten. Das gilt für dich genauso wie für mich. Geht man zu schnell vor, kann man auf Grund geraten.«

»Wie auf dem Meer?«

»Das, was man nicht sieht, ist das, was man zu spät entdeckt. Das gilt auch für Menschen.«

Ich fuhr auf die Landstraße hinaus. Warum erzählte ich nicht von der Katastrophe, die in meinem Leben eingetreten war? Vielleicht waren es nur die Müdigkeit und Verwirrung nach den letzten aufwühlenden Tagen. Ich würde erzählen, aber nicht jetzt gleich. Ich fühlte mich, als wäre ich immer noch eingeschlossen in den Augenblick, als ich geahnt hatte, daß sich jemand hinter meinem Rücken aufhielt, und dann Harriet da draußen auf dem Eis entdeckt hatte, auf ihren Rollator gestützt.

Ich befand mich tief in den melancholischen norrländischen Wäldern. Wenn ich auf meine Insel zurückkam, würde es viel Zeit brauchen, um mein Eisloch wieder aufzuhacken.

4

DIE SCHEINWERFER und die Schatten huschten über den Schnee.

Wir stiegen aus dem Auto in die Stille hinein. Es war sternklar, kälter, die Temperatur war im Begriff zu sinken. Aus den Fenstern des Wohnwagens fiel schwaches Licht.

Als wir hineinkamen, hörte ich an Harriets Atmung, daß etwas nicht stimmte. Es gelang mir nicht, sie zu wecken. Ich fühlte ihren Puls, der schnell und unregelmäßig war. Den Blutdruckmesser hatte ich im Wagen. Ich bat Louise, ihn zu holen. Sowohl der systolische als auch der diastolische Druckwert waren zu hoch.

Wir trugen sie zu meinem Auto. Louise fragte, was geschehen war. Ich antwortete, daß Harriet in eine Ambulanz müsse, wo man sie untersuchen konnte. Vielleicht hatte sie einen Schlaganfall erlitten, vielleicht war etwas passiert, was mit ihrem Allgemeinzustand zu tun hatte. Ich wußte es nicht.

Wir fuhren durch die Dunkelheit nach Hudiksvall. Das Krankenhaus lag wartend da wie ein erleuchtetes Schiff. In der Ambulanz wurden wir von zwei freundlichen Schwestern empfangen. Harriet hatte wieder das Bewußtsein erlangt, und es dauerte nicht lange, bis ein Arzt angefangen hatte, sie zu untersuchen. Auch wenn Louise mich fragend ansah, sagte ich nichts davon, daß ich selbst Arzt war oder daß ich es zumindest einmal gewesen war. Ich erzählte nur, daß Harriet Krebs hatte und daß ihre Zeit bemessen war. Sie nahm Medikamente gegen ihre Schmerzen, das war alles. Ich schrieb die Namen der Medikamente auf ein Papier und gab es ihm.

Wir warteten, während der Arzt, der in meinem Alter war, seine Untersuchung fortsetzte. Anschließend sagte er, er wolle sie über Nacht zur Beobachtung dabehalten. Soweit er sehen könne, sprach nichts dafür, daß sie einen Schlaganfall erlitten habe. Vermutlich war ihr Allgemeinzustand äußerst labil.

Harriet war wieder eingeschlafen, als wir sie verließen und in die nächtliche Dunkelheit hinausgingen. Es war nach zwei, es war immer noch sternklar.

Louise blieb abrupt stehen. »Stirbt sie jetzt?« fragte sie.

»Ich glaube nicht, daß sie stirbt. Sie ist zäh. Wenn sie es schafft, sich mit dem Rollator übers Eis zu bewegen, hat sie noch viel Kraft. Ich glaube, sie wird Bescheid sagen, wenn es soweit ist.«

»Ich werde immer hungrig, wenn ich Angst habe«, sagte Louise. »Anderen geht es schlecht. Ich hingegen muß essen.«

Wir setzten uns in das ausgekühlte Auto.

Bei der Einfahrt in die Stadt hatte ich ein über Nacht geöffnetes Hamburgerlokal gesehen. Wir fuhren dort hin. Da saßen ein paar glatzköpfige und übergewichtige Rocker, die noch in den fernen fünfziger Jahren zu leben schienen. Sie waren betrunken, alle bis auf einen, wie es üblich war, immer einer, der nüchtern blieb und fuhr. Draußen stand ein großer, glänzender Chevrolet. Es roch nach Pomade, als ich an ihnen vorbeiging.

Zu meinem Erstaunen schnappte ich auf, daß sie über Jussi Björling sprachen. Louise hatte ebenfalls das laute und betrunkene Gespräch bemerkt. Sie zeigte diskret auf einen der vier Männer mit Goldringen in den Ohren, dessen schwellender Bauch über den Hosenbund quoll.

»Bror Olofsson«, sagte sie leise. »Diese Bande nennt sich Brüder Brothers. Bror hatte eine schöne Singstimme. Als er jung war, sang er solo in der Kirche. Aber als er Teenager und Rocker wurde, gab er das Singen auf. Viele meinen, er hätte es weit bringen können, sogar bis auf die Opernbühnen.«

»Warum gibt es hier keine Durchschnittsmenschen«, sagte ich, während ich die Speisekarte studierte. »Warum sind alle, die wir treffen, so ungewöhnlich? Italiener, die Schuhe herstellen, oder alte Rocker, die über Jussi Björling sprechen?«

»Es gibt keine Durchschnittsmenschen«, sagte sie. »Das ist ein verzerrtes Bild der Welt, das Politiker uns aufzwingen wollen. Daß wir zu einer endlosen Masse der Durchschnittlichkeit gehören, ohne die Möglichkeit oder den Willen zu haben, uns als Individuen zu behaupten. Es wird so verzweifelt viel über eine Durchschnittlichkeit gesprochen, die es nicht gibt. Oder es ist nur eine Entschuldigung für gewisse Politiker, die Menschen herablassend zu behandeln. Ich habe oft gedacht, ich sollte auch an schwedische Politiker Briefe schreiben. An die heimliche Besatzung.«

»Was für eine Besatzung?«

»Ich nenne sie so. Die, welche die Macht haben. Die, welche meine Briefe bekommen und nie mit etwas anderem antworten als mit Idolfotos. Die heimliche Besatzung der Macht.«

Sie bestellte das sogenannte Königsmahl, während ich mich mit einer Tasse Kaffee, einer kleinen Tüte Chips und einem Hamburger begnügte. Sie war wirklich hungrig. Es war, als wollte sie alles, was sie auf dem Tablett hatte, auf einmal in den Mund zwängen.

Sie hatte Tischmanieren, die mich verlegen machten.

Wie ein armseliges Kind, dachte ich. Ich erinnerte mich an eine Reise in den Sudan mit einer Gruppe von Orthopäden, die untersuchen sollten, wie man am besten Kliniken für all die Menschen aufbauen sollte, die von Minen verstümmelt waren und Prothesen brauchten. Damals hatte ich die armseligen Kinder gesehen, die sich mit gewaltiger Verzweiflung auf Nahrungsmittel stürzten, ein paar Reiskörner, etwas Gemüse, vielleicht einen Keks aus einem fernen Entwicklungshilfeland.

Abgesehen von den vier Rockern, die wie Höhlenmenschen aus der Vergangenheit hervorgekrochen waren, saßen ein paar Lastwagenfahrer im Raum. Sie hockten über ihren leeren Tabletts, als würden sie schlafen oder über ihre eigene Sterblichkeit nachdenken. Da gab es auch ein paar Mädchen, sehr jung, kaum mehr als vierzehn oder fünfzehn Jahre alt. Sie saßen da und flüsterten, bogen sich manchmal vor Lachen und flüsterten dann weiter. Ich dachte an die unerschütterlichen Vertraulichkeiten, die man als Teenager austauschte. Man gab ein Versprechen über ein Schweigen, das man sofort brach, man gelobte, ein Geheimnis bei sich zu behalten, verbreitete es aber, so schnell man konnte. Trotzdem waren sie zu jung, um mitten in der Nacht da zu sitzen. Es regte mich auf. Sollten sie nicht schlafen?

Louise folgte meinem Blick. Sie hatte ihr üppiges Mahl schon beendet, ehe ich den Deckel meines Kaffeebechers abgenommen hatte. »Ich habe sie noch nie gesehen«, sagte sie. »Sie sind nicht von hier.«

»Kennst du alle, die hier in der Stadt wohnen?«

»Ich weiß es einfach.«

Ich versuchte den Kaffee zu trinken, aber er war zu bitter. Ich dachte, wir sollten zurück zum Wohnwagen fahren und ein paar Stunden schlafen, ehe es Zeit war, zum

Krankenhaus zurückzukehren. Aber wir blieben bis zum Morgengrauen sitzen. Da waren die Rocker gegangen. Ebenso die Mädchen. Ich hatte nicht bemerkt, wann die Lastwagenfahrer verschwanden. Plötzlich waren sie nicht mehr da.

Auch Louise hatte nicht bemerkt, wann sie gegangen waren. »Es gibt Menschen, die sind wie Zugvögel«, sagte sie. »Die großen Schwärme ziehen immer nachts nach Süden oder Norden. Sie sind weitergeflogen, ohne daß wir es bemerkt haben.«

Louise trank Tee. Die beiden dunkelhäutigen Männer hinter der Theke sprachen ein undeutliches Schwedisch, das in einen Singsang überging, der sehr melodisch klang, in mir aber ein Gefühl der Schwermut auslöste. Hin und wieder fragte Louise, ob wir nicht ins Krankenhaus zurückfahren sollten.

»Sie haben deine Telefonnummer, falls etwas passiert«, sagte ich. »Wir können genausogut hier bleiben.«

Eigentlich hatten wir ein endloses Gespräch vor uns, eine Chronik, die fast vierzig Jahre umfaßte. Vielleicht war das Lokal mit seinen Neonröhren und Gerüchen nach Bratfett der Rahmen, den wir brauchten?

Louise fuhr fort, von ihrem Leben zu erzählen. Einst hatte sie davon geträumt, Bergsteigerin zu werden. Als ich sie fragte, warum, antwortete sie, sie habe Höhenangst.

»Ist das eine glückliche Idee? An steilen Felswänden an einem Seil zu hängen, wenn man sich davor fürchtet, auf einer Leiter zu stehen?«

»Ich dachte, ich würde mehr davon haben als diejenigen, die nicht unter Höhenangst leiden. Ich habe es einmal in Lappland versucht. Es war kein steiler Fels. Aber meine Arme waren nicht stark genug. Ich ließ die

Bergsteigerträume da oben im Heidekraut zurück. Ungefähr auf der Höhe von Sundsvall hatte ich mich über meinen verlorenen Traum ausgeweint und mich entschieden, ihn damit zu ersetzen, daß ich jonglieren lerne.«

»Und hast du damit mehr Glück gehabt?«

»Ich kann immer noch drei Bälle ziemlich lange in der Luft halten. Oder drei Flaschen. Aber ich bin nie richtig gut geworden.«

Ich wartete auf die Fortsetzung. Jemand öffnete die quietschende Tür zum Lokal, es zog kalt, bis die Tür wieder zuschlug.

»Ich habe nie geglaubt, daß ich das finden würde, was ich suchte«, sagte sie. »Da ich überhaupt nicht wußte, was ich haben wollte. Vielleicht ist es richtiger zu sagen, daß ich wußte, was ich wollte, aber nicht, wie ich es finden sollte.«

»Einen Vater?«

Sie nickte. »Ich versuchte, dich durch meine Spiele zu finden. Jeder elfte Mann, der mir auf der Straße begegnete, war mein Vater. Ich habe nie einen Blumenkranz zum Mittsommerabend geflochten, um zu träumen, wer mein Zukünftiger werden würde. Ich flocht eine Unmenge von Kränzen, um dich zu sehen. Aber du zeigtest dich nicht. Ich erinnere mich an einen Besuch in einer Kirche. Da gab es ein Altarbild, Jesus, der in einem von unten kommenden Lichtschein emporschwebt. Zwei römische Soldaten knien nieder, aus Angst vor dem, was sie taten, als sie ihn ans Kreuz nagelten. Plötzlich war ich sicher, daß du einer von diesen Soldaten warst. Wie sein Gesicht würde dein Gesicht sein. Ich habe dich zum erstenmal im Leben mit einem Helm auf dem Kopf gesehen.«

»Hatte Harriet keine Fotografien?«

»Ich habe sie gefragt. Ich habe all ihre Habseligkeiten durchsucht. Es gab keine.«

»Wir haben einander oft fotografiert. Es war immer sie, die die Bilder aufbewahrte.«

»Sie sagte, es gäbe keine. Wenn sie sie verbrannt hat, bist du es, vor dem sie sich verantworten muß.«

Sie stand auf und schenkte sich Tee nach. Einer der Männer, die in der Küche arbeiteten, saß gegen die Wand gelehnt und schlief. Sein Mund stand weit offen.

Ich hätte gern gewußt, was er träumte.

In der Chronik ihres Lebens kamen jetzt das Pferd und der Reiter an die Reihe.

»Wir konnten es uns nie leisten, mich reiten zu lassen. Nicht einmal in der Zeit, als Harriet Geschäftsführerin eines Schuhladens war und besser verdiente. Manchmal denke ich mit Wut daran, wie geizig sie war. Ich mußte auf der falschen Seite des Zauns gehen und zusehen, wie die anderen wie stolze kleine Kriegerinnen herumritten. Es war ein Gefühl, als müßte ich Pferd und Reiter zugleich sein. Ein Teil von mir war das Pferd, der andere der Reiter. Wenn es mir gutging, wenn ich fühlte, daß es leicht war, morgens aufzustehen, saß ich auf dem Pferd, und es verlief kein Riß durch mein Leben. Aber an den Tagen, an denen ich überhaupt nicht aufstehen mochte, war es, als wäre ich das Pferd, als hätte ich mich in eine Ecke der Koppel gestellt, und wie sehr jemand auch mit der Peitsche schlug, ich wollte nicht gehorchen. Ich versuchte zu spüren, daß ich und das Pferd eins waren. Ich glaube, das half mir, mit all dem Schweren zurechtzukommen, als ich ein Kind war. Vielleicht auch später. Ich sitze auf meinem Pferd, und das Pferd trägt mich. Aber es kommt vor, daß ich mich selbst hinunterwerfe.«

Sie verstummte abrupt, als bereute sie, das alles gesagt zu haben.

Es wurde fünf. Wir waren allein. Der Mann, der an die Wand gelehnt saß, schlief immer noch. Der andere füllte mit langsamen Bewegungen halbvolle Zuckerstreuer nach.

Plötzlich sagte Louise mehr zu sich selbst: »Caravaggio. Ich weiß nicht, warum er mir gerade jetzt einfällt, mit seiner Raserei und seinen lebensgefährlichen Messern. Vielleicht weil er, wenn er in unserer Zeit gelebt hätte, sehr wohl diese Bar und Menschen wie dich und mich gemalt haben könnte.«

Der Maler Caravaggio? Ich sah keine Bilder vor mir, ich erinnerte mich nur an den Namen. Eine vage Vorstellung von dunklen Farben, gewaltsamen, stets dramatischen Motiven bahnte sich langsam in meinem Kopf ihren Weg. »Ich kenne mich mit Kunst nicht aus.«

»Ich mich auch nicht. Aber ich habe einmal ein Bild von einem Mann gesehen, der einen abgeschlagenen Kopf in der Hand hielt. Als mir klarwurde, daß es sein eigener Kopf war, den der Maler porträtiert hatte, spürte ich, daß ich mehr über ihn erfahren mußte. Ich beschloß, alle Orte zu besuchen, in denen sich Bilder von ihm befanden, und mich nicht mit Reproduktionen in Büchern zu begnügen. Statt Pilgerreisen zu Klöstern oder Kirchen zu machen, begann ich, auf Caravaggios Spuren zu wandeln. Sobald ich genug Geld zusammenhatte, fuhr ich nach Madrid und in andere Städte, wo er präsent ist. Ich habe so billig wie möglich gewohnt, manchmal im Freien auf Parkbänken geschlafen. Aber ich habe seine Bilder gesehen, ich habe die Menschen kennengelernt, die er gemalt hat, und sie zu meinen Begleitern gemacht. Noch immer habe ich einen weiten Weg zu gehen. Du kannst gern die Reisen bezahlen, die noch ausstehen.«

»Ich bin nicht reich.«

»Ich dachte, Ärzte verdienen gut?«

»Es ist viele Jahre her, seit ich eine Arbeit hatte. Ich bin Rentner.«

»Ohne Geld auf der Bank?«

Glaubte sie mir nicht? Ich schob mein Mißtrauen auf die trübe Stunde und die stickige Luft. Die Neonröhren an der Decke leuchteten nicht auf uns herab, sie starrten auf unsere Köpfe, bewachten uns.

Sie redete weiter über Caravaggio, und ich verstand schließlich etwas von der Leidenschaft, die sie hegte. Sie war ein Museum, in dem sie langsam einen Raum um den anderen mit eigenen Deutungen des Lebenswerks des großen Meisters füllte. Für sie war es, als hätte er nicht vor vierhundert Jahren gelebt, sondern als hauste er in einem der verlassenen Häuser in den Wäldern, die ihren Wohnwagen umgaben.

Die ersten Frühaufsteher kamen herein, stellten sich an den Tresen und lasen die Speisekarte. »Monstermahl, Mittleres Monster, Kleines Monster, Nachtschwärmermenü.« Auch in schmuddeligen Lokalen wie diesem können wichtige Erzählungen vermittelt werden, dachte ich. Im Dunst des Grills erstand für einen Augenblick ein Kunstsalon.

Meine Tochter sprach über Caravaggio, als wäre er ein naher Verwandter, ein Bruder, ein Mann, den sie liebte und mit dem zu leben sie sich erträumte.

Eigentlich hieß er Michelangelo Merisi. Sein Vater Fermi war gestorben, als er sechs Jahre alt war. Er erinnerte sich kaum an ihn, der Vater war nur einer der Schatten in seinem Leben, ein unvollständiges Porträt in einer seiner großen inneren Galerien. Seine Mutter lebte länger, sie starb, als er neunzehn wurde. Über sie herrschte nur Schweigen, ein haßerfüllter, lautloser Zorn.

Louise erzählte von einem Porträt von Caravaggio, das ein Künstler Ottavio Leoni mit roter und schwarzer Kreide angefertigt hatte. Es war wie ein abblätterndes Fahndungsfoto an einer Hauswand. Rot vermischt mit Schwarz, Kohle und Blut. Er schaut uns aus dem Bild an, aufmerksam, abwartend. Gibt es uns, oder sind wir nur etwas, was er sich vorstellt? Er hat dunkle Haare, einen Bart, eine kräftige Nase, Augen in großen Augenhöhlen, ein schöner Mann, könnte man sagen. Andere würden sagen, er sei der, der er war, eine Verbrechernatur, getrieben von Gewalt und Haß, trotz seiner großen Fähigkeit, Menschen und Bewegungen abzubilden.

Wie die Strophe eines Chorals, den sie auswendig gelernt hatte, zitierte sie einen Kardinal, der vielleicht Borromeo hieß, ich bin nicht sicher, ob ich es richtig verstanden habe. Er schrieb: »Zu meiner Zeit kannte ich einen Maler in Rom, der sich schlecht benahm, üble Gewohnheiten hatte und immer schmutzige und zerrissene Kleider trug. Dieser Maler, der im übrigen für seine Streitsucht und Brutalität berüchtigt war, hat in seiner Kunst nichts von Gewicht geschaffen. Das einzige, wozu er seine Pinsel benutzte, war, Tavernen, Säufer, tückische Wahrsagerinnen und Spieler zu malen. Sein unbegreifliches Glück war es, diese erbärmlichen Menschen abzubilden.«

Caravaggio war ein begnadeter Maler, aber auch ein sehr gefährlicher Mann. Er war gefährlich, da er ein gewalttätiges Temperament hatte und streitsüchtig war. Er benutzte Fäuste und Messer und hatte einmal nach einem Streit um die Punkte bei einem Spiel einen Menschen ermordet. Aber vor allem war er gefährlich, da er in seinen Gemälden bekannte, daß er Angst hatte. Daß er diese Angst unter den Schatten versteckte, machte – und macht – ihn gefährlich.

Louise sprach von Caravaggio, und sie sprach vom Tod. In all seinen Gemälden ist der Tod sichtbar, im Loch des Wurms in einem Apfel ganz oben auf einem Obstkorb, in den Augen des Mannes, dessen Kopf bald abgeschlagen wird.

Sie sagte, Caravaggio habe niemals das gefunden, was er suchte. Er habe immer etwas anderes gefunden. Wie die Pferde, die er malte. Mit den geifernden Mäulern, diesem Geifer, den er selbst in sich hatte.

Er malte alles. Aber er malte nie das Meer.

Louise sagte, seine Gemälde berührten sie so stark, weil sie ihr immer Nähe boten. Es gäbe immer einen Platz in den Gemälden, auf den sie sich selbst stellen konnte. Sie war dann einer dieser Menschen und mußte keine Angst davor haben, verscheucht zu werden. Viele Male habe sie Trost in seinen Gemälden gesucht, in den liebevollen Details, in denen seine Pinsel zu Fingerkuppen geworden waren, die das Gesicht liebkosten, das er in seinen dunklen Farben heraufbeschworen hatte.

Louise verwandelte den muffigen Hamburgergrill in einen Strand an der italienischen Küste am 16. Juli 1609. Die Hitze ist drückend. Caravaggio geht am Strand südlich von Rom entlang, in eine Art menschliches Strandgut verwandelt. Eine kleine *felucca* (was das nun war, hatte Louise nicht herausfinden können) war ihm davongesegelt. An Bord des Schiffs befinden sich seine Gemälde und Pinsel, Farben und ein Rucksack mit seinen zerrissenen und schmutzigen Kleidungsstücken und Schuhen. Er ist allein am Strand, der römische Sommer ist erstickend heiß, vielleicht zieht eine erfrischende Brise da draußen am Meer an ihm vorbei, aber die Mücken sind auch da, die Mücken, die ihn stechen und den Tod in seine Blutbahn bringen. Während der warmen und feuchten Nächte, in denen er erschöpft zusammengesunken im Sand liegt, stechen sie ihn, und die Malariaparasiten vermehren sich in seiner Leber. Die ersten Fieberattacken kommen rasch, als wäre ihm ein unerwarteter Überfall von Räubern zugestoßen. Er weiß nicht, daß er sterben wird, aber die Gemälde, die er noch nicht vollendet hat, die er aber in sich trägt, werden bald in seinem Gehirn erstarren. »Das Leben ist wie ein flüchtiger Traum«, hatte er einmal gesagt. Oder vielleicht war es Louise, die diese poetische Wahrheit formuliert hatte.

Ich hörte mit Verwunderung zu. Erst jetzt sah ich Louise. Daß der seit langem tote Maler Caravaggio einer ihrer engsten Freunde war, daran brauchte ich nicht zu zweifeln. Sie konnte mit den Toten ebenso wie mit den Lebenden verkehren. Vielleicht sogar besser?

Sie erzählte ohne Unterbrechung, bis sie plötzlich verstummte. Der Mann hinter dem Tresen war aufgewacht. Er gähnte, während er einen Plastiksack mit Pommes Frites öffnete, die er in das heiße Öl schüttete.

Wir saßen lange still da. Dann stand sie auf und schenkte sich in ihre Tasse nach.

Als sie zurückkam, erzählte ich ihr, wie ich einem Menschen den falschen Arm amputiert hatte. Ich hatte überhaupt nicht geplant, es zu erzählen, es kam einfach, als wäre es jetzt unausweichlich, das Ereignis zu beschreiben, das ich bisher für das einschneidendste meines Lebens angesehen hatte. Zunächst schien sie nicht zu verstehen, daß das, was ich sagte, von mir handelte. Aber schließlich wurde ihr klar, daß es meine eigene Geschichte war, die ich erzählte. Zwölf Jahre zuvor war der fatale Irrtum geschehen. Ich bekam eine Verwarnung. Die hätte mich wohl kaum in meiner beruflichen Karriere aufgehalten, wenn ich sie akzeptiert hätte. Aber ich hielt sie für ungerechtfertigt. Ich verteidigte mich damit, daß ich mich in einer untragbaren Arbeitssituation befunden hatte. Die Schlangen von schwerkranken Menschen wurden immer länger, während die Kürzungen im Etat immer drastischer wurden. Ich arbeitete praktisch ohne Pause. Und eines Tages brach das Sicherheitsnetz zusammen. Bei einer Operation vormittags um kurz nach neun verlor eine junge Frau ihren gesunden rechten Arm, kurz oberhalb des Ellbogens. Der Eingriff war nicht kompliziert, eine Amputation kann zwar nie eine Routinemaßnahme sein, aber es gab nichts, was mich warnte, daß ich im Begriff war, einen katastrophalen Fehler zu begehen.

»Wie ist das möglich?« fragte Louise.

»Es ist möglich«, antwortete ich. »Wenn du lange genug lebst, wirst du verstehen, was ich meine.«

»Ich habe vor, alt zu werden«, erwiderte sie. »Warum klingst du so zornig? Warum wirst du so unangenehm?«

Ich breitete die Arme aus. »Das war nicht meine Absicht. Vielleicht bin ich müde. Es ist bald sieben. Wir haben die ganze Nacht hier verbracht. Wir sollten ein paar Stunden schlafen.«

»Laß uns nach Hause fahren«, sagte sie und stand auf. »Das Krankenhaus hat nicht angerufen.«

Ich blieb sitzen. »Ich kann in diesem engen Bett nicht schlafen.«

»Dann lege ich mich auf den Boden.«

»Wir würden kaum ankommen, dann müßten wir schon wieder zum Krankenhaus zurück.«

Sie setzte sich. Ich sah, daß sie genauso müde war wie ich. Der Mann hinter dem Tresen war wieder eingeschlafen, die Kinnlade auf der Brust.

Die Neonlichter an der Decke starrten immer noch wie lauernde Drachenaugen.

5

DIE MORGENDÄMMERUNG kam wie eine Befreiung.

Um neun kehrten wir ins Krankenhaus zurück. Es hatte angefangen zu schneien, in leichten Flocken. Im Rückspiegel sah ich mein müdes Gesicht. Es gab mir einen Stich, ein Gefühl von Tod, von Unerbittlichkeit.

Ich war auf dem Weg nach unten, eingeschlossen in meinen Epilog. Es blieben noch ein paar Auftritte und Abgänge, aber mehr nicht.

Die Gedanken ließen mich die Abzweigung zum Krankenhaus verpassen.

Louise sah mich fragend an. »Wir hätten rechts abbiegen müssen.«

Ich antwortete nicht, fuhr nur um den Block und kam ans Ziel. Vor der Ambulanz stand eine der Schwestern, die uns in der Nacht empfangen hatte. Sie rauchte eine Zigarette und schien vergessen zu haben, wer wir waren. In einer anderen Zeit, dachte ich, hätte sie eine Person auf einem von Caravaggios Gemälden sein können.

Wir gingen hinein. Die Tür zu dem Zimmer, in dem wir Harriet verlassen hatten, stand offen. Das Zimmer war leer. Eine Schwester kam durch den Korridor. Ich fragte sie nach Harriet. Sie sah uns forschend an. Wir sahen wohl wie Kellerasseln aus, die nach einer Nacht unter kalten Steinen hervorgekrochen waren.

»Frau Hörnfeld ist nicht mehr da.«

»Wohin haben Sie sie geschickt?«

»Wir haben sie nirgendwohin geschickt. Sie hat sich

einfach davongemacht. Hat sich angezogen und ist verschwunden. Und wir können nichts daran ändern.«

Sie schien ärgerlich, als hätte Harriet sie persönlich verraten.

»Irgend jemand muß sie doch gesehen haben«, sagte ich.

»Das Nachtpersonal hat in regelmäßigen Abständen nach ihr geschaut. Um Viertel nach sieben war sie weg.«

Ich sah Louise an. Sie machte eine Bewegung mit den Augen, die ich als ein Zeichen deutete.

»Hat sie etwas hinterlassen?«

»Nichts.«

»Dann ist sie bestimmt nach Hause gefahren.«

»Sie hätte uns Bescheid sagen sollen, daß sie nicht bleiben will.«

»Sie ist, wie sie ist«, sagte Louise. »Sie ist meine Mutter.«

Wir verließen das Krankenhaus durch den Eingang der Ambulanz.

»Ich weiß, wie sie ist«, wiederholte Louise. »Ich weiß auch, wo sie ist. Wir haben eine Übereinkunft getroffen, als ich noch ein Kind war. Das nächste Café, da treffen wir uns. Falls wir einander verlieren.«

Wir gingen um das Krankenhaus herum zum Haupteingang. Im großen Foyer gab es eine Cafeteria.

Harriet saß an einem Tisch und trank Kaffee. Sie winkte uns zu. Sie schien fast munter, als sie uns kommen sah.

»Wir wissen immer noch nicht, was dir fehlt«, sagte ich streng. »Die Ärzte hätten wenigstens die Möglichkeit haben sollen, die entnommenen Proben zu kontrollieren.«

»Ich habe Krebs und ich werde sterben«, sagte Harriet. »Die Zeit ist zu knapp, um im Krankenhaus zu liegen und Panik zu bekommen. Was gestern geschehen ist, weiß ich nicht. Ich habe vermutlich zuviel getrunken. Jetzt will ich nach Hause.«

»Zu mir oder nach Stockholm?«

Harriet griff nach Louises Arm und erhob sich. Der Rollator stand neben einem Zeitungsgestell. Mit ihren schwachen Fingern umfaßte sie den Griff. Es war unbegreiflich, wie es ihr gelungen war, mich aus dem Teich zu ziehen.

Als wir zum Wohnwagen zurückkamen, legten wir uns alle drei auf das schmale Bett. Ich lag ganz außen, ein Bein am Boden, und fiel bald in Schlaf.

Im Traum kam Jansson mit seinem Hydrokopter gefahren. Er schnitt sich wie eine scharfgezähnte Säge durchs Eis. Ich versteckte mich hinter einer Klippe, bis er fort war. Als ich aufstand, sah ich Harriet mit ihrem Rollator draußen auf dem Eis. Sie war nackt. Gleich neben ihr war ein großes Loch.

Ich schrak auf. Die beiden Frauen schliefen. Ich dachte flüchtig, daß ich meine Jacke nehmen und den Wohnwagen verlassen sollte. Aber ich blieb liegen. Bald schlief ich wieder.

Wir wachten gleichzeitig auf. Es war ein Uhr. Ich ging hinaus und pinkelte. Es schneite nicht mehr, die Wolken begannen auseinanderzugleiten.

Wir tranken Kaffee. Harriet bat mich, ihren Blutdruck zu messen, da sie Kopfschmerzen hatte. Er war nur unbedeutend erhöht.

Louise hielt mir auch ihren Arm hin. »Das wird eine meiner ersten Erinnerungen an meinen Vater sein, daß er meinen Blutdruck mißt«, sagte sie. »Zuerst die Wassereimer, dann das hier.«

Er war sehr niedrig. Ich fragte, ob sie manchmal Schwindel verspürte.

»Nur, wenn ich betrunken bin.«

»Sonst wirklich nie?«

»Ich bin nie in meinem Leben ohnmächtig geworden.«

Ich legte die Blutdruckmanschette weg. Der Kaffee war getrunken, es war Viertel nach zwei geworden. Es war warm im Wohnwagen. Vielleicht zu warm? Eine sauerstoffarme, erstickende Wärme, die zu schlechter Laune führte. Was es auch war, ich wurde plötzlich aus zwei Richtungen zugleich angegriffen. Es fing damit an, daß Harriet mich fragte, was es für ein Gefühl sei, eine Tochter bekommen zu haben, nachdem jetzt ein paar Tage vergangen waren.

»Was es für ein Gefühl ist? Darauf kann ich wohl nicht antworten.«

»Deine Gleichgültigkeit ist erschreckend«, sagte sie.

»Du weißt nichts davon, wie ich das hier empfinde.«

»Ich kenne dich.«

»Wir haben uns seit fast vierzig Jahren nicht gesehen! Ich bin nicht der, der ich damals war.«

»Du bist nicht nur zu feige, um zuzugeben, daß es ist, wie ich es sage. Dir fehlte damals der Mut, mir zu sagen, daß du nicht mehr mit mir zusammensein wolltest. Du bist damals geflüchtet, und du flüchtest jetzt. Kannst du nicht ein einziges Mal sagen, wie es ist? Gibt es in dir überhaupt keine Wahrheit?«

Bevor ich antworten konnte, sagte Louise, daß man von einem Mann, der Harriet auf diese Weise verlassen habe, kaum annehmen könne, daß er auf ein unerwartetes Kind anders als mit Gleichgültigkeit, vielleicht Angst, bestenfalls mit etwas Neugier reagiere.

»Ich finde mich nicht damit ab«, erwiderte ich. »Ich

habe Abbitte für das geleistet, was ich damals getan habe, und auf ein Kind konnte ich kaum vorbereitet sein, da du nie etwas gesagt hast.«

»Wie hätte ich es erzählen können, wo du doch verschwunden warst?«

»Als wir im Auto auf dem Weg zum Teich waren, hast du gesagt, du hättest nie versucht, mich zu finden.«

»Bezichtigst du einen todkranken Menschen der Lüge?«

»Ich bezichtige niemanden.«

»Sag, wie es ist«, schrie Louise. »Antworte auf die Frage!«

»Welche Frage?«

»Über die Gleichgültigkeit.«

»Ich bin nicht gleichgültig. Ich bin froh.«

»Ich sehe dir keine Freude an.«

»Es ist zu wenig Platz hier im Wohnwagen, als daß man auf dem Tisch tanzen könnte! Wenn es das ist, was du wünschst.«

»Du mußt nicht glauben, daß ich es für dich tue«, rief Harriet. »Ich tue es um Louises willen.«

Wir schrien uns an. In dem engen Wohnwagen waren die Wände im Begriff, gesprengt zu werden. Zuinnerst wußte ich natürlich, daß es stimmte, was sie sagten. Ich hatte Harriet verraten, und ich hatte vielleicht keiner besonders stürmischen Freude über die unerwartete Begegnung mit meiner Tochter Ausdruck gegeben. Trotzdem war es zuviel. Ich hielt es nicht aus. Wie lange wir mit diesem sinnlosen Schreien und Fuchteln fortfuhren, weiß ich nicht. Bei mehreren Gelegenheiten glaubte ich, daß Louise ihre Hand zur Boxerfaust ballen und mich niederschlagen würde. In welche Höhe Harriets Blutdruck stieg, daran wagte ich nicht einmal zu denken.

Schließlich stand ich auf, schnappte meinen Koffer, die Jacke und die Schuhe. »Ich pfeife auf euch«, schrie ich und verließ den Wohnwagen.

Louise folgte mir nicht. Keine von ihnen rief mir etwas nach. Es war ganz still. Ich ging in Socken zum Auto hinunter, setzte mich hinein und fuhr los. Erst als ich auf die Hauptstraße gekommen war, hielt ich an, zog die nassen Strümpfe aus und schlüpfte mit nackten Füßen in die Schuhe.

Ich war immer noch empört über die Anschuldigungen. Wieder und wieder kehrte während der Fahrt das Gespräch in meinem Kopf zurück. Manchmal änderte ich das, was ich gesagt hatte, machte meine Rechtfertigung deutlicher, schärfer. Aber ihre Worte waren immer dieselben.

Ich kam mitten in der Nacht in Stockholm an, nachdem ich viel zu schnell gefahren war. Ich schlief eine Weile im Auto, bevor ich zu frieren begann und weiter nach Södertälje fuhr. Dort konnte ich nicht mehr. Ich stieg in einem Motel ab und schlief ein, kaum daß ich mich hingelegt hatte. Gegen ein Uhr mittags fuhr ich in südlicher Richtung weiter, nachdem ich Jansson angerufen und eine Nachricht auf seinem Anrufbeantworter hinterlassen hatte. Ob er mich um halb sechs abholen könnte? Ich war unsicher, wie er sich dazu stellte, in der Dunkelheit zu fahren. Ich konnte nur hoffen, daß er seinen Apparat abhörte und daß sein Hydrokopter ordentliche Scheinwerfer hatte.

Jansson erwartete mich, als ich hinunter zum Hafen kam. Er berichtete, daß er die Tiere gefüttert habe. Ich dankte ihm und sagte, ich hätte es eilig nach Hause.

Als wir anlangten, wollte Jansson kein Geld nehmen. »Man läßt sich nicht von seinem Arzt bezahlen.«

»Ich bin nicht dein Arzt. Wir rechnen ab, wenn du das nächste Mal kommst.«

Ich blieb auf dem Landungssteg stehen, bis er hinter den Klippen verschwunden war und das Scheinwerferlicht sich verloren hatte. Plötzlich saßen mein Hund und meine Katze neben mir auf dem Steg. Ich beugte mich hinunter und streichelte sie. Der Hund wirkte abgemagert. Meinen Koffer ließ ich auf dem Steg liegen, ich war zu müde, um mich darum zu kümmern.

Wir waren zu dritt auf dieser Insel, auf die gleiche Weise, wie wir im Wohnwagen zu dritt gewesen waren. Hier würde jedoch niemand einen Angriff auf mich starten. Es war eine Befreiung, wieder in die Küche zu treten. Ich gab den Tieren zu fressen, setzte mich an den Küchentisch und schloß die Augen.

In der Nacht fiel es mir schwer zu schlafen. Ein ums andere Mal stand ich auf. Es war Vollmond, klarer Himmel. Das Mondlicht breitete sich über den Klippen und auf dem weißen Eis aus. Ich zog meine Stiefel und den Pelz an und ging hinunter zum Steg. Der Hund merkte nicht, daß ich hinausging, die Katze öffnete die Augen, bewegte sich aber nicht auf der Küchenbank. Draußen war es kalt. Der Koffer, der dalag, war aufgegangen, Hemden und Socken waren herausgefallen. Wieder ließ ich ihn liegen.

Dort unten auf dem Steg wurde mir plötzlich klar, daß ich noch eine Reise zu machen hatte. Zwölf Jahre lang war es mir gelungen, mir einzureden, daß es nicht notwendig sei. Die Begegnung mit Louise und unser langes nächtliches Gespräch hatten die Voraussetzungen verändert. Niemand zwang mich, diese neue Reise zu machen. Ich wollte es selbst.

Irgendwo gab es diese junge Frau, der ich den falschen Arm abgenommen hatte. Sie war damals zwanzig gewesen, jetzt war sie also zweiunddreißig. Ich erinnerte mich an ihren Namen, Agnes Klarström. Ich stand da im Mondlicht auf dem Steg und erinnerte mich an jedes Detail, als hätte ich eben erst ihren Krankenbericht durchgelesen. Sie kam aus einer der südlichen Vorstädte, Aspudden oder Bagarmossen. Es hatte mit Schmerzen in einer Schulter angefangen. Sie war Wettschwimmerin. Lange dachten sie und ihr Trainer, es sei Überanstrengung. Als sie schließlich keinen Zug mehr ohne Schmerzen in der Schulter machen konnte, suchte sie einen Arzt für eine gründliche Untersuchung auf. Dann ging alles sehr schnell. Ein bösartiger Knochenkrebs wurde festgestellt, Amputation war der einzige Ausweg, obwohl es für sie eine Katastrophe bedeutete. Statt einer hervorragenden Schwimmerin würde sie für den Rest ihres Lebens einarmig sein.

Es war gar nicht vorgesehen, daß ich den Eingriff durchführen sollte. Sie war die Patientin eines meiner Kollegen. Seine Frau erlitt einen schweren Autounfall, seine eingeplanten Operationen wurden etwas chaotisch auf uns andere Orthopäden verteilt. Agnes Klarström landete auf meinem Operationstisch.

Die Operation dauerte eine gute Stunde. Noch immer kann ich mich an die ganze Geschichte erinnern, wie das Personal den falschen Arm wusch und vorbereitete. Es war meine Pflicht, zu kontrollieren, daß es der richtige Arm war, der unter meinen Instrumenten lag. Aber ich verließ mich auf mein Personal.

Einen Monat später bekam ich den Bescheid, daß eine Anzeige vom Sozialamt gegen mich erhoben worden war.

Das ist jetzt zwölf Jahre her. Ich hatte Agnes Klarströms Leben zerstört, aber auch mein eigenes. Und was schlimmer war, eine spätere Beurteilung machte eine Amputation des Arms, in dem sich der Krebs befand, überflüssig.

Es war mir nie in den Sinn gekommen, sie eines Tages aufzusuchen. Ich hatte bei keiner anderen Gelegenheit mit ihr gesprochen als nach der Operation, als sie noch benommen war.

Ich verließ sie wie eine abgeschlossene Aufgabe. Bis der Brief vom Sozialamt kam.

Es war zwei Uhr nachts. Ich ging wieder hinauf zum Haus und setzte mich an meinen Küchentisch. Noch immer hatte ich die Tür zum Zimmer der Ameisen nicht aufgemacht. Vielleicht fürchtete ich, sie würden durch die Tür herausquellen, wenn ich sie öffnete.

Ich rief die Auskunft an, aber in Stockholm gab es niemand dieses Namens. Ich bat die Frau, die sich als Elin vorgestellt hatte, in ganz Schweden zu suchen.

Es gab eine Agnes Klarström, die möglicherweise die richtige sein konnte. Sie wohnte in der Gemeinde Flens, die Adresse eines Hofs, Sångledsbyn. Ich schrieb ihre Nummer und Adresse auf.

Der Hund schlief. Die Katze befand sich draußen im Mondlicht. Ich ging in das Zimmer, in dem der Webstuhl meiner Großmutter stand, immer noch mit einem halbfertigen Flickenteppich im Gewebe. Es gibt kein Bild, das für mich deutlicher ist: So sieht der Tod immer aus, und wann er auch kommt, er kommt ungelegen. Auf einem Regal, in dem sich früher Knäuel mit Flicken stapelten, verwahrte ich einige Papiere, die mich durch die Jahre begleitet hatten. Ein dünner Stapel von Dokumenten, von dem ziemlich schlechten Abiturzeugnis, das mein Vater aus Stolz auswendig gelernt hatte, bis zu der verdammten Kopie des Rechenschaftsberichts über die Amputation. Es ist mir immer gelungen, mich von Dokumenten zu befreien, die für andere aufhebenswert wären. Obenauf lag das Testament, das ein unverschämt teurer Anwalt für mich aufgesetzt hatte. Jetzt mußte ich es ändern, da ich eine Tochter bekommen hatte. Aber das war nicht der Grund dafür, daß ich das Zimmer mit dem Webstuhl betrat, das immer noch nach Großmutter riecht. Ich holte den Operationsbericht vom 9. März 1991 hervor. Obwohl ich den Text auswendig kannte, legte ich ihn vor mich auf den Tisch und las durch, was da geschrieben stand.

Jedes Wort war wie ein scharfer Stein auf einem Weg, der in den Untergang führte. Vom ersten Wort der Diagnose: *Chondrosarcoma proximala Humerus sin.* bis zum letzten *Wundverband.*

Wundverband. Sonst nichts. Die Operation war vorüber, die Patientin wurde in den Aufwachraum geschoben. Ohne den gesunden Arm, aber immer noch mit dem verdammten Tumor im anderen Oberarmknochen.

Ich las: *Präoperative Beurteilung: 20jährige Frau, Rechtshänderin. Bisher im wesentl. gesund, in Stockholm wg. Geschwulst am linken Oberarm untersucht. Untersuchung mit MRT zeigt niedriggradiges Chondrosarcom im linken Oberarm. Ergänzende Untersuchung bestärkt die Diagnose, Patientin einverstanden mit der Amputation des proximalen Humerus, was weit im gesunden Bereich wäre. Operation: Intubationsnarkose, Sonnenstuhllage, der Arm liegt frei. Übliche Antibiotikumprophylaxe. Schnitt vom proc. Coracoidius entlang des unteren Rands des Deltoideus zur hinteren Axillarbeuge. Ligieren der Vena cephalica und Lösen des Pectoralis aus seinem Ansatz. Identifizieren des Gefäßnervenstrangs, die Vene wird ligiert, die Arterie wird mit doppelter Ligatur versorgt. Die Nerven werden aus der Wunde hervorgezogen und abgetrennt. Dann Trennen des Deltoideus vom Humerus, latissimus Dorsi und Teres major werden am Ansatz abgetrennt. Der lange und der kurze Kopf des Bizeps sowie der Coracobrachialis werden direkt unterhalb der Amputation abgetrennt. Der Humerus wird am Collum chirurgicum abgesägt und abgefeilt. Bedecken des Stumpfs mit dem Trizeps, welcher geteilt wurde, sowie mit dem Coracobrachialis. Vernähen des Pectoralis über der Osteotomie am unteren Humerusstumpf. Einlage einer Dränage. Die Hautränder werden spannungsfrei miteinander vernäht. Wundverband.*

Ich stellte mir vor, daß Agnes Klarström diesen Text viele Male gelesen hatte und ihn sich hatte erklären lassen. Sie muß darauf reagiert haben, daß sich zwischen all den lateinischen Begriffen plötzlich ein ganz gewöhnliches Wort befand. Sie war in »Sonnenstuhllage« operiert worden. Wie an einem Badestrand oder auf einer Veranda, mit freigelegtem Arm, über sich die Operationslampen, die sie als letztes sah, bevor sie durch die Narkose einschlief. Ich hatte sie einem furchtbaren Eingriff ausgesetzt, während sie wie in einem Sonnenstuhl ruhte.

Konnte es eine andere Agnes Klarström sein? Damals war sie jung, hatte sie geheiratet und ihren Nachnamen geändert? Gemäß der Auskunft hatte sie keinen Titel.

Es war eine erschreckende, aber auch entscheidende Nacht. Es gab kein Entrinnen. Ich mußte mit ihr reden, ihr das erklären, was nicht zu erklären war.

Ich legte mich aufs Bett und lag lange wach, ehe ich einschlief. Als ich die Augen aufschlug, war es Morgen.

Heute würde Jansson keine Post bringen. Ich würde mein Eisloch ungestört aufhacken können.

Ich mußte eine Brechstange benutzen, um ein Loch in das dicke Eis zu schlagen. Mein Hund saß auf dem Steg und beobachtete meine Anstrengungen. Die Katze war auf der Suche nach Mäusen im Bootshaus verschwunden. Schließlich war das Loch fertig, und ich stieg in die brennende Kälte hinab. Ich dachte an Harriet und Louise und fragte mich, ob ich es an diesem Tag wagen würde, Agnes Klarström anzurufen und zu fragen, ob sie die Frau war, nach der ich suchte.

An diesem Tag rief ich nicht an. In einem Anfall von Raserei putzte ich das Haus, da überall Schichten von Staub lagen. Es gelang mir, meine uralte Waschmaschine in Gang zu bringen, und ich wusch mein Bettzeug, das so schmutzig war, als hätte es ein Obdachloser benutzt. Dann ging ich auf der Insel herum, schaute durch mein Fernglas auf das leere Eis hinaus und dachte, ich müsse mich entscheiden, was ich tun sollte.

Eine Frau mit ihrem Rollator auf dem Eis, eine unbekannte Tochter in einem Wohnwagen. Im Alter von sechsundsechzig Jahren begann alles, was ich für bestimmt und entschieden gehalten hatte, sich plötzlich zu verändern.

Am Nachmittag setzte ich mich an den Küchentisch und schrieb zwei Briefe. Der eine war an Harriet und Louise gerichtet, der andere an Agnes Klarström. Jansson würde verwundert sein, wenn ich ihm zwei Briefe übergab und ihn bat, sie zu frankieren. Sicherheitshalber wollte ich sie mit Klebeband verschließen. Ich traute ihm nicht. Er könnte die Briefe mit einer mir unbekannten Verschlagenheit öffnen.

An Harriet und Louise schrieb ich, daß mein Zorn verraucht sei. Ich verstünde sie, könnte ihnen aber im Moment nicht begegnen. Ich sei zu meiner Insel zurückgekehrt, um mich um meine verlassenen Tiere zu kümmern. Aber ich ginge davon aus, daß wir uns bald wiedersehen würden. Unsere Gespräche und unser Umgang müßten natürlich fortgesetzt werden.

Es brauchte viel Zeit, um diese wenigen Zeilen zu schreiben. Der Küchenfußboden war mit zerknüllten Blättern bedeckt, bis ich schließlich fand, es müsse taugen. Was ich geschrieben hatte, war nicht wahr. Mein Zorn war nicht verraucht. Meine Tiere wären mit Janssons Fürsorge noch eine Weile zurechtgekommen. Außerdem wußte ich nicht, ob ich wirklich wollte, daß wir uns bald wiedersehen würden. Ich brauchte Zeit, um nachzudenken. Nicht zuletzt darüber, was ich zu Agnes Klarström sagen würde, falls ich sie fand.

Der Brief an Agnes Klarström bereitete mir keine Schwierigkeiten. Ich erkannte, daß ich ihn viele Jahre lang mit mir herumgetragen hatte. Ich wollte sie nur treffen, sonst nichts. Ich gab ihr meine Adresse und unterschrieb mit dem Namen, den sie wohl nie würde vergessen können. Ich hoffte, daß ich an die richtige Person schrieb.

Als Jansson am folgenden Tag kam, hatte es zu stürmen begonnen. In meinem Logbuch notierte ich, daß die Temperatur über Nacht gefallen war und daß der böige Wind sich zwischen West und Südwest drehte.

Jansson war pünktlich. Ich gab ihm 300 Kronen dafür, daß er mich abgeholt hatte, und weigerte mich, die Scheine zurückzunehmen.

»Ich will die Briefe hier frankiert haben«, sagte ich und hielt ihm die beiden Briefe hin.

Ich hatte die Umschläge an allen vier Rändern mit Klebeband verschlossen. Jansson verbarg nicht sein Erstaunen darüber, daß ich zwei Briefe in der Hand hielt.

»Ich schreibe, wenn es nötig ist. Sonst nicht.«

»Es war eine schöne Ansichtskarte.«

»Ein verschneiter Zaun? Was ist daran schön?«

Ich merkte, daß ich ungeduldig wurde. »Wie geht es mit den Zahnschmerzen?« fragte ich in einem Versuch, meine Gereiztheit zu verbergen.

»Sie kommen und gehen. Am meisten sind sie hier oben rechts zu spüren.«

Jansson sperrte seinen Rachen auf.

»Ich kann nichts entdecken«, sagte ich. »Sprich mit einem Zahnarzt.«

Jansson schloß den Mund. Es knackte. Sein Kiefer verrenkte sich, so daß er mit halb offenem Mund stehenblieb. Ich sah, daß es weh tat. Es war sehr schwer zu verstehen, was er sagte. Ich drückte vorsichtig meine Daumen gegen beide Seiten des Gesichts, suchte nach dem Kiefergelenk und massierte es, bis er den Mund wieder schließen konnte.

»Das hat weh getan.«

»Versuche, in den nächsten Tagen nicht zu stark zu gähnen oder den Mund aufzusperren.«

»Ist das ein Zeichen einer ernsten Krankheit?«

»Überhaupt nicht. Du kannst beruhigt sein.«

Jansson fuhr mit meinen Briefen davon. Der Wind biß ins Gesicht, als ich zu meinem Haus zurückging.

An diesem Nachmittag öffnete ich die Tür zum Zimmer der Ameisen. Noch ein Stück des Tischtuchs schien in dem wachsenden Hügel verschwunden zu sein. Aber das Zimmer und das Bett, in dem Harriet geschlafen hatte, waren noch so, wie wir sie verlassen hatten.

In den nächsten Tagen geschah nichts. Ich ging aufs Eis hinaus, bis ich das offene Meer erreichte. An drei Stellen maß ich die Dicke des Eises. Ohne meine früheren Logbücher befragen zu müssen, wußte ich, daß das Eis während meiner Zeit auf der Insel noch nie so dick gewesen war.

Eines Tages hob ich die Persenning und versuchte zu beurteilen, ob es überhaupt möglich wäre, mein Boot wieder zu Wasser zu bringen. Hatte es zu lange an Land gelegen? Hatte ich genug Ausdauer, um es wieder instand zu setzen? Ich ließ die Persenning fallen, ohne mir eine Antwort gegeben zu haben.

Eines Abends klingelte das Telefon. Es war sehr selten, daß jemand von sich hören ließ. Meist waren es Telefonverkäufer, die versuchten, mich dazu zu bringen, den Anbieter zu wechseln oder auf Breitband umzustellen. Wenn sie hören, daß ich auf einer einsam gelegenen Insel wohne und außerdem Rentner bin, erlischt der Enthusiasmus gewöhnlich sofort. Ich weiß nicht einmal, was Breitband ist.

Als ich jetzt den Hörer abhob, war eine fremde weibliche Stimme am anderen Ende. »Hier ist Agnes Klarström. Ich habe Ihren Brief bekommen.«

Ich hielt den Atem an, sagte nichts.

»Hallo? Hallo?«

Ich antwortete nicht. Sie versuchte noch mehrmals, mich aus meiner Höhle zu locken. Dann legte sie den Hörer auf.

Agnes Klarström existierte. Ich hatte sie gefunden. Der Brief hatte die Adressatin erreicht. Sie wohnte außerhalb von Flen.

In einer Küchenschublade verwahrte ich eine alte

Karte von Schweden. Ich glaube, sie hat meinem Großvater gehört. Er sprach manchmal davon, daß er einmal
in seinem Leben Falkenberg besuchen wolle. Warum er
gerade in diese Stadt fahren wollte, weiß ich nicht. Aber
er hat nie in seinem Leben Stockholm besucht, und er war
auch nie außerhalb von Schwedens Grenzen gewesen.
Den Traum von Falkenberg nahm er mit ins Grab.

Ich breitete die Karte aus und machte Flen ausfindig. Der Maßstab war nicht so groß, daß ich Sångledsbyn
finden konnte. Ich würde höchstens zwei Stunden brauchen, um dorthin zu fahren. Ich hatte mich entschieden.
Ich würde sie aufsuchen.

Zwei Tage später ging ich übers Eis zurück zu meinem
Wagen. Diesmal hatte ich keinen Zettel an meiner Tür
befestigt. Ich hatte Jansson nicht informiert. Sollte er sich
doch wundern, soviel er wollte. Der Hund und die Katze
hatten genug Futter bekommen. Der Himmel war blau,
es war windstill, plus zwei Grad. Ich fuhr nach Norden,
bog landeinwärts ab und war kurz nach zwei Uhr nachmittags in Flen. In einer Buchhandlung kaufte ich eine
detaillierte Karte und fand Sångledsbyn. Es lag nur wenige Kilometer von Harpsund entfernt, wo der Minister-
präsident von Schweden sein Ferienhaus hat. Früher
wohnte dort ein Mann, der mit Kork ein Vermögen gemacht hatte. Sein Haus hatte er dem Staat vermacht, zusammen mit einem Kahn, der viele Male mit fremden
Staatsmännern herumgerudert worden war, die heute
kaum noch jemand aus der jüngeren Generation kennt.

Ich wußte alles über dieses Harpsund, da mein Vater dort gekellnert hatte, als der damalige Ministerpräsi-
dent Erlander ausländische Gäste bewirtete. Er wurde nie
müde, von den Männern – es waren nur Männer, keine

Frauen – an den Tischen zu erzählen, die wichtige Debatten über die Weltlage geführt hatten. Es war während des kalten Krieges, er hatte sich besondere Mühe gegeben, sich lautlos zu bewegen, er erinnerte sich an das Menü und an die Weine. Leider war auch etwas geschehen, was beinahe einen Skandal ausgelöst hätte. Er erzählte es, als wäre er an etwas ganz Vertraulichem beteiligt gewesen, das er mir und meiner Mutter nur mit großem Zögern preisgab. Einer der Gäste hatte sich stark betrunken. Er hatte zum falschen Zeitpunkt eine unbegreifliche Dankesrede an den Gastgeber gehalten, was unter den Kellnern zu einer momentanen Verwirrung führte, aber es war ihnen gelungen, die unerwartete Situation zu meistern und mit dem Servieren der Dessertweine zu warten. Der betrunkene Mann war später am Abend auf dem Rasen vor dem Haus umgefallen.

»Fagerholm hat sich auf eine unglückliche Weise betrunken«, sagte mein Vater ernst.

Wer dieser Fagerholm war, bekamen weder meine Mutter noch ich je erklärt. Erst später im Leben, als mein Vater schon tot war, fand ich heraus, daß der betrunkene Mann einer der damaligen finnischen Arbeiterführer gewesen sein muß.

Jetzt wohnte in der Nähe von Harpsund eine Frau, der ich einen Arm geraubt hatte.

Sångledsbyn bestand aus ein paar Höfen, die verstreut am Ufer eines länglichen Sees lagen. Felder und Äcker waren schneebedeckt. Ich hatte mein Fernglas mitgenommen und kletterte auf eine Anhöhe, um einen besseren Überblick zu bekommen. Hin und wieder bewegten sich Menschen auf den Höfen, zwischen Scheunen und Stall, Wohnhaus und Garage. Keiner von denen, die ich durch das Fernglas sah, konnte Agnes Klarström sein.

Ich schrak zusammen. Ein Hund schnupperte an meinen Füßen. Unten auf der Straße ging ein Mann in langem Mantel und Stiefeln vorbei. Er rief den Hund und hob die Hand zum Gruß. Ich versteckte das Fernglas und ging hinunter zur Straße. Wir sprachen kurz über die Aussicht, den langen und trockenen Winter.

»Wohnt jemand namens Agnes Klarström hier im Dorf?« fragte ich.

Der Mann zeigte auf das Haus, das am weitesten entfernt lag. »Da wohnt sie mit ihren verdammten Bälgern«, antwortete er. »Bevor sie hierher kamen, hatte ich keinen Hund. Jetzt haben alle sich Hunde zugelegt.«

Er nickte irritiert und setzte seinen Weg fort. Es gefiel mir nicht, was ich gehört hatte. Ich wollte mich nicht in etwas einmischen, was in meinem Leben noch mehr Unruhe stiften würde. Ich beschloß, mich davonzumachen, und ging auf mein Auto zu. Aber irgend etwas hielt mich zurück. Ich wendete mich doch wieder dem Dorf zu und blieb auf einem gebahnten Fahrweg stehen. Von dort aus konnte ich mich der Rückseite des letzten Hofs durch ein Wäldchen nähern.

Es war Nachmittag, bald würde die Dämmerung beginnen. Ich stapfte durch den Schnee und blieb stehen, als ich das Wohnhaus zwischen den Bäumen sah. Ich schüttelte den Schnee von ein paar Zweigen und bekam freie Sicht. Das Wohnhaus war gut gepflegt. In der Einfahrt stand ein Auto mit einer elektrischen Leitung vom Motor zu einer Steckdose in der Wand.

Plötzlich tauchte ein Mensch im Fernglas auf. Ein junges Mädchen. Sie sah mich direkt an. Unversehens zog sie etwas hervor, was sie hinter dem Rücken verborgen hatte. Es war ein blankes Schwert. Sie begann, direkt auf mich zuzulaufen, das Schwert hoch über dem Kopf erhoben.

Das Fernglas warf ich weg, ehe ich umkehrte und zu rennen begann. Ich stolperte über eine Baumwurzel oder einen Stein und fiel hin. Bevor ich wieder auf die Füße kam, hatte das Mädchen mit dem Schwert mich eingeholt.

Sie sah mich mit haßerfüllten Augen an. »Solche wie du«, sagte sie. »Die gibt es überall. Sie stehen mit ihren Ferngläsern im Gebüsch.«

Hinter ihr kam eine Frau angelaufen. Sie stellte sich neben das Mädchen und nahm ihr mit der linken Hand das Schwert ab. Ich begriff, daß es Agnes Klarström war. Vielleicht erinnerte ich mich auch ganz schwach an das Gesicht des jungen Mädchens, das vor zwölf Jahren in der Sonnenstuhllage vor meinen sauber geschrubbten und gummiüberzogenen Händen gelegen hatte.

Sie trug eine blaue Jacke, bis zum Hals geschlossen. Der leere rechte Ärmel war an der Schulter mit einer Sicherheitsnadel befestigt. Das Mädchen an meiner Seite betrachtete mich haßerfüllt.

Ich wünschte, Jansson hätte kommen und mich abholen können. Zum zweiten Mal innerhalb kurzer Zeit hatte sich eine Eisscholle unter meinen Füßen gelöst, und ich trieb aufs Meer zu, ohne die Möglichkeit, das Land zu erreichen.

6

ICH ERHOB mich aus dem Schnee, klopfte mich ab und erklärte, wer ich war. Das Mädchen begann, nach mir zu treten, aber Agnes fuhr sie an, und sie verschwand.

»Ich brauche keinen Wachhund«, sagte Agnes. »Sima sieht alles, was geschieht, alle, die sich dem Haus nähern. Sie hat einen Blick wie ein Bussard. Eigentlich glaube ich, sie hätte als Raubvogel geboren werden sollen.«

»Ich dachte, sie würde mich totschlagen.«

Agnes warf mir einen raschen Blick zu, antwortete aber nicht. Mir wurde klar, daß diese Möglichkeit tatsächlich bestanden hatte.

Wir gingen ins Haus und setzten uns in ihr Büro. Irgendwo dröhnte laut aufgedrehte Rockmusik. Agnes schien es nicht zu hören. Als sie die Jacke ablegte, tat sie es genauso schnell, als hätte sie zwei Arme und zwei Hände.

Ich setzte mich auf einen Besucherstuhl. Der Schreibtisch war leer, ein einsamer Stift lag darauf, sonst nichts.

»Wie glauben Sie, daß ich reagiert habe, als ich Ihren Brief bekam?« fragte Agnes.

»Ich weiß nicht. Erstaunen müssen Sie verspürt haben. Vielleicht Wut?«

»Ich war erleichtert. Endlich, dachte ich! Aber dann fragte ich mich, warum gerade jetzt? Warum nicht gestern oder vor zehn Jahren?«

Sie lehnte sich im Stuhl zurück. Sie hatte lange braune Haare, eine einfache Haarspange, klare blaue Augen. Sie wirkte kraftvoll, bestimmt.

Das Samuraischwert hatte sie auf ein Bord am Fenster gelegt.

Sie sah, daß ich es anschaute. »Ich habe es einmal von einem Mann bekommen, der mich liebte. Als die Liebe verschwand, nahm er aus einem unerfindlichen Grund das Futteral mit, hinterließ aber das scharf geschliffene Schwert. Vielleicht hoffte er, ich würde mir aus Verzweiflung darüber, daß er mich verließ, den Bauch aufschlitzen.«

Sie redete schnell, als wäre die Zeit knapp. Ich erzählte von Harriet und Louise, wie die Erkenntnis all der Wortbrüche, die ich begangen hatte, mich zwang, nach ihr zu suchen, herauszufinden, ob es sie noch gab.

»Haben Sie gehofft, daß es so wäre? Daß ich weg wäre?«

»Früher einmal habe ich das getan. Aber jetzt nicht mehr.«

Das Telefon klingelte. Sie meldete sich, hörte kurz zu, antwortete kurz angebunden und bestimmt. Es gab keinen Platz in ihrem Mädchenheim, sie hatte schon drei Teenager in ihrer Obhut.

Ich trat in eine Welt ein, von der ich nichts wußte. Agnes Klarström wohnte in ihrem großen Haus zusammen mit drei Mädchen im Teenageralter, die in meiner Jugend als ungeraten gegolten hätten. Das Mädchen Sima kam aus einem von Göteborgs aufgegebenen Vororten. Wie alt sie war, konnte nicht ganz sicher ermittelt werden. Sie war als Flüchtling nach Schweden gekommen, allein, zusammengekauert in einem Fernlaster, der in Trelleborg schwedischen Boden erreicht hatte. Sie hatte auf der langen Flucht aus dem Iran den Rat erhalten, all ihre Papiere wegzuwerfen, sobald sie in Schweden angekommen wäre, sich selbst einen anderen Namen zu geben und alle Spuren davon, wer sie war, zu verwischen. Dann würde niemand sie aus dem Land ausweisen können, auch wenn diejenigen, die sie traf, nichts lieber wollten. Das einzige, was sie hatte, war ein Zettel mit drei schwedischen Worten, die sie angeblich kennen müßte.

Flüchtling, verfolgt, allein.

Als der Lastwagen außerhalb vom Flugplatz Sturup halt gemacht hatte, zeigte der Fahrer auf das Terminalgebäude und bedeutete ihr, das Polizeirevier aufzusuchen. Damals war sie elf oder zwölf Jahre alt gewesen, jetzt war sie ungefähr siebzehn, und das Leben in Schweden hatte bewirkt, daß sie sich nur mit dem Samuraischwert in den Händen sicher fühlte.

Es gab noch zwei weitere Mädchen in Agnes Klarströms Haus, sie hielten sich in ihren Zimmern auf. Um das Gebäude verlief kein Zaun, es gab keine zugesperrten Zimmer. Aber diejenige, die sich ohne Erlaubnis entfernte, galt trotzdem als Ausreißerin. Wenn sich das zu oft wiederholte, verlor Agnes schließlich die Geduld. Dann warteten Anstalten auf das Mädchen, in denen die Eingangstüren schwer waren und die Schlüsselbunde groß.

Das Mädchen, das zwei Tage zuvor ausgerissen war, hieß Miranda, war Afrikanerin aus dem Tschad und hatte sich vermutlich mit einer ihrer Freundinnen davongemacht, die sich aus irgendeinem Grund Tea-Bag nannte. Miranda war sechzehn Jahre alt und war als Flüchtling durch eine UN-Quote zusammen mit ihrer Familie nach Schweden gekommen.

Der Vater, ein einfacher Mann, gelernter Schreiner und äußerst religiös, hatte angesichts der ständigen Kälte und der Einsicht, daß nichts so wurde, wie er es sich vorgestellt hatte, bald den Mut verloren. Er hatte sich in dem kleinsten der drei Zimmer, in denen die große Familie wohnte, eingeschlossen, einem Zimmer, in dem es keine Möbel gab, nur einen kleinen Haufen von afrikanischem Sand, der sich bei der Ankunft in das neue Vaterland in ihren schadhaften Koffern befunden hatte. Seine Frau hatte ihm dreimal am Tag ein Tablett mit Essen vor die Tür gestellt. Nachts, wenn alle schliefen, ging er auf die Toilette, vielleicht unternahm er dann auch einsame Nachtwanderungen. Jedenfalls dachten sie das, da sich manchmal nasse Schuhabdrücke auf dem Boden befanden, wenn die Familie morgens aufwachte.

Miranda hatte es schließlich nicht mehr ausgehalten, und eines Abends war sie einfach abgehauen, vielleicht, um auf dem gleichen Weg zurückzukehren, auf dem sie gekommen waren. Das neue Land hatte sich als Sackgasse erwiesen. Nach wenigen Monaten war sie so oft wegen kleinerer und größerer Diebstähle von der Polizei aufgegriffen worden, daß sie mehr Zeit in verschiedenen Institutionen verbrachte als in der Freiheit.

Nun war sie ausgerissen. Anges Klarström war wütend, und sie wollte nicht aufgeben, ehe die Polizei nicht einen ordentlichen Einsatz durchführte, um sie zu finden und zurückzubringen.

Es gab eine Fotografie von Miranda, die an der Wand angepinnt war. Das Mädchen hatte die Haare kunstvoll geflochten, dicht am Schädel entlang.

»Wenn man genau hinschaut, entdeckt man, daß sie das Wort ›Satan‹ an der linken Schläfe eingeflochten hat«, sagte Agnes Klarström.

Ich sah, daß sie recht hatte.

Es gab noch ein drittes Mädchen in diesem Heim, in dem die jungen Leute wie bei Pflegeeltern untergebracht waren und das Agnes Klarströms Lebensaufgabe und Auskommen war. Dieses dritte Mädchen war die jüngste, erst vierzehn, ein mageres Geschöpf, das am ehesten einem scheuen eingefangenen Tier glich. Über sie wußte Agnes so gut wie nichts. Sie war wie das Kind aus dem alten Märchen: Eines Tages stand es plötzlich auf einem Platz und hatte vergessen, wie es heißt und woher es kommt.

An einem Abend vor zwei Jahren hatte ein Eisenbahnbeamter in Skövde den Bahnhof für die Nacht schließen wollen, als er sie auf einer Bank sitzend fand. Er forderte sie auf zu gehen, aber sie schien ihn nicht zu verstehen. Sie zeigte nur einen Zettel, auf dem stand »Zug nach Karlsborg«, und er hatte sich gefragt, ob er verrückt war oder sie, denn während der letzten fünfzehn Jahre hatte kein Zug zwischen Skövde und Karlsborg verkehrt.

Ein paar Tage später war sie auf den Schlagzeilenplakaten der Zeitungen als das »Bahnhofskind von Skövde« aufgetaucht. Niemand schien sie zu kennen, obwohl ihr Foto bald überall war. Sie hatte keinen Namen. Die Psychologen, die sie untersuchten, und Dolmetscher, welche die merkwürdigsten Sprachen beherrschten, versuchten sie zum Reden zu bringen, konnten aber keine erdenkliche Herkunft feststellen. Das einzige Verbindungsglied zu ihrer Vergangenheit war der rätselhafte Zettel mit der Aufschrift »Zug nach Karlsborg«. Man stellte den kleinen Ort am Vättersee auf den Kopf. Aber niemand kannte sie und niemand begriff, warum sie auf einen Zug gewartet hatte, der seit fünfzehn Jahren nicht mehr verkehrte. Eine Abendzeitung hatte ihr schließlich, nach einer Abstimmung unter ihren Lesern, den Namen Aida gegeben. Sie erhielt die schwedische Staatsangehörigkeit und ein Personenkennzeichen, nachdem die Ärzte sich darauf geeinigt hatten, daß sie zwölf, höchstens dreizehn Jahre alt war. Auf Grund ihrer dichten schwarzen Haare und des olivfarbenen Teints ging man davon aus, daß sie aus dem Nahen Osten stammte.

Aida schwieg weiter. Zwei Jahre lang sagte sie nichts. Erst als man alle anderen Möglichkeiten ausgeschöpft hatte und Agnes Klarström die Arena betrat, geschah etwas. Eines Morgens war sie zum Frühstückstisch heruntergekommen und hatte sich gesetzt. Agnes Klarström hatte die ganze Zeit mit ihr gesprochen und fragte auch heute, was sie haben wolle.

»Sauermilch«, antwortete sie in fast perfektem Schwedisch.

Danach begann sie zu sprechen. Die Psychologen, die sich jetzt um sie scharten, nahmen an, daß sie die Sprache erlernt hatte, indem sie allen zuhörte, die versuchten, sie zum Sprechen zu bewegen. Darauf wies nicht zuletzt die Tatsache hin, daß sie eine große Anzahl von psychologischen und medizinischen Begriffen beherrschte, die kaum zum Sprachschatz von Kindern ihres Alters gehören.

Sie sprach, hatte aber nichts darüber zu sagen, wer sie war oder was sie in Karlsborg zu tun hätte. Wenn man sie nach ihrem richtigen Namen fragte, sagte sie genau das, was man erwarten konnte. »Ich heiße Aida.«

Wieder landete sie in den Schlagzeilen. In den dunkelsten Ecken gab es Stimmen, die murmelten, sie habe alle mit ihrem Blendwerk getäuscht, um ein vollwertiges Mitglied der schwedischen Gemeinschaft zu werden. Aber Agnes Klarström glaubte an eine ganz andere Erklärung. Schon als sie sich zum ersten Mal begegneten, hatte Aida ihren amputierten Arm in Augenschein genommen. Es war, als fände sie dort einen Halt, als wäre sie lange in tiefem Wasser geschwommen und hätte endlich einen

Grund erreicht, auf dem sie stehen konnte. Vielleicht bedeutete Agnes' amputierter Arm eine Sicherheit für Aida. Vielleicht hatte sie sehen müssen, wie Menschen die Gliedmaßen abgehackt wurden. Die, welche hackten, waren ihre Feinde, die, welche gehackt wurden, waren die einzigen, auf die sie sich verlassen konnte.

Aidas Stummheit beruhte darauf, daß sie Dinge gesehen hatte, denen kein Mensch, am allerwenigsten ein kleines Kind, ausgesetzt werden sollte.

Auch als Aida zu sprechen begann, erzählte sie nichts von ihrem Leben. Es war, als wäre sie im Begriff, sich langsam von den letzten Spuren entsetzlicher Erlebnisse zu befreien und es jetzt vielleicht zu schaffen, die Reise in ein lebenswertes Leben anzutreten.

Mit diesen drei Mädchen betrieb Agnes Klarström, mit der Unterstützung verschiedener Landtage, jetzt ihre kleine Einrichtung. Viele bettelten darum, daß sie weiteren Mädchen, die sich am äußersten Rand der Gesellschaft herumtrieben, ihre Tür öffnen sollte. Aber sie lehnte ab, es gebe keine Geborgenheit und keine Möglichkeit zu helfen, wenn sie ihren Betrieb wachsen lasse. Die Mädchen, die bei ihr waren, rissen oft aus, kamen aber fast immer zurück. Sie blieben lange, und wenn sie Agnes schließlich endgültig verließen, hatten sie ein anderes Leben, zu dem sie gehen konnten. Nie waren es mehr als drei Mädchen.

»Ich könnte hier tausend Mädchen haben«, sagte sie. »Tausend verlassene, zornige Mädchen, die ihre Einsamkeit und das Gefühl hassen, dort nicht willkommen zu sein, wo sie leben sollten. Meine Mädchen haben gelernt, daß jemand, der kein Geld hat, nur der Verachtung wert ist. Meine Mädchen schneiden sich, sie stoßen Messer in wildfremde Menschen, aber zuinnerst schreien sie vor einem Schmerz, auf den sich niemand versteht.«

»Wie kam es, daß Sie damit angefangen haben?«

Sie zeigte auf den Arm, den ich wegoperiert hatte. »Ich war Schwimmerin, wie Sie sich vielleicht erinnern. Es muß in meinen Papieren gestanden haben. Ich war nicht nur vielversprechend, ich hätte wirklich etwas werden können. Medaillen gewinnen. Ich kann sagen, ohne Bitterkeit, daß meine starke Seite nicht die Beinstöße waren, sondern die Kraft, die ich in den Armen hatte.«

Ein junger Mann mit Pferdeschwanz betrat den Raum. »Ich habe dir gesagt, daß du anklopfen sollst«, rief sie. »Raus, und nochmal von vorn!«

Der junge Mann fuhr zusammen, klopfte und trat ein.

»Halb richtig. Du sollst warten, bis ich ›herein‹ gesagt habe. Was willst du?«

»Aida ist wütend. Sie bedroht alle. Mich am meisten. Sima will sie ersticken.«

»Was ist passiert?«

»Ich weiß nicht. Ich frage mich, ob sie sich nicht einfach langweilt.«

»Das muß sie lernen. Laß sie in Ruhe.«

»Sie will mit dir reden.«

»Sag ihr, daß ich komme.«

»Sie will, daß du sofort kommst.«

»Ich komme gleich.«

Der junge Mann verschwand.

»Untauglich«, sagte sie und lächelte. »Ich glaube, er braucht jemand, der ihm Druck macht. Aber er nimmt es mir nicht übel, wenn ich ihn schelte. Ich kann mich ja immer auf meinen Arm berufen. Ich habe den Jungen durch eine Art Arbeitsbeschaffungsmaßnahme bekommen. Er träumt davon, in einer Fernsehsendung aufzutreten, in der die Darsteller vor der Kamera miteinander schlafen. Wenn er das nicht schafft, will er wenigstens Moderator werden. Mir durch den einfachen Beitrag zu helfen, daß er ein junger Mann unter meinen Mädchen ist, fällt ihm zu schwer. Ich glaube kaum, daß Mats Karlsson eine größere Karriere in der Medienwelt machen wird.«

»Sie klingen zynisch.«

»Überhaupt nicht. Ich liebe meine Mädchen, ich liebe sogar Mats Karlsson. Aber ich tue ihm keinen Gefallen, wenn ich ihn in seinen verlogenen Träumen bestärke oder ihn glauben mache, daß er hier einen Beitrag leistet. Ich gebe ihm eine Möglichkeit, sich selbst zu sehen und herauszufinden, wo er vielleicht sein Leben finden kann. Bestenfalls täusche ich mich. Eines Tages schneidet er vielleicht seine langen Haare ab und versucht, etwas im Leben zu erreichen.«

Sie stand auf, nahm mich mit in einen Aufenthaltsraum und sagte, sie käme bald wieder. Die Rockmusik im Obergeschoß war immer noch laut aufgedreht.

Von den Dächern vor den Fenstern tropfte Schnee, kleine Vögel bewegten sich wie rasch vorbeieilende Schatten in den Bäumen.

Ich schrak zusammen. Sima hatte hinter meinem Rükken lautlos den Raum betreten. Diesmal hatte sie kein scharf geschliffenes Schwert in den Händen.

Sie setzte sich auf ein Sofa und zog die Beine unter sich. Die ganze Zeit war sie auf der Hut. »Warum hast du mich durch das Fernglas angeschaut?«

»Ich habe dich gar nicht gesehen.«

»Aber ich habe dich gesehen. Einen Pädophilen.«

»Was meinst du damit?«

»Ich kenne solche wie dich. Ich weiß, wie ihr seid.«

»Ich bin gekommen, um Agnes zu treffen.«

»Wozu denn?«

»Das ist eine Sache zwischen Agnes und mir.«

»Bist du geil auf sie?«

Ich war überrascht und errötete. »Ich denke, wir sollten dieses Gespräch jetzt beenden.«

»Was für ein Gespräch? Antworte auf meine Frage!«

»Es gibt nichts zu antworten.«

Es kamen keine weiteren Fragen. Sima drehte das Gesicht weg und schien es leid zu sein, das Gespräch mit mir zu suchen. Ich fühlte mich gekränkt. Mich zu beschuldigen, ein Pädophiler zu sein, überstieg alles, was ich mir vorstellen konnte. Ich sah sie aus dem Augenwinkel an. Sie kaute fieberhaft an ihren Nägeln. Ihre Haare, die zwischen rot und schwarz wechselten, waren struppig, als hätte sie sich wutentbrannt gekämmt. Hinter der harten Oberfläche ahnte ich ein sehr kleines Mädchen in allzu großen und zu schwarzen Klamotten.

Agnes betrat das Zimmer. Sofort stand Sima auf und verschwand. Der Dompteur zeigt sich, und das Tier zieht sich zurück, dachte ich.

Sie setzte sich auf den Platz, auf dem Sima gesessen hatte, und zog die Beine unter sich, als ob die beiden einander kopierten. »Aida ist ein kleines Mädchen, bei dem es plötzlich aus allen Poren zu sickern begann.«

»Was ist passiert?«

»Absolut nichts. Sie wurde nur daran erinnert, wer sie ist. Ein großes hoffnungsloses Nichts, wie sie selbst sagt. Ein Loser unter anderen Losern. Würde man heute in Schweden eine Loserpartei gründen, würden viele die Verantwortung übernehmen und mit ihren Erfahrungen beitragen können. Ich bin dreiunddreißig Jahre alt. Wie alt sind Sie?«

»Das Doppelte.«

»Sechsundsechzig. Das ist viel. Dreiunddreißig ist ziemlich wenig. Aber es reicht, um zu wissen, daß noch nie so starke Spannungen in diesem Land geherrscht haben wie heute. Aber niemand scheint das zu sehen, wenigstens nicht diejenigen, die wirklich einen Finger in die Luft halten sollten. Es gibt ein unsichtbares Mauersystem in diesem Land, das unaufhaltsam wächst, die Menschen trennt, die Kluft vergrößert. An der Oberfläche kann es ganz anders erscheinen. Setzen Sie sich in Stockholm in eine U-Bahn und fahren Sie in die Vororte hinaus. In Kilometern gemessen ist es keine lange Strecke, aber der Abstand ist gleichwohl enorm. Zu behaupten, es sei eine andere Welt, ist Unsinn. Es ist dieselbe Welt. Aber jede Haltestelle, die den Zug weiter vom Zentrum trennt, ist die nächste Mauer. Schließlich gelangen Sie bis ganz hinaus an die Peripherie, und dann können Sie sich entscheiden, die Wahrheit zu sehen oder nicht.«

»Was ist die Wahrheit?«

»Daß das, was Sie für den äußersten Rand halten, das Zentrum ist, das langsam im Begriff ist, Schweden umzugestalten. Langsam dreht sich die Achse, und drinnen und draußen, nah und fern, Mitte und Peripherie tauschen den Platz. Meine Mädchen befinden sich in einem Niemandsland, wo sie weder nach vorn noch nach hinten schauen können. Niemand will sie haben, sie sind überflüssig, aussortiert. Kein Wunder, daß das einzige, dessen sie sicher sein können, die Wertlosigkeit ist, die sie jeden Morgen angrinst, wenn sie aufwachen. Sie wollen nicht aufwachen! Sie wollen nicht aufstehen! Die Bitterkeit war schon in ihre Seelen eingedrungen, als sie fünf, sechs Jahre alt waren.«

»Ist es wirklich so schlimm?«

»Es ist schlimmer.«

»Ich selbst wohne auf einer Insel. Da gibt es keine Vororte, nur kleine Schären und Untiefen. Und es gibt ganz bestimmt keine unglücklichen Mädchen, die mit Samuraischwertern angerannt kommen.«

»Wir tun unseren Kindern so weh, daß sie schließlich keine andere Ausdrucksweise haben als Gewalt. Früher war das etwas, womit Jungen sich abgaben. Heute haben wir harte Mädchenbanden, die nicht davor zurückschrecken, andere richtig unheimlicher Gewalt auszusetzen. Das ist die größte Niederlage, daß Mädchen in ihrer Verzweiflung glauben, es sei ihre Rettung, sich unter ihren Freunden wie die schlimmsten Gangster zu gebärden.«

»Sima hat mich einen Pädophilen genannt.«

»Mich nennt sie Hure, wenn es ihr paßt. Aber das Schlimmste ist, wie sie sich selber nennt. Daran wage ich kaum zu denken.«

»Was sagt sie?«

»Daß sie tot ist. Sie schreibt eigentümliche Gedichte, die sie wortlos auf meinen Tisch legt oder in meine Taschen steckt. Es kann gut sein, daß sie in zehn Jahren tot ist. Sie kann sich das Leben genommen haben, oder jemand anders hat es getan. Ihr kann ein Unglück zugestoßen sein, mit Drogen und anderem Zeug im Körper. Das ist ein in höchstem Grad denkbares Ende ihrer betrüblichen Geschichte. Aber sie kann auch durchkommen. In ihr ist eine Kraft. Wenn sie es nur schafft, die Wertlosigkeit abzuschütteln, die sie jagt. Was voraussetzt, daß es mir gelingen muß, ihren Körper mit Sauerstoff zu versorgen, der jetzt nur mit dumpfem Blut und dumpfen Gefühlen herumzieht.«

Sie stand auf. »Ich muß die Polizei dazu bringen, ein

bißchen Mühe darauf zu verwenden, Miranda zu finden. Machen Sie solange einen Spaziergang hinaus zum Stall, dann setzen wir später unser Gespräch fort.«

Ich ging hinaus. Sima stand hinter einem Vorhang im Obergeschoß und verfolgte meine Bewegungen. Ein paar junge Katzen kletterten zwischen den Heuballen im Stall herum. Pferde und Kühe befanden sich in Boxen und Verschlägen. Vage erkannte ich den Geruch aus den Jahren meiner frühesten Kindheit wieder, als Großvater und Großmutter auf ihrer Insel Tiere gehalten hatten. Ich strich den Pferden über die Mäuler und tätschelte die Kühe. Agnes Klarström schien ihr Leben in einem festen Griff zu haben. Was hätte ich selbst getan, wenn ein Chirurg einen ähnlichen Fehler an mir begangen hätte? Vielleicht hätte ich mich in einen verbitterten Alkoholiker verwandelt, der sich in kurzer Zeit auf einer Parkbank kaputtgesoffen hätte. Oder hätte ich es geschafft? Wer konnte das sagen.

Mats Karlsson kam in den Stall und begann, den Tieren Heu hinzuwerfen. Er arbeitete langsam, als wäre er gezwungen, eine durch und durch widerliche Arbeit auszuführen. »Agnes hat Sie gebeten, hereinzukommen«, sagte er plötzlich. »Das vergaß ich zu sagen.«

Ich ging zurück zum Haus. Sima war nicht mehr am Fenster. Es wehte und schneite leicht.

Agnes wartete in der Diele auf mich. »Sima ist ausgerissen«, sagte sie.

»Aber ich habe sie vorhin noch gesehen.«

»Das war vorhin. Jetzt ist sie abgehauen. In Ihrem Auto.«

Ich fühlte in der Tasche nach, wo die Autoschlüssel lagen. Ich wußte, daß ich das Auto abgeschlossen hatte. Wenn man älter wird, trägt man immer mehr Schlüssel in der Tasche mit sich herum. Das gilt auch für jemanden, der allein auf einer Schäreninsel lebt.

»Ich merke, daß Sie mir nicht glauben«, sagte sie. »Aber ich sah das Auto wegfahren. Simas Jacke ist weg. Sie hat eine spezielle Ausreißerjacke, die sie immer trägt, wenn sie abhaut. Vielleicht glaubt sie, diese mache sie irgendwie unverletzlich, unsichtbar. Das Schwert hat sie auch mitgenommen. Verdammtes Balg!«

»Ich habe die Autoschlüssel doch in der Tasche.«

»Sima hatte einmal einen Freund, Filippo hieß er, ein freundlicher junger Mann aus Italien, der ihr alles darüber beibrachte, wie man verschlossene Autos knackt und Motoren startet. Er stahl immer Autos vor Schwimmhallen oder Häusern, in denen es illegale Spielklubs gab. Da wußte er, daß die Männer, denen die Autos gehörten, für eine Weile fort sein würden. Es waren nur ungeschickte Amateure, die Autos auf normalen Parkplätzen stahlen. Außerdem waren Schwimmhallen und Klubs zentraler gelegen als die Langzeitparkplätze auf Arlanda. Unnötige Fahrzeiten, fand er.«

»Woher wissen Sie das alles?«

»Sima hat es erzählt. Sie vertraut mir.«

»Trotzdem haut sie in meinem Auto ab?«

»Das kann auch als eine Art Vertrauen bezeichnet werden. Sie verläßt sich darauf, daß wir sie verstehen.«

»Ich will mein Auto zurückhaben.«

»Sima läßt gewöhnlich den Motor laufen, bis das Benzin verbraucht ist. Sie sind ein Risiko eingegangen, als Sie hierherkamen. Aber das konnten Sie natürlich nicht wissen.«

»Ich habe einen Mann mit einem Hund getroffen. Er verwendete Ausdrücke wie ›verdammte Bälger‹.«

»Das tue ich auch. Was war es für ein Hund?«

»Das weiß ich nicht. Er war braun und zottig.«

»Dann war es Alexander Bruun. Ein ehemaliger Betrüger, der in einer Sparbank-Filiale arbeitete und die Kunden um ihr Geld betrog. Er fälschte Unterschriften, log, soviel er konnte, über Aktien und verkaufte Optionen, bis alles platzte. Er mußte nicht einmal ins Gefängnis. Jetzt lebt er gut von all dem Geld, das er veruntreut hat und das die Polizei nie fand. Er haßt mich, er haßt die Mädchen.«

Wir gingen in ihr Büro. Sie rief bei der Polizei an und schilderte, was geschehen war. Immer empörter lauschte ich einem Gespräch, das wie ein gemütliches Geplauder mit einem Polizisten wirkte, der sich wegen der Ausreißerin, die jetzt mein ohnehin schon schlechtes Auto kaputtfuhr, nicht gerade zu beeilen schien.

Das Gespräch endete.

»Was unternehmen sie?« fragte ich.

»Nichts.«

»Irgendwas müssen sie doch tun.«

»Sie haben kein Personal, um nach Sima und Ihrem Auto zu suchen. Das Benzin geht früh genug zu Ende. Dann läßt Sima es stehen und nimmt den Zug oder den Bus. Oder sie stiehlt ein anderes Auto. Einmal ist sie mit einem Klappmoped zurückgekommen. Früher oder später taucht sie wieder hier auf. Die meisten Ausreißer haben kein Ziel. Sind Sie denn nie ausgerissen?«

Ich dachte, die einzig aufrichtige Antwort wäre gewesen, daß ich mich seit über zwölf Jahren auf der Flucht befand. Aber das sagte ich nicht. Ich sagte gar nichts.

Gegen sechs aßen wir zu Abend. Agnes, Aida, Mats Karlsson und ich. Aida hatte auch für die beiden Mädchen gedeckt, die sich auf der Flucht befanden.

Wir aßen ein fades Fischgratin. Ich aß viel zu schnell,

weil ich wegen meines Autos aufgebracht war. Aida schien aufgekratzt, weil Sima weg war, und redete ununterbrochen. Mats Karlsson hörte zu und gab aufmunternde Kommentare ab, während Agnes schweigend aß.

Nach dem Essen deckten Aida und Mats Karlsson ab und spülten das Geschirr. Agnes und ich gingen in den Stall.

Ich bat sie um Entschuldigung. Ich erklärte ihr so präzise wie möglich, was an diesem schicksalhaften Tag schiefgegangen war. Ich sprach langsam und umständlich, um keine Details auszulassen. Aber eigentlich hätte ich es mit wenigen Worten sagen können. Etwas war geschehen, was nicht geschehen durfte. Wie ein Flugkapitän die höchste Verantwortung hat und eine äußerliche Inspektion seines Flugzeugs machen muß, ehe es abhebt, hatte ich nicht die Verantwortung dafür übernommen, nachzusehen, ob der richtige Arm freigelegt und gewaschen war.

Wir saßen jeder auf einem Strohballen. Sie sah mich ununterbrochen an, während ich sprach. Als ich fertig war, stand sie auf und gab den Pferden Mohrrüben aus einem Sack.

Dann setzte sie sich neben mich auf den Strohballen. »Ich habe dich verflucht«, sagte sie. »Du wirst nie verstehen, was es für einen Menschen, der es liebt zu schwimmen, bedeutet, wenn er aufhören muß. Ich habe mir vorgestellt, daß ich dich eines Tages ausfindig machen und deinen Arm mit einem richtig stumpfen Messer abschneiden würde. Ich würde dich in Stacheldraht wickeln und im Meer versenken. Aber jetzt, wo ich dich sehe und höre, verschwindet all das. Man kann den Haß nur für eine begrenzte Zeit als Triebkraft nutzen. Er kann einem ein Art illusorische Kraft geben, ist aber trotzdem in erster Linie ein zehrender Parasit. Jetzt sind es die Mädchen, die mir etwas bedeuten.«

Sie drückte meine Hand. »Jetzt lassen wir das«, sagte sie. »Es endet nur in Sentimentalität. Das will ich nicht. Einarmige Menschen werden leicht rührselig.«

Wir gingen hinein. Aus Aidas Zimmer hörte man die laut aufgedrehte Musik. Kreischende Gitarren, hämmernde Bässe. Die Wände vibrierten. Das Telefon in Agnes' Tasche klingelte. Sie meldete sich, hörte zu, sagte einige Worte.

»Es war Sima. Sie läßt grüßen.«

»Sie läßt grüßen? Wo ist sie?«

»Das hat sie nicht gesagt. Sie wollte nur, daß Aida sie anruft.«

»Ich habe nicht gehört, daß du zu ihr gesagt hast, sie soll mit meinem Auto zurückkommen.«

»Ich habe zugehört. Sie war es, die gesprochen hat.«

Agnes stand auf und ging die Treppe hinauf. Ich hörte, wie sie rief, um die Musik zu übertönen. Ich hatte Agnes Klarström gefunden, und sie hatte mich nicht angeschrien. Sie hatte mich nicht mit Anklagen überschüttet. Sie hatte nicht einmal die Stimme erhoben, als sie beschrieb, wie sie mich in ihren Träumen töten wollte.

Ich hatte vieles zu bedenken. Innerhalb einiger Wochen waren drei Frauen in mein Leben getreten. Harriet, Louise und jetzt Agnes. Dazu sollten vielleicht auch Sima, Miranda und Aida gezählt werden.

Agnes kam zurück. Wir tranken Kaffee. Mats Karlsson ließ sich nicht blicken. Die Rockmusik hämmerte weiter.

Es klingelte an der Tür. Als Agnes öffnete, standen da zwei Polizisten mit einem Mädchen, das ja wohl Miranda war. Die Polizisten hielten ihre Arme fest, als wäre sie gefährlich.

Ich hatte selten ein so schönes Gesicht wie ihres gesehen. Eine Maria Magdalena, umgeben von römischen Soldaten.

Miranda sagte nichts, aber soviel ich dem Gespräch zwischen Agnes und den Polizisten entnahm, war sie von einem Bauern erwischt worden, als sie dabei war, ein Kalb zu stehlen. Agnes protestierte heftig, sie konnte sich nicht vorstellen, warum Miranda ein Tier hätte stehlen wollen. Das Gespräch wurde immer schriller, die Polizisten wirkten müde, niemand hörte zu, und Miranda stand regungslos da.

Die Polizisten gingen, ohne daß Klarheit über die Behauptung, Miranda habe ein Kalb stehlen wollen, erreicht worden wäre. Agnes stellte Miranda mit scharfer Stimme ein paar Fragen. Das Mädchen mit dem schönen Gesicht antwortete so leise, daß ich nicht verstehen konnte, was sie sagte. Sie verschwand die Treppe hinauf, und die laute Musik verstummte.

Agnes setzte sich auf die Küchenbank und betrachtete die Nägel ihrer Hand. »Miranda ist ein Mädchen, wie ich es mir als eigenes Kind gewünscht hätte. Von all den Mädchen, die bei mir gewesen sind, die gekommen und verschwunden sind, ist sie es, die wahrscheinlich am besten durchkommen wird. Wenn sie nur diesen Horizont findet, den sie in sich hat.«

Sie führte mich in ein kleines Zimmer hinter der Küche, in dem ich schlafen konnte. Da viel Arbeit in ihrem Büro auf sie wartete, verließ sie mich. Ich legte mich aufs Bett und sah mein Auto vor mir. Es qualmte aus dem Motor. Neben Sima auf dem Vordersitz lag das scharf geschliffene Schwert. Was wäre geschehen, wenn mein Großvater und meine Großmutter noch gelebt hätten und ich versucht hätte, zu erzählen?

Sie hätten mir niemals geglaubt, sie hätten es nicht verstanden. Was hätte mein geschundener Kellnervater gesagt? Meine weinende Mutter? Ich löschte die Lampe und lag da in der Dunkelheit, umgeben von flüsternden Stimmen, die mir sagten, die zwölf Jahre, die ich auf meiner Insel gewohnt hatte, hätten dazu geführt, daß ich den Kontakt mit der Welt verloren hatte, in der ich tatsächlich lebte.

Ich muß eingeschlafen sein. Etwas Kaltes an meinem Hals zog mich aus dem Schlaf. Die Lampe am Bett wurde angemacht. Ich schlug die Augen auf und sah Sima mit dem Schwert an meinem Hals da stehen. Wie lange ich den Atem anhielt, ehe sie das Schwert wegnahm, weiß ich nicht.

»Dein Auto hat mir gefallen«, sagte sie. »Es ist alt, es fährt nicht schnell. Aber es hat mir gefallen.«

Ich setzte mich im Bett auf.

Sie legte das Schwert auf dem Fensterbrett ab. »Das Auto steht da draußen«, sagte sie. »Es ist nicht beschädigt.«

»Ich mag es trotzdem nicht, daß man mein Auto nimmt, ohne um Erlaubnis zu fragen.«

Sie setzte sich auf den Boden, den Rücken gegen die Heizung gelehnt. »Erzähl von deiner Insel«, sagte sie.

»Warum sollte ich das tun? Woher weißt du, daß ich auf einer Insel wohne?«

»Ich weiß, was ich weiß.«

»Sie liegt weit draußen im Meer, zur Zeit von Eis umgeben. Im Herbst kann es dort Stürme geben, die Boote an Land schleudern, wenn man sie nicht ordentlich vertäut.«

»Wohnst du da wirklich allein?«

»Ich habe eine Katze und einen Hund.«

»Hast du keine Angst, weil es dort so einsam ist?«

»Klippen und Wacholderbüsche kommen selten mit Schwertern an. Es sind Menschen, die das tun.«

Sie saß eine Weile schweigend da. Dann stand sie auf und nahm das Schwert. »Ich komme vielleicht mal auf Besuch«, sagte sie.

»Das glaube ich kaum.«

Sie lächelte. »Ich auch nicht. Aber ich täusche mich oft.«

Ich versuchte, wieder einzuschlafen. Gegen fünf stand ich auf. Ich zog mich an und schrieb einen Zettel für Agnes, daß ich weggefahren sei. Den Zettel schob ich unter die verschlossene Tür ihres Büros.

Das Haus schlief, als ich aufbrach.

Vom Motor her roch es verbrannt, ich füllte Öl nach, als ich an einer nachts geöffneten Tankstelle tankte. Kurz vor der Morgendämmerung war ich am Hafen.

Ich ging hinaus auf den Pier. Der Wind war frisch. Obwohl alles zugefroren war, reichte der salzige Geruch vom offenen Meer bis ans Land. Vereinzelte Lampen leuchteten über dem Hafen, wo ein paar verlassene Fischerboote an den Autoreifen scheuerten.

Ich wartete auf das Licht, um über das Eis nach Hause gehen zu können. Wie ich nach allem, was geschehen war, mein Leben meistern sollte, wußte ich nicht.

Da draußen auf dem Pier begann ich zu weinen. Jede Tür in mir stand offen und schlug in dem Wind, der immer stärker zu werden schien.

Das Meer

I

ERST ANFANG April brach das Eis auf. Seit ich auf der Insel lebe, hat das Eis sich nie so lange gehalten. Bis Ende März konnte ich über die Buchten an Land gehen.

Jansson kam jeden dritten Tag mit seinem Hydrokopter und gab Auskunft über die Eislage. Er meinte, sich an einen Winter in den 1960er Jahren erinnern zu können, der genausolang gewesen war, mit Packeiswällen an den äußeren Schären.

Es war ein langer Winter.

Die weiß gemalte Landschaft blendete, wenn ich auf den Felsen hinter dem Haus stieg und zum Horizont blickte. Manchmal hängte ich mir Großvaters Eissporen um den Hals, nahm einen alten Skistock und machte winterliche Ausflüge zu den flachen Klippen und Schären draußen bei dem alten Heringsgrund, wo mein Großvater und dessen Vater Fänge machten, von denen heute niemand auch nur träumen kann. Ich ging auf den Schären herum, auf denen nichts wächst, und erinnerte mich, wie ich als Kind oft dort hinausgerudert war. In den Spalten konnte sich merkwürdiges Strandgut verbergen. Einmal hatte ich einen abgerissenen Puppenkopf gefunden, ein andermal eine wasserdichte Kiste, die 78er-Schallplatten enthielt. Mein Großvater hatte sich bei jemandem erkundigt, der Bescheid wußte, und herausgefunden, daß es deutsche Schlager aus dem großen Krieg waren, der zu Ende ging, als ich noch klein war. Wo die Platten hingekommen waren, wußte ich nicht. Aber auf einer der Schären hatte ich auch ein großes Logbuch gefunden, das ein wütender oder verzweifelter Kapitän ins Meer geworfen hatte. Es war ein Lastschiff gewesen, das Holz zwischen den Sägewerken und den Lagerplätzen an der norrländischen Küste nach Irland befördert hatte, wo dringend Holz benötigt wurde. Das Schiff mit dem Namen *Flanagan* hatte 3000 Tonnen geladen. Warum das Logbuch im Wasser gelandet war, konnte niemand beantworten. Großvater hatte wieder einspringen und mit einem pensionierten Studienrat sprechen müssen, der im Sommer auf Lönö in dem Häuschen wohnte, das zum Nachlaß des Lotsen Grundström gehörte. Er hatte es übersetzt und nichts Bemerkenswertes an jenem Tag finden können, an dem das Logbuch ins Meer geworfen wurde. Ich konnte mich immer noch an das Datum erinnern: 9. Mai 1947. Der letzte Eintrag hatte von der Notwendigkeit gehandelt, »sobald wie möglich die Ankerwinde zu schmieren«. Danach nichts mehr. Das Logbuch war unabgeschlossen ins Meer geworfen worden. Da war das Schiff mit einer Holzlast auf dem Weg von Kubikenborg nach dem fernen Belfast. Das Wetter war schön, das Meer fast ruhig, der Eintrag vom Morgen verzeichnete eine Windgeschwindigkeit von einem Meter pro Sekunde aus Südsüdost.

In diesem langen Winter dachte ich oft an das Logbuch mit seiner Leerstelle. Ich verglich mein Leben nach der großen Katastrophe mit dem eines Kapitäns, der sein unvollendetes Logbuch ins Meer geworfen hat und dann zwischen verschiedenen Häfen weiterfährt, ohne Spuren zu hinterlassen. Das bescheidene Tagebuch, das ich jetzt führte, in dem es meist um verschwundene Seidenschwänze und die zunehmende Gebrechlichkeit meiner Haustiere ging, war auch für mich selbst nicht von Interesse. Ich machte Notizen, weil sie eine tägliche Erinnerung daran waren, daß ich ein inhaltloses Leben lebte. Ich schrieb über Seidenschwänze, um die Existenz einer Leere zu bestätigen.

Es war auch ein Winter des Rückblicks. Ich fing plötzlich an, von meinen Eltern zu träumen. Oft erwachte ich nachts mit erstaunlichen Erinnerungsbildern, seit langem verloren, die aber jetzt in den Träumen wiederkehrten. Ich konnte meinen Vater auf den Knien in unserem engen Wohnzimmer sehen, wie er seine Zinnsoldaten in Reih und Glied aufstellte und die verschiedenen Bewegungen markierte, die in Waterloo oder an der Narva stattgefunden hatten. Meine Mutter konnte auf ihrem Stuhl sitzen und ihn mit großer Zärtlichkeit betrachten, sie saß einfach nur da, sein Spiel mit den Zinnsoldaten fand immer schweigend statt.

Der Aufmarsch der Zinnsoldaten sicherte den großen, aber vorübergehenden Frieden in unserem Zuhause. In den Träumen spürte ich meine Angst vor den Streitereien, die manchmal aufflammten. Meine Mutter weinte, und mein Vater machte einen kümmerlichen Versuch, Zorn zu zeigen, indem er den Gastwirt verfluchte, der ihn angestellt hatte. Ich träumte mich langsam zu meinen Wurzeln zurück. Irgendwie ahnte ich, daß ich mit einer Hacke in der Hand herumging und in der Erde nach etwas suchte, was verlorengegangen war.

Dennoch war dieser Winter geprägt von alledem, was wiedergewonnen worden war. Harriet hatte mir eine Tochter geschenkt, und Agnes haßte mich nicht.

Es war auch ein Winter der Briefe. Ich schrieb und bekam Antwort. Zum ersten Mal während der zwölf Jahre, die ich auf der Insel wohnte, hatten Janssons ständige Besuche einen Sinn. Immer noch betrachtete er mich als sei-

nen Arzt und verlangte Konsultationen wegen seiner eingebildeten Gebrechen. Aber jetzt brachte er Post für
mich, und manchmal steckte ich ihm einen oder mehrere
Antwortbriefe in die Hand.

Den ersten Brief schrieb ich am selben Tag, an dem ich
zurückgekehrt war. Im grauen Morgenlicht war ich übers
Eis nach Hause gegangen. Meine Haustiere hatten aus-
gehungert gewirkt, obwohl ich ihnen mehr als genug zu
fressen hingestellt hatte. Als ich dafür gesorgt hatte, daß
sie satt waren, setzte ich mich an den Küchentisch und
schrieb an Agnes.

»Ich bedauere meine rasche Abfahrt. Vielleicht war
es allzu überwältigend, Dich zu sehen, der ich so großes Leid zugefügt habe. Über vieles hätte ich reden wollen, und vieles hättest Du vielleicht fragen wollen. Ich
bin jetzt zurück auf meiner Insel. Das Eis liegt in den
Buchten und hart an den Stränden. Ich hoffe, mein plötzlicher Aufbruch muß nicht bedeuten, daß unser Kontakt
endet.«

Ich änderte kein Wort. Am nächsten Tag gab ich den
Brief Jansson mit, der nicht gemerkt zu haben schien, daß
ich weg gewesen war. Natürlich wunderte er sich über
den Brief. Aber er sagte nichts. An diesem Tag hatte er
nicht einmal irgendwelche Schmerzen.

Am Abend begann ich, einen Brief an Harriet und
Louise zu schreiben, obwohl ich keine Antwort auf meinen vorhergehenden Brief erhalten hatte. Er wurde viel
zu lang. Außerdem merkte ich, daß es nicht richtig war.
Ich konnte keinen Brief an beide schicken, da ich nur
ahnte, was sie eigentlich voneinander wußten und hielten. Ich zerriß den Brief und fing noch einmal von vorn
an. Die Katze lag auf der Küchenbank und schlief, der
Hund seufzte am Boden neben dem Herd. Wahrschein-

lich hatte er Schmerzen in den Gelenken. Länger als bis zum Herbst würde er nicht leben. Die Katze wahrscheinlich auch nicht.

Ich schrieb an Harriet und fragte, wie es ihr gehe. Es war eine dumme Frage, da es ihr natürlich schlecht ging. Trotzdem fragte ich. Die unmögliche Frage war die natürliche. Dann sprach ich von unserer Reise.

»Wir sind zu diesem Waldteich gefahren. Ich wäre fast ertrunken. Du hast mich herausgezogen. Erst jetzt, nach meiner Heimkehr, wird mir klar, wie nah ich am Ertrinken war. Das Erfrieren wäre sehr schnell gegangen. Noch eine Minute im Wasser und ich wäre weg gewesen. Das Bemerkenswerte ist jedoch, daß es sich so anfühlte, als würdest du mir verzeihen, als du mich herausgezogen hast.«

Ich schauderte bei der Erinnerung. Aber es bedeutete nicht, daß ich damit aufhörte, morgens mein Loch aufzuhacken. Nach ein paar Tagen erkannte ich jedoch, daß ich meine Bäder nicht mehr so sehr brauchte wie zuvor. Nach der Begegnung mit Harriet und Louise schien es nicht mehr so notwendig, mich der Kälte auszusetzen. Meine Morgenbäder wurden seltener.

Am selben Abend schrieb ich auch einen Brief an Louise. In einem alten Konversationslexikon aus der Uggleserie von 1909 las ich über Caravaggio nach. Ich begann meinen Brief mit einem Zitat aus dem Lexikon: »Sein kraftvolles, jedoch düsteres Kolorit und die kühne Wiedergabe der Natur hat großes und gerechtfertigtes Aufsehen erregt.« Ich zerriß das Blatt. Ich schaffte es nicht, so zu tun, als wäre es meine Ansicht, die ich darlegte. Ebensowenig wollte ich zugeben, daß ich für meine Worte ein bald hundertjähriges Buch plünderte, selbst wenn ich die altertümliche Sprache änderte.

Ich fing noch mal von vorn an. Es wurde ein kurzer Brief.

»Ich habe die Tür zu deinem Wohnwagen zugeschlagen. Das hätte ich nicht tun sollen. Ich kam nicht mit meiner Verwirrung klar. Dafür bitte ich um Entschuldigung. Ich hoffe, daß wir nicht so weiterleben werden, als wüßten wir nichts voneinander.«

Es war kein guter Brief. Daß er auch nicht gut aufgenommen wurde, sah ich zwei Tage später ein. Mitten in der Nacht klingelte das Telefon. Verschlafen stolperte ich zwischen meinen erschrockenen Haustieren herum, bis ich den Telefonhörer in der Hand hatte. Es war Louise. Sie war zornig.

Sie schrie so laut, daß es in meinem Ohr gellte. »Ich bin so wütend auf dich. Daß du solche Briefe schicken kannst. Du schlägst die Tür zu, sobald es etwas unangenehm und zudringlich wird.«

Ich hörte, daß sie lallte. Es war drei Uhr nachts. Ich versuchte, sie dazu zu bringen, daß sie sich beruhigte. Das verstärkte nur ihre Raserei. Ich sagte nichts, sie sollte ihrem Zorn freien Lauf lassen.

Es ist meine Tochter, leierte ich still vor mich hin. Sie sagt, was sie sagen muß. Und ich wußte schon von Anfang an, daß es ein schlechter Brief war, den ich Jansson in die Hand gedrückt hatte.

Wie lange sie in den Hörer schrie, weiß ich nicht. Plötzlich, mitten in einem Satz, klickte es, und das Gespräch war vorüber. Es hinterließ eine hallende Leere. Ich erhob mich vom Tisch und öffnete die Tür zum Wohnzimmer. Im Licht der Deckenlampe konnte ich sehen, daß der Ameisenhügel weiter wuchs. Jedenfalls bildete ich mir das ein. Aber wachsen Ameisenhügel wirklich im Winter, wenn die Ameisen im Dämmerschlaf liegen? Ich hatte darauf genausowenig eine Antwort wie auf das, was Louise gesagt hatte. Ich verstand, daß sie wütend war. Aber verstand sie mich? Gab es überhaupt etwas zu verstehen? Kann man eine erwachsene Frau, von deren Existenz man keine Ahnung hatte, als Tochter empfinden? Und wer war ich für sie?

In dieser Nacht konnte ich überhaupt nicht schlafen. Mich überkam eine Angst, gegen die ich mich nicht wehren konnte. Ich saß am Küchentisch und hielt mich an dem blauen Wachstuch fest, das seit Großmutters Tagen auf dem Tisch lag. Leere und Kraftlosigkeit verschlangen mich. Louise hatte sich in mein Inneres hineingekrallt.

In der Morgendämmerung ging ich hinaus. Ich dachte, es wäre das Beste gewesen, wenn Harriet sich niemals draußen auf dem Eis gezeigt hätte. Ich hätte mein Leben ohne Tochter weitergeführt, und Louise wäre weiter ohne Vater zurechtgekommen.

Unten am Steg wickelte ich mich in Großvaters alten Pelz und setzte mich auf die Bank. Sowohl der Hund wie die Katze waren verschwunden. Sie hatten ihre eigenen Wege, von denen die Spuren im Schnee zeugten. Selten gingen sie gemeinsam. Ich fragte mich, ob sie einander auch manchmal über ihre Absichten belogen.

Ich erhob mich von der Bank und schrie direkt hinaus in den Dunst. Der Schrei verhallte und verschwand im Zwielicht. Die Ordnung war gestört. Harriet war gekommen und hatte mein Leben aus dem Lot gebracht. Louise hatte eine Wahrheit in mein Ohr gebrüllt, gegen die ich mich nicht wehren konnte. Vielleicht würde Agnes mich schließlich auch mit unerwarteter Raserei anfallen?

Ich ließ mich wieder auf die Bank sinken. Großmutters Worte, ihre Angst kamen zu mir. Wenn man in den

Dunst hinausging oder wenn ein Mensch in den Nebel hineinruderte, konnte er verschwinden und nie wieder etwas von sich hören lassen.

Zwölf Jahre lang hatte ich allein auf dieser Insel gelebt. Jetzt war es, als hätten drei Frauen sie besetzt.

Eigentlich sollte ich sie hierher einladen, wenn es Sommer wurde. An einem schönen Sommerabend würden sie mich der Reihe nach anfallen dürfen. Schließlich, wenn kaum etwas von mir übrig war, könnte Louise ihre Boxhandschuhe anziehen und mich für die endgültige Auszählung niederschlagen.

Sie würden bis tausend zählen. Und ich würde mich nicht wieder erheben.

Ein paar Stunden später hackte ich mein Loch ins Eis und stieg hinein. Ich merkte, daß ich mich an diesem Morgen zwang, ungewöhnlich lange in dem eiskalten Wasser zu bleiben.

Wie üblich kam Jansson in seinem Hydrokopter. An diesem Tag hatte er keinen Brief für mich, und ich hatte keinen für ihn. Gerade als er aufbrechen wollte, kam mir in den Sinn, daß er schon lange nicht mehr über Zahnschmerzen geklagt hatte.

»Wie ist es mit den Zähnen?«

Jansson wirkte erstaunt. »Was für Zähne?«

Ich fragte nicht weiter. Der Hydrokopter verschwand im Dunst.

Auf dem Weg vom Steg blieb ich an meinem Boot stehen und hob noch einmal die Persenning. Die vernachlässigte Beplankung leuchtete mir entgegen. Würde es noch ein Jahr aufgebockt stehen, wäre es hoffnungslos verloren.

Am selben Tag schrieb ich einen Brief an Louise. Ich entschuldigte mich für alles Erdenkliche und auch für das, was ich vielleicht vergessen hatte, und für die Unannehmlichkeiten, die ich ihr vielleicht in Zukunft bereiten würde. Ich schloß den Brief damit ab, über das Boot zu schreiben:

»Ich habe ein altes Holzboot von meinem Großvater, das unter einer Persenning aufgebockt ist. Es ist eine Schande, daß ich das Boot so schlecht behandle. Ich habe mich einfach nicht dazu aufgerafft, es in Ordnung zu bringen. Auf ähnliche Weise empfinde ich es, als hätte ich selbst auf ein paar Holzböcken unter einer Persenning gelegen, seit ich hierher auf die Insel kam, um hier zu wohnen. Ich werde das Boot nie in Ordnung bringen können, bevor ich mich nicht selbst in Ordnung gebracht habe.«

Ein paar Tage später gab ich Jansson den Brief, und eine Woche darauf brachte er eine Antwort von Louise. Nach ein paar Tagen Tauwetter war es wieder kalt geworden. Der Winter wollte nicht weichen. Ich setzte mich an den Küchentisch und las. Die Katze und der Hund mußten draußen bleiben. Manchmal ertrug ich sie nicht.

Louise schrieb: »Manchmal fühlt es sich an, als hätte ich ein Leben mit trockenen und gesprungenen Lippen geführt. Es waren Worte, die an einem Morgen über mich kamen, als das Leben schlimmer schien als üblich. Ich muß dir nichts von dem Leben erzählen, das ich gelebt habe, da ich schon angedeutet habe, wie es war. Es mit Einzelheiten auszuschmücken ändert nichts. Jetzt versuche ich, eine Möglichkeit zu finden, mit dir zu leben, dem Troll, der aus dem Wald hervortrat und sich als mein Vater erwies. Auch wenn ich weiß, daß es Harriet ist, die es hätte erzählen sollen, kann ich nicht umhin, auch dir gegenüber Empörung zu empfinden. Als du die Tür zugeschlagen hast und gegangen bist, war es, als hättest du mir den Kiefer eingeschlagen. Erst dachte ich, es sei gut, daß du verschwunden bist. Aber das Gefühl der Leere wurde zu groß. Deshalb hoffe ich, daß wir vielleicht einen Weg finden, der dazu führt, daß wir wenigstens Freunde werden können.«

Sie unterzeichnete ihren Brief mit einem schön verschnörkelten L.

Es ist keine schöne Geschichte, dachte ich. Harriet, Louise und ich. Louise hatte wahrhaftig allen Grund der Welt, ihren Zorn gegen uns zu richten.

Der Winter verging mit Briefen, die zwischen dem Wohnwagen und der Insel hin- und herwanderten. Dann und wann kam auch ein Brief von Harriet, die jetzt wieder in Stockholm war. Wer sie dorthin gefahren hatte, erzählten weder sie noch Louise. Sie schrieb, sie sei sehr müde, aber der Gedanke an den Waldteich und daran, daß Louise und ich uns getroffen hatten, erhalte sie aufrecht. Ich stellte ihr Fragen über ihren klinischen Zustand, bekam aber nie eine Antwort.

Über ihre Briefe breitete sich eine stille, fast andächtige Resignation. Im Gegensatz zu Louises Briefen, in denen immer der Schatten eines drohenden Wutanfalls zwischen den Zeilen versteckt war.

Jeden Morgen beim Aufwachen nahm ich mir vor, mich ernstlich mit meinem Leben auseinanderzusetzen. Ich konnte die Tage nicht mehr nutzlos verstreichen lassen.

Aber ich kam nicht in Gang. Ich faßte keine Entschlüsse. Hin und wieder hob ich die Persenning von dem Boot und dachte, ich sei es eigentlich selbst, den ich betrachtete. Die abblätternde Farbe war meine, die Risse und die Feuchtigkeit ebenso. Vielleicht auch der Duft von Holz, das langsam vermoderte.

Die Tage wurden länger. Die Zugvögel begannen zurückzukehren. Die Formationen zogen meist in den Nächten vorbei. In meinem Fernglas konnte ich den Seevogel am Rand des äußersten Eises erkennen.

Am 19. März starb meine Hündin. Ich ließ sie wie üblich hinaus, als ich frühmorgens in die Küche kam. Ich konnte deutlich sehen, daß sie Schmerzen hatte und sich mit Mühe aus ihrem Korb erhob. Aber ich dachte, sie würde den Sommer überleben. Nachdem ich in mein Eisloch getaucht war und mich in der Küche abgetrocknet hatte, ging ich hinunter ins Bootshaus, um ein Werkzeug herauszusuchen, das ich brauchte, um ein undichtes Rohr im Bad zu reparieren. Ich fand es merkwürdig, daß die Hündin sich nicht zeigte, aber noch suchte ich sie nicht. Erst gegen Mittag begriff ich, daß sie fort war. Sogar die Katze schien sich zu wundern. Sie saß auf der Außentreppe und hielt Ausschau. Ich ging hinaus und rief, ohne daß sie kam. Da ging mir allmählich auf, daß etwas geschehen war. Ich zog eine Jacke an und fing an zu suchen. Nach fast einer Stunde fand ich sie auf der anderen Seite der Insel bei den ungewöhnlichen Felsgebilden, die sich wie gigantische Säulen direkt aus dem Eis zu erheben scheinen. Sie lag in einer kleinen Mulde, vor dem Wind geschützt. Wie lange ich da stand und sie ansah, weiß ich nicht. Ihre Augen waren offen, glitzernd wie Kristalle, auf dieselbe Weise wie bei der Möwe, die ich früher im Winter erfroren unten am Steg gefunden hatte.

Der Tod war ein Kahlschlag, und keines der Verstecke des Lebens war mehr da.

Ich trug die Hündin zurück zum Haus. Sie war schwerer, als ich es mir vorgestellt hatte. Die Toten sind immer schwer. Dann holte ich eine Hacke und schaffte es schließlich, ein Loch in der Erde unter dem Apfelbaum auszuheben, das groß genug war. Die Katze saß auf der Treppe und beobachtete alles. Der Körper der Hündin war steif geworden, als ich sie hineinpreßte und die Grube wieder zuschaufelte.

Ich lehnte die Hacke an die Hauswand. Es war wieder so dunstig wie am Morgen. Aber jetzt waren meine Augen wie beschlagen. Ich trauerte um meinen Hund.

In meinem Logbuch notierte ich den Todesfall und rechnete aus, daß der Hund neun Jahre und drei Monate alt geworden war. Ich hatte ihn als Welpen von den Schleppnetzfischern gekauft, die sich auf ihre alten Tage damit beschäftigten, Hunde mit zweifelhafter Herkunft aufzuziehen.

Ein paar Tage lang dachte ich daran, mir einen neuen Hund zuzulegen. Doch die Zukunft war unsicher. Bald würde auch meine Katze weg sein. Dann würde mich nichts mehr an diese Insel binden, wenn ich es nicht selbst wollte.

Ich schrieb sowohl an Louise wie an Harriet über den toten Hund. Beide Male brach ich in Tränen aus.

Ihre Antworten fielen sehr verschieden aus. Louise verstand, daß er mir fehlte, während Harriet sich wunderte, wie man einen alten, gebrechlichen Hund betrauern konnte, der endlich zur Ruhe gekommen war.

Die Wochen vergingen, ohne daß ich an meinem Boot zu arbeiten begann. Es war, als ginge ich herum und wartete auf etwas. Vielleicht sollte ich einen Brief an mich selbst schreiben und erzählen, wie meine Pläne für die Zukunft aussahen?

Die Tage wurden länger. Der Schnee begann in den

Felsklüften zu schmelzen. Aber noch immer war das Meer von Eis bedeckt.

Schließlich lockerte das Eis doch seinen Griff. Eines Morgens waren Risse bis zum Meer hinaus aufgesprungen. Jansson kam in seinem Motorboot an. Den Hydrokopter hatte er abgestellt. Er hatte beschlossen, sich für den nächsten Winter ein Luftkissenfahrzeug anzuschaffen. Ich war nicht ganz sicher, ob ich verstand, was das war, obwohl er mir eine eingehende Erklärung lieferte, um die ich nicht gebeten hatte. Er forderte mich auf, seine linke Schulter zu untersuchen. Konnte ich spüren, ob es da einen Knoten gab? Einen Tumor?

Es gab nichts dergleichen. Jansson war nach wie vor kerngesund.

Am selben Tag zog ich die Persenning von meinem Boot und fing an, die Beplankung abzukratzen. Ich schaffte es, das Heck von alter Farbe zu befreien.

Meine Absicht war es, am nächsten Tag weiterzumachen. Aber etwas kam dazwischen. Als ich zum Steg ging, um mein Morgenbad zu nehmen, entdeckte ich, daß ein kleines Motorboot an Land gefahren war.

Ich stand still und hielt den Atem an.

Die Tür zum Bootshaus stand offen.

Jemand war zu Besuch gekommen.

2

IM BOOTSHAUS blitzte ein Lichtreflex auf. Daß es Sonnenlicht war, das auf die Klinge eines scharf geschliffenen Schwerts traf, konnte ich mir nicht vorstellen. Aber es war Sima, die da drinnen im Bootshaus stand.

Mit dem Schwert in der Hand trat sie aus dem Dunkel. »Ich dachte, du würdest gar nicht mehr aufwachen.«

»Wie bist du hierher gekommen? Was ist es für ein Boot, das du an Land gefahren hast?«

»Ich habe es mir genommen.«

»Genommen?«

»Im Hafen. Es war angeschlossen. Aber es gibt keine Ketten, die mich hindern können.«

»Hast du das Boot gestohlen?«

Meine Katze war hinunter zum Steg gekommen und betrachtete Sima aus einiger Entfernung.

»Wo ist der Hund?«

»Er ist tot.«

»Wie, tot?«

»Tot. Es gibt nur einen Tod. Man ist tot. Nicht lebendig. Unlebendig. Tot. Mein Hund ist tot.«

»Ich hatte einmal einen Hund. Er ist auch tot.«

»Hunde sterben. Meine Katze wird nicht mehr lange leben. Sie ist auch alt.«

»Sollen wir sie erschießen? Hast du ein Gewehr?«

»Das werde ich dir nicht sagen. Ich will wissen, was du hier tust und warum du ein Boot gestohlen hast.«

»Ich wollte dich treffen.«

»Wieso?«

»Ich mochte dich nicht.«

»Wolltest du mich deshalb treffen?«

»Ich will wissen, warum ich dich nicht mag.«

»Du spinnst ja. Wie kommt es, daß du ein Boot fahren kannst?«

»Ich habe mal in einem Betreuungsheim am Vättersee gewohnt. Dort gab es ein Boot.«

»Woher wußtest du, daß ich hier wohne?«

»Ich habe einen Alten gefragt, der bei der Kirche Laub zusammenrechte. Es war nicht schwierig. Ich fragte nur nach einem Arzt, der sich auf einer Insel versteckt. Ich sagte, ich sei deine Tochter.«

Ich gab auf. Sie hatte auf alle Fragen eine Antwort. Daß Hugo Persson, der angestellt war, um den Kirchhof in Ordnung zu halten, eine Plaudertasche war, wußte ich. Er hatte vermutlich dem Mädchen den Weg gewiesen, das war nicht schwer, direkt geradeaus auf den Mittbåden mit dem Leuchtturm zu, dann durch Järnsundet mit seinen hohen Felswänden und direkt auf meine Insel zu, wo zwei Pricken gleich bei den Steinen vor der Bootsbucht standen.

Ich sah, daß sie müde war. Das Gesicht war bleich, die Augen waren glanzlos, die Haare nachlässig mit billigen Spangen hochgesteckt. Sie war ganz in Schwarz, an den Füßen hatte sie Turnschuhe mit roten Schnürsenkeln.

»Komm mit hinauf zum Haus«, sagte ich. »Du bist bestimmt hungrig. Ich mache dir etwas zu essen. Dann rufe ich die Küstenwache an und sage Bescheid, daß du hier bist und daß du ein Boot gestohlen hast. Sie müssen dich abholen.«

Sie sagte nichts und erhob auch nicht das Schwert gegen mich. Drinnen in der Küche fragte ich sie, was sie haben wolle.

»Haferbrei.«

»Ich dachte, die Leute würden keinen Haferbrei mehr essen.«

»Was die Leute tun, weiß ich nicht. Aber ich will Haferbrei haben. Ich kann ihn mir selber kochen.«

Haferflocken hatte ich und ein Glas Apfelmus, das nicht zu alt war. Sie kochte einen dicken Brei, schob das Glas mit Apfelmus beiseite und füllte die Schale mit Milch. Sie aß langsam. Das Schwert lag auf dem Tisch. Ich fragte, ob sie Kaffee oder Tee haben wollte. Sie schüttelte den Kopf. Sie wollte nur Brei. Ich versuchte zu verstehen, warum sie mich auf der Insel aufgesucht hatte. Was wollte sie? Als ich sie zuletzt gesehen hatte, war sie mit erhobenem Schwert auf mich zugerannt. Jetzt saß sie an meinem Küchentisch und aß Brei. Ich konnte es mir nicht erklären.

Sie spülte die Schale ab und stellte sie auf die Geschirrablage. »Ich bin müde. Ich muß schlafen.«

»Es steht ein Bett in dem anderen Zimmer. Da kannst du schlafen. Aber ich muß dich darauf hinweisen, daß es einen Ameisenhügel da drinnen gibt. Und da es Frühling ist, erwachen sie langsam zum Leben.«

Sie glaubte mir. Sie hatte daran gezweifelt, daß mein Hund tot war, aber den Ameisenhügel nahm sie mir ab.

Sie zeigte auf die Küchenbank. »Ich kann da schlafen.«

Ich gab ihr ein Kissen und eine Decke. Sie behielt ihre Klamotten und ihre Schuhe an, zog die Decke über den Kopf und schlief ein. Ich wartete, bis ich sicher war, und ging mich dann anziehen.

Zusammen mit der Katze kehrte ich zur Bucht zurück. Das Motorboot war von der Marke Ryd und hatte einen Mercury Außenbordmotor mit 25 PS. Der Rumpf war hart über die Bodensteine geschrammt. Es gab keinen

Zweifel, daß sie absichtlich an Land gefahren war. Ich versuchte zu sehen, ob das Plastik am Boden gesprungen und ob ein Loch entstanden war, konnte aber nichts entdecken.

Es war Posttag. Jansson würde das Boot entdecken. Ich hatte ein paar Stunden Zeit, um einen Entschluß zu fassen. Es war nicht ganz selbstverständlich, daß ich die Küstenwache rufen würde. Falls es eine Möglichkeit gab, wollte ich lieber versuchen, sie dazu zu bringen, ohne Einschaltung der Behörden zu Agnes zurückzukehren. Es war auch mit Rücksicht auf mich selbst. Es gehörte sich nicht, daß ein alter Arzt Besuch von Mädchen hatte, die Boote stahlen und aus Betreuungsheimen ausgerissen waren.

Mit Hilfe eines Bootshakens und einer Planke als Hebel gelang es mir, das Boot wieder ins Wasser zu schaukeln. Mit dem Bootshaken stakte ich hinüber zum Steg. Ich machte meinen kleinen Kahn am Heck fest. Es gab einen Elektrostarter, aber dafür benötigte man einen Schlüssel, der natürlich nicht gesteckt hatte, als Sima sich über das Boot hergemacht hatte. Sie hatte den Motor mit der Schnur gestartet, und das tat ich auch. Nach dem vierten Zug sprang das Ding an. Propeller und Treibrad waren unbeschädigt. Ich fuhr rückwärts vom Steg weg und nahm Kurs auf zwei kleine Schären, welche »Die Seufzer« hießen. Zwischen den beiden Schären gab es einen kleinen Naturhafen, der keinen Einblick gewährte. Dort konnte das gestohlene Boot bis auf weiteres liegen.

Warum die Schären Die Seufzer hießen, war umstritten. Jansson behauptete, vor langer Zeit habe es hier draußen einen Vogeljäger namens Måsse gegeben. Er pflegte jedesmal zu seufzen, wenn es ihm gelungen war, eine

Eiderente zu treffen. Nach Måsse hatten die Schären ihre Namen bekommen.

Ob es wahr ist, wußte ich nicht. Auf meiner Seekarte waren die Schären namenlos. Aber es gefällt mir, wenn zwei karge Klippen, die sich aus dem Meer erheben, Die Seufzer heißen. Manchmal ist es, als würden Bäume flüstern, Blumen murmeln, Beerensträucher unbekannte Melodien summen und die wilden Rosen in den Klüften hinter Großmutters Apfelbäumen schöne Töne auf unbekannten Instrumenten spielen. Warum sollten also Schären nicht seufzen können?

Ich brauchte fast eine Stunde, um den Kahn zum Steg zurückzurudern. Aus dem Morgenbad wurde an diesem Tag nichts. Ich ging wieder hinauf zum Haus. Sima schlief unter der Decke. Sie hatte die Stellung nicht geändert, seit sie sich hingelegt hatte. Gleichzeitig hörte ich das Tuckern von Janssons Boot. Ich ging hinunter zum Steg und wartete. Es blies ein schwacher Wind aus Nordost, es waren vielleicht vier Grad, und der Frühling schien noch fern. Ein Hecht tauchte im Wasser neben dem Steg auf und verschwand wieder.

Jansson hatte an diesem Tag Sorgen um seine Haare. Er fürchtete, langsam kahl zu werden. Ich schlug ihm vor, sich an einen Friseur zu wenden. Statt mir zuzustimmen, entfaltete er eine Seite, die er aus einer Illustrierten gerissen hatte, und bat mich, sie zu lesen. Es war eine ganzseitige Anzeige über ein Wundermittel, das sofortige Resultate versprach, wenn man das flüssige Präparat auftrug. Unter den verschiedenen Bestandteilen entdeckte ich Lavendel und dachte an meine Mutter. Ich sagte zu Jansson, er solle nicht alles glauben, was er in aufwendigen Anzeigen lese.

»Ich will, daß du mir einen Rat gibst.«

»Das habe ich bereits getan. Wende dich an einen Friseur. Er weiß vermutlich bedeutend mehr über Haarausfall als ich.«

»Habt ihr in der Arztausbildung nichts über Glatzköpfigkeit gelernt?«

»Nicht viel, muß ich gestehen.«

Er nahm seine Mütze ab und beugte den Kopf, als wollte er eine plötzliche Ehrfurcht vor mir ausdrücken. Ich konnte nichts anderes sehen, als daß seine Haare noch dicht waren, auch oben am Hinterkopf.

»Kannst du nicht sehen, daß es dünner geworden ist?«

»Das ist natürlich, wenn man älter wird.«

»Laut der Anzeige hast du unrecht.«

»Dann solltest du dieses Zeug bestellen und in deinen Haarboden einmassieren.«

Jansson knüllte die Zeitungsseite zusammen. »Manchmal frage ich mich, ob du wirklich ein Arzt bist.«

»Ich kann wenigstens den Unterschied zwischen Leuten mit richtigen Gebrechen und eingebildet kranken Postboten sehen.«

Jansson wollte gerade antworten, als ich sah, daß sein Blick von meinem Gesicht wegwanderte und sich auf etwas hinter meinem Rücken heftete. Ich drehte mich um. Da stand Sima. Die Katze hatte sie auf dem Arm, das Schwert hing an ihrem Gürtel. Sie sagte nichts, sie lächelte nur. Jansson glotzte. Innerhalb weniger Tage würde das ganze Schärenmeer erfahren, daß ich Besuch von einer jungen Dame mit dunklen Augen, wirren Haaren und einem Samuraischwert hatte.

»Ich glaube, ich bestelle dieses Haarmittel«, sagte Jansson in freundlichem Ton. »Jetzt will ich dich nicht länger stören. Heute habe ich keine Post für dich.«

Er legte rückwärts vom Steg ab. Ich folgte ihm mit dem Blick. Als ich mich umdrehte, war Sima schon wieder auf dem Weg hinauf zum Haus. Die Katze hatte sie auf den Boden gesetzt.

Sie saß am Küchentisch und rauchte, als ich hereinkam. »Wo ist das Boot?« fragte sie.

»Ich habe es an einen Platz gebracht, wo man es nicht sieht.«

»Mit wem hast du da unten am Steg geredet?«

»Er heißt Jansson und fährt die Post hier in den Schären aus. Es ist überhaupt nicht gut, daß er dich entdeckt hat.«

»Wieso?«

»Er schwatzt. Er tratscht.«

»Mir macht das nichts aus.«

»Du lebst nicht hier. Aber ich.«

Sie drückte ihre Zigarette auf einer von Großmutters alten Untertassen aus. Das gefiel mir nicht.

»Ich hab geträumt, du würdest Ameisen über mir ausschütten. Ich versuchte, mich mit dem Schwert zu verteidigen, aber die Klinge brach ab. Da bin ich aufgewacht. Warum hast du einen Ameisenhügel da drin im Zimmer?«

»Du hättest nicht hineingehen müssen.«

»Ich finde es Klasse. Die halbe Tischdecke ist in dem Hügel verschwunden. In ein paar Jahren wird der ganze Tisch bedeckt sein.«

Ich entdeckte plötzlich etwas, was ich zuvor nicht bemerkt hatte. Sima war unruhig. Ihre Bewegungen waren nervös, und als ich sie heimlich betrachtete, sah ich, daß sie die Finger aneinander rieb.

Mir kam in den Sinn, daß ich vor vielen Jahren bei einem Patienten, der sich wegen einer Komplikation infolge von Diabetes ein Bein hatte abnehmen lassen müssen, das gleiche eigentümliche Reiben beobachtet hatte. Dieser Patient hatte an einer schweren Bazillenphobie gelitten und war außerdem ein mentaler Grenzfall mit Anfällen von schweren Depressionen gewesen.

Die Katze sprang auf den Tisch. Bis vor einigen Jahren scheuchte ich sie immer hinunter. Jetzt hatte ich damit aufgehört. Die Katze hatte mich besiegt. Ich schob das Schwert weg, damit sie sich nicht an den Pfoten schnitt. Als ich den Griff des Schwertes berührte, schrak Sima auf. Die Katze rollte sich auf dem Wachstuch zusammen und fing an zu schnurren. Sima und ich saßen still da und schauten sie an.

»Erzähl«, sagte ich. »Warum du hier bist, und wohin du glaubst unterwegs zu sein. Dann entscheiden wir, wie wir uns ohne überflüssige Probleme aus der Klemme helfen.«

»Wo ist das Boot?«

»Ich habe es in einer Bucht zwischen zwei kleinen Inseln verankert, die Die Seufzer heißen.«

»Wie kann man eine Insel Seufzer nennen?«

»Es gibt hier draußen eine Untiefe, die Kupferhintern heißt. Eine andere jenseits von Bogholmen heißt Furz. Inseln haben Namen wie Menschen. Man weiß nicht immer, woher sie kommen.«

»Du hast das Boot versteckt?«

»Ja.«

»Danke.«

»Ich weiß nicht, ob das etwas Dankenswertes ist. Aber wenn du nicht bald erzählst, nehme ich den Telefonhörer ab und rufe die Küstenwache an. In einer halben Stunde sind sie hier und helfen dir.«

»Wenn du das Telefon anrührst, hacke ich dir die Hand ab.«

Ich hielt den Atem an und sagte dann, was ich dachte. »Du willst dieses Schwert nicht anrühren, weil ich es angefaßt habe. Du hast Angst vor fremden Bakterien. Du bist starr vor Schreck, daß dein Körper von ansteckenden Krankheiten befallen werden könnte.«

»Ich verstehe nicht, wovon du redest.«

Ich erkannte, daß ich recht hatte. Es durchfuhr sie wie ein unsichtbarer Schauer. Sie packte meine alte Katze am Nackenfell und schleuderte sie gegen den Holzkasten am Herd. Dann begann sie, mich anzuschreien. Ich verstand kein einziges Wort, da sie ihre eigene Sprache gebrauchte. Ich sah sie an und dachte, daß sie nicht meine Tochter war, daß ich nicht die Verantwortung für sie trug.

Sie verstummte abrupt.

»Willst du das Schwert nicht aufheben? Willst du den Griff nicht anfassen? Mich erstechen?«

»Warum bist du so gemein?«

»Man behandelt meine Katze nicht so, wie du es getan hast.«

»Ich vertrage keine Katzenhaare. Ich bin allergisch.«

»Das bedeutet nicht, daß du das Recht hast, die Katze totzuschlagen.«

Ich stand auf und ließ die Katze hinaus, die an der Haustür saß und mich mit mißtrauischen Augen betrachtete. Ich folgte ihr hinaus, da ich dachte, Sima müßte vielleicht eine Weile für sich sein. Die Sonne war durch die Wolkendecke gebrochen, es war windstill, der bisher wärmste Tag des Frühlings. Die Katze verschwand um die Hausecke. Vorsichtig spähte ich zum Fenster hinein. Sima stand am Spülstein und wusch ihre Hände. Dann trocknete sie sie sorgfältig ab, rieb den Schwertgriff mit dem Küchentuch ab und legte die Waffe wieder auf den Tisch.

Sie war ein für mich völlig unbegreiflicher Mensch. Was ging in ihr vor? Ich ahnte es nicht.

Ich ging wieder hinein. Sie saß am Tisch und wartete. Ich sagte nichts.

Sie schaute mich an und sagte: »Chara. So würde ich gern heißen.«

»Warum denn?«

»Weil es schön ist. Weil es ein Teleskop ist. Es steht auf dem Mount Wilson außerhalb von Los Angeles. Bevor ich sterbe, will ich hinfahren. In diesem Teleskop sieht man Sterne. Und etwas, was man sich nicht vorstellen kann. Dieses Teleskop ist stärker als alle anderen.«

Jetzt begann sie zu flüstern, wie vor Entzücken oder als wollte sie mir etwas Kostbares anvertrauen. »Es ist so stark, daß man hier auf der Erde stehen und einen einzelnen Menschen auf dem Mond erkennen kann. Ich wäre gern dieser Mensch.«

Ich ahnte mehr als ich verstand, was sie zu sagen versuchte. Ein kleines gejagtes Mädchen auf der Flucht vor allem und vor allem vor sich selbst, stellte sich vor, daß sie, die hier auf der Erde nicht sichtbar war, es in dem starken Teleskop werden könnte.

Es war, als könnte ich ein kleines Fragment davon aufschnappen, wer sie war. Ich versuchte, das Gespräch fortzusetzen, indem ich von den Sternenhimmeln sprach, die man hier draußen während mondloser und klarer Herbstnächte sehen konnte. Aber sie entzog sich, sie wollte nicht, als bereute sie, was sie gesagt hatte.

Wir saßen eine Weile schweigend da. Dann fragte ich sie noch einmal, warum sie gekommen sei.

»Öl«, antwortete sie. »Ich habe vor, nach Rußland zu fahren und reich zu werden. Dort gibt es Öl. Dann komme ich zurück und werde Pyromanin.«

»Was wirst du anzünden?«

»All die Häuser, in denen ich mich gegen meinen Willen aufhalten mußte.«

»Wirst du mein Haus auch anzünden?«

»Das ist das einzige, was ich stehen lassen werde. Dein Haus, und das von Agnes. Aber den Rest brenne ich nieder.«

Allmählich glaubte ich, das Mädchen auf der anderen Seite des Tisches sei verrückt. Sie lief nicht nur mit einem scharf geschliffenen Schwert herum, sie hegte auch die wirrsten Vorstellungen über ihre eigene Zukunft.

Sie schien meine Gedanken zu lesen. »Glaubst du mir nicht?«

»Ehrlich gesagt, nein.«

»Dann kannst du dich zum Teufel scheren.«

»So spricht man nicht in meinem Haus. Ich kann die Küstenwache schneller hier haben, als du glaubst.«

Ich stieß gegen Großmutters Untertasse, die sie als Aschenbecher benutzt hatte. Die Porzellanstücke stoben durch die Küche. Sie saß regungslos da, als hätte mein Ausbruch sie nicht berührt.

»Ich will nicht, daß du böse wirst«, sagte sie ruhig. »Ich will nur über Nacht hierbleiben. Dann haue ich ab.«

»Warum bist du überhaupt hergekommen?«

Ihre Antwort verwunderte mich. »Du hast mich doch hierher eingeladen.«

»Daran kann ich mich nicht erinnern.«

»Du hast gesagt, du würdest niemals glauben, daß ich kommen würde. Ich wollte beweisen, daß du unrecht hast. Außerdem will ich ja nach Rußland.«

»Ich glaube dir kein bißchen. Kannst du nicht die Wahrheit sagen?«

»Ich glaube nicht, daß du sie hören willst.«

»Warum sollte ich sie nicht hören wollen?«

»Warum habe ich wohl mein Schwert dabei? Ich will mich verteidigen können. Einmal konnte ich das nicht. Als ich elf war.«

Ich verstand, daß es wahr war. Ihre Verletzbarkeit blitzte unter ihrem Zorn hervor. »Ich glaube dir. Aber warum bist du hergekommen? Es ist nicht dein Ernst, daß du nach Rußland unterwegs bist?«

»Ich weiß, daß ich dort Erfolg haben werde.«

»Was willst du machen? Mit den Händen nach Öl graben? Du wirst nicht mal hineingelassen. Warum bleibst du nicht bei Agnes?«

»Ich mußte weg. Ich habe einen Zettel geschrieben, daß ich nach Norden fahre.«

»Hier ist doch Süden!«

»Ich will nicht, daß sie mich findet. Manchmal ist sie wie ein Hund. Sie spürt die auf, die abhauen. Ich will nur kurz hier bleiben. Dann verschwinde ich.«

»Du verstehst doch, daß das nicht geht.«

»Du darfst, wenn du mich bleiben läßt.«

»Was darf ich?«

»Was denkst du denn?«

Plötzlich begriff ich, was sie mir anbot. »Für wen hältst du mich? Ich vergesse, was du gesagt hast. Ich habe es nicht gehört.«

Ich wurde so wütend, daß ich hinausging. Ich dachte an das Gerücht, das Jansson mit Sicherheit jetzt in Windeseile auf den Inseln verbreiten würde. Ich würde Fredrik werden, der sich heimlich aus einem arabischen Land importierte kleine Mädchen hielt.

Ich setzte mich auf den Steg. Was Sima gesagt hatte, machte mich nicht nur verlegen, sondern auch traurig.

Ich begann zu verstehen, welche Last sie mit sich herum-
schleppte.

Nach einer Weile kam sie herunter zum Steg.

»Setz dich«, sagte ich. »Du darfst ein paar Tage bleiben.«

Ich spürte ihre Unruhe. Ihre Beine zitterten. Ich
konnte sie nicht hinauswerfen. Außerdem brauchte ich
Zeit zum Nachdenken. Die vierte Frau hatte jetzt von
meinem Leben Besitz ergriffen und verlangte einen Einsatz, von dem ich noch nicht wußte, wie er aussehen
könnte.

Wir aßen den letzten Hasenbraten, den ich in meiner
Kühltruhe hatte. Sima stocherte nur im Essen. Ihre Unruhe schien weiter zuzunehmen. Sie wollte nicht drinnen
bei den Ameisen schlafen. Ich richtete ihr ein Bett in der
Küche. Es war nicht später als neun, als sie sagte, sie
wolle sich hinlegen.

Die Katze mußte in dieser Nacht draußen bleiben. Ich
ging ins Obergeschoß, legte mich ins Bett und fing an zu
lesen. Unten in der Küche war es still, auch wenn ich
sehen konnte, daß Licht aus dem Küchenfenster fiel. Sie
hatte es noch nicht ausgemacht. Als ich die Jalousie her-
unterließ, sah ich meine Katze im Licht vom Küchenfenster sitzen.

Bald würde auch sie mich verlassen. Es war, als hätte
sie sich schon in ein durchscheinendes Wesen verwandelt.

Ich las in einem der Bücher meines Großvaters, es war
aus dem Jahr 1911 und handelte von seltenen Stelz-
vögeln. Ich muß eingeschlafen sein, ohne die Lampe ausgemacht zu haben. Als ich die Augen aufschlug, war es
noch nicht elf. Ich hatte höchstens eine halbe Stunde geschlafen. Ich stand auf und öffnete die Jalousie einen

Spalt. Das Licht war gelöscht, die Katze verschwunden. Ich wollte mich gerade wieder hinlegen, als ich aufhorchte. Es kamen Geräusche aus der Küche, die ich nicht deuten konnte. Ich ging zur Tür und horchte. Jetzt hörte ich es. Sima weinte. Ich blieb stehen. Sollte ich hinuntergehen? Wollte sie ihre Ruhe haben? Nach einer Weile schien das Weinen nachzulassen. Ich schob vorsichtig die Tür wieder zu und kehrte zum Bett zurück. Ich wußte, wohin ich die Füße setzen mußte, damit die Balkenlage nicht knarrte.

Das Buch über die Stelzvögel war auf den Boden gerutscht. Ich hob es nicht mehr auf, sondern lag einfach so in der Dunkelheit und überlegte, was ich tun sollte. Die Küstenwache zu rufen war das einzig Richtige. Aber warum sollte ich immer das tun, was richtig war? Ich faßte den Entschluß, Agnes anzurufen. Sie sollte entscheiden. Immerhin war Agnes der Mensch, der Sima im Leben am nächsten stand, wenn ich diese traurige Geschichte richtig verstanden hatte.

Ich wachte wie gewöhnlich kurz nach sechs auf. Das Thermometer vor dem Schlafzimmerfenster zeigte plus vier Grad. Es war neblig.

Ich zog mich an und ging die Treppe hinunter. Immer noch mit vorsichtigen Schritten, da ich annahm, daß Sima schlief. Ich wollte den Kaffeekessel mit zum Geräteschuppen nehmen, wo ich eine elektrische Kochplatte hatte. Sie stand seit Großvaters Zeiten da. Darauf kochte er Mischungen von Teer und Harz zusammen, die er dazu verwendete, sein Boot abzudichten.

Die Küchentür stand einen Spalt weit offen. Ich öffnete sie vorsichtig, da ich wußte, daß sie knarrte. Sima lag in ihrer Unterwäsche auf dem Bett. Die Lampe in der

Ecke an der Bank brannte. Ihr Körper und das Laken waren mit Blut bedeckt.

Es war, als wäre ein Scheinwerfer auf Sima gerichtet. Ich konnte nicht glauben, was ich sah. Ich wußte, daß es wahr war, aber es war trotzdem so, als könnte es nicht geschehen sein. Ich versuchte, sie wachzurütteln, während ich danach suchte, wo sie sich die tiefsten Wunden beigebracht hatte. Sie hatte nicht ihr Schwert benutzt, sondern eins von Großvaters alten Fischmessern. Aus irgendeinem Grund verstärkte das meine Verzweiflung, als hätte sie ihn, den freundlichen alten Fischer, in ihr Elend hineingezogen. Ich schrie sie an, sie solle aufwachen, aber der Körper war schlaff, die Augen waren geschlossen. Die schlimmsten Wunden hatte sie am Unterleib und an den Fußknöcheln. Eigenartigerweise fanden sich auch in ihrem Nacken Wunden. Wie es ihr gelungen war, sich diese Stiche zuzufügen, war mir unbegreiflich. Die tiefste Wunde hatte sie an ihrem rechten Arm. Am Tag zuvor hatte ich daran gedacht, daß sie linkshändig war. Es blutete aus der tiefen Wunde. Sie hatte sehr viel Blut verloren. Ich machte einen Druckverband aus ein paar Küchenhandtüchern. Dann fühlte ich ihren Puls. Er war schwach. Ich wußte nicht, ob sie auch Tabletten oder Rauschgift genommen hatte. In der Küche hing ein Duft, den ich nicht kannte. Ich roch flüchtig an einem Aschenbecher, eine weitere von Großmutters Untertassen, die sie herausgeholt hatte. Vermutlich hatte sie Haschisch oder Marihuana geraucht. Ich verfluchte die Tatsache, daß alle meine ärztlichen Instrumente sich unten im Geräteschuppen befanden. Ich lief dort hin, stolperte über die Katze, die auf der Vortreppe saß, holte eine Blutdruckmanschette und kehrte in die Küche zurück. Ihr Blutdruck war niedrig. Ihr Zustand war ernst.

Ich wählte die Nummer der Küstenwache. Es war Hans Lundman, der sich meldete. Mit ihm hatte ich in meinen Kindheitssommern gespielt. Sein Vater, der Lotse, und mein Großvater waren gute Freunde gewesen.

»Hier ist Fredrik Welin«, sagte ich. »Ich habe in meinem Haus ein Mädchen, das sofort in ein Krankenhaus kommen muß.«

Er war ein kluger Mann. Er wußte, daß kein Mensch die Küstenwache frühmorgens anrufen würde, wenn nicht etwas Ernstes geschehen war. »Was ist los?«

Ich konnte nur sagen, wie es war. »Sie hat versucht, Selbstmord zu begehen. Sie hat sich geschnitten und hat viel Blut verloren. Puls und Blutdruck sind zu schlecht. Sie muß sofort eingeliefert werden.«

»Es herrscht Nebel«, sagte Hans Lundman, »aber in einer halben Stunde sind wir da.«

»Rufst du einen Krankenwagen?«

»Er ist so gut wie unterwegs.«

Es dauerte 32 Minuten, bis ich die starken Motoren des Boots der Küstenwache hörte. Es waren die längsten Minuten meines Lebens. Länger als damals, als ich in Rom ausgeraubt wurde und dachte, man würde mich umbringen, länger als irgend etwas, was ich je erlebt hatte. Ich konnte nichts tun. Sima war schon weit weg. Wieviel Blut sie verloren hatte, konnte ich nicht abschätzen. Es gab nichts, womit ich ihr helfen konnte, nur den Druckverband. Ich versuchte, ihr ins Ohr zu flüstern, als ich merkte, daß mein Gebrüll nicht half, sie zu wecken. Ich preßte den Mund dicht an ihr Ohr und flüsterte, sie müsse leben, sie könne nicht einfach sterben, das war nicht recht, nicht hier in meiner Küche, nicht jetzt, wo es Frühling war, nicht an einem Tag wie dem, der gerade angefangen hatte. Hörte sie mich? Ich weiß nicht. Aber ich flüsterte ihr weiter ins Ohr. Ich erzählte Fragmente der Märchen, an die ich mich aus meiner Kindheit erinnerte, ich sprach davon, wie es duftete, wenn die Traubenkirsche zugleich mit dem Flieder aufgeblüht war. Ich sagte, was wir zu Mittag essen würden, und ich erzählte von merkwürdigen Vögeln, die an der Strandkante entlangwateten und mit raschen Bewegungen ihre Beute fingen. Ich erzählte um ihr Leben und um mein eigenes, ich war starr vor Schreck, daß sie sterben könnte. Würde ich es schaffen, sie am Leben zu erhalten? Ich wußte es nicht. Als ich endlich die eiligen Schritte von Hans Lundman und seinen Helfern hörte, rief ich ihnen zu, sich zu beeilen. Sie hatten eine Trage dabei, verschwendeten keine Sekunde, als sie sie umbetteten, und schon waren wir unterwegs. Ich lief in Socken hinunter zum Boot, meine abgeschnittenen Stiefel in der Hand. Die Haustür machte ich nicht hinter mir zu.

Wir fuhren in den Nebel hinein. Hans Lundman stand am Steuerrad und fragte mich, wie es ging.

»Ich weiß nicht. Sie hat einen starken Blutdruckabfall.«

Er fuhr schnell, direkt in das Weiße hinein. Sein Helfer, den ich nicht kannte, schaute besorgt zu Sima hin, die auf der Trage festgeschnallt war. Ich fragte mich, ob er im Begriff war, ohnmächtig zu werden.

Der Krankenwagen wartete unten am Hafen. Alles war in die weiße Suppe eingehüllt.

»Wir müssen hoffen, daß sie durchkommt«, sagte Hans Lundman zum Abschied.

Er wirkte beunruhigt. Er wußte, wann ein Mensch nah am Tod war.

Es dauerte 43 Minuten bis zum Krankenhaus. Die Frau, die neben der Trage saß, hieß Sonja und war in den

Vierzigern. Sie schloß eine Infusion an und arbeitete ruhig und methodisch, während sie ab und an mit dem Krankenhauspersonal über Simas Zustand sprach. Sie bat mich um Zeitangaben, die ich ihr nicht nennen konnte.

»Hat sie etwas genommen? Tabletten?«

»Ich weiß nicht. Vielleicht hat sie Marihuana geraucht.«

»Ist sie Ihre Tochter?«

»Nein. Sie ist nur überraschend zu Besuch gekommen.«

»Haben Sie ihre Angehörigen verständigt?«

»Ich kenne keine. Sie wohnt in einem Betreuungsheim. Ich habe sie erst einmal getroffen. Warum sie zu mir kam, weiß ich nicht.«

»Rufen Sie im Betreuungsheim an.«

Sie streckte sich nach einem Telefon, das im Krankenwagen an der Wand hing. Ich rief die Auskunft an und wurde mit Agnes' Hof verbunden. Als der Anrufbeantworter sich einschaltete, sagte ich genau, wie es war, zu welchem Krankenhaus wir unterwegs waren, und nannte eine Telefonnummer, die Sonja mir gegeben hatte.

»Rufen Sie noch mal an«, sagte sie. »Die Leute wachen auf, wenn man nicht lockerläßt.«

»Die Betreuerin ist vielleicht draußen im Stall.«

»Hat sie kein Mobiltelefon?«

Ich merkte, daß ich nicht mehr die Kraft hatte, noch einmal anzurufen. »Nein«, antwortete ich. »Sie hat kein Mobiltelefon. Sie ist anders.«

Erst als Sonja von dem Notfallteam empfangen worden war und ich in meinen abgeschnittenen Stiefeln auf einer Bank in einem Korridor saß, erreichte ich Agnes.

Ich konnte ihre erschrockenen Atemzüge hören. »Wie geht es ihr?«

»Es geht ihr sehr schlecht.«

»Sag mir genau, wie es steht.«

»Es besteht die Gefahr, daß sie stirbt. Das hängt davon ab, wieviel Blut sie verloren hat, die Tiefe des Traumas. Weißt du, ob sie Schlaftabletten genommen hat?«

»Das glaube ich nicht.«

»Wir müssen es wissen.«

»Bei Sima kann man nichts sicher wissen. Ich glaube nicht, daß sie Schlafmittel genommen hat.«

»Drogen?«

»Sie hat Haschisch geraucht, aber nicht bei mir. Das durfte sie nicht.«

»Kann sie etwas anderes genommen haben?«

»Ich weiß es nicht!«

Die Schwester, die mich geholt hatte, betrat das Zimmer.

Ich reichte ihr den Hörer. »Das ist die nächste Angehörige des Mädchens. Sprechen Sie mit ihr. Ich habe gesagt, daß es ernst ist.«

Ich verließ das Zimmer. Ein älterer Mann, von der Taille abwärts nackt, lag auf einer Bahre und wimmerte. Zwei Schwestern bemühten sich, eine hysterische Mutter mit einem schreienden Säugling im Arm zu beruhigen. Ich ging weiter durch den Korridor und kam an der Auffahrt zur Notaufnahme ins Freie. Dort stand ein Krankenwagen ohne Licht. Ich dachte an das, was Sima gesagt hatte, über das Teleskop, das einen Menschen auf dem Mond erfassen konnte. Versuch zu leben, flüsterte ich mir zu. Chara, kleine Chara, dann wirst du vielleicht einmal dieser Mensch sein, der auf der Erde nicht sichtbar war, aber Vergeltung übte, indem er auf dem Mond stand und uns anderen zuwinkte.

Es war ein Gebet, vielleicht eine Beschwörung. Sima,

die da drinnen lag und versuchte, sich am Leben zu halten, brauchte alle Hilfe, die sie bekommen konnte. Ich glaube nicht an Gott. Aber man muß sich seine Götter schaffen, wenn man sie braucht.

Ich stand da und betete ein Teleskop auf einem Berg an, der Mount Wilson hieß. Wenn Sima überlebte, würde ich ihr die Reise dorthin bezahlen. Ich würde herausfinden, wer dieser Wilson war, nach dem der Berg seinen Namen hatte.

Nichts verhindert, daß ein Gott einen Namen hat. Warum sollte der Schöpfer nicht mit Nachnamen Wilson heißen?

Wenn sie stürbe, wäre es meine Schuld. Wäre ich hinuntergegangen, als ich hörte, daß sie weinte, hätte sie sich vielleicht nicht geschnitten. Ich bin Arzt, ich hätte es verstehen müssen. Vor allem war ich ein Mensch, der etwas von der gewaltigen Einsamkeit hätte erkennen müssen, die ein kleines Mädchen mit einem langen und scharf geschliffenen Schwert empfinden kann.

Plötzlich sehnte ich mich nach meinem Vater. Das hatte ich seit seinem Tod nicht getan. Sein Hinscheiden hatte mir großen Schmerz bereitet. Auch wenn wir nie vertraulich miteinander geredet hatten, gab es zwischen uns ein schweigendes Einverständnis. Er hatte es noch erlebt und nie sein Erstaunen und seinen Stolz darüber verborgen, daß es mir gelungen war, Arzt zu werden. Während seiner letzten Zeit, als er mit seinem qualvollen Krebs im Bett lag, der sich von einem kleinen schwarzen Punkt unter einer Ferse verbreitete, um Metastasen zu bilden, die er sich als Moos auf einem Stein vorstellte, sprach er oft von dem weißen Kittel, den ich tragen durfte. Ich fand seine Sicht, daß die Macht in dem weißen Kittel lag, peinlich. Später verstand ich, daß ich es war, der für ihn Vergeltung üben sollte. Er war auch in einer weißen Jacke herumgegangen, aber man hatte auf ihm herumgetrampelt. Ich sollte es ihnen heimzahlen. Ein Arzt in einem weißen Kittel war kein Mann, den man herablassend behandelte.

Jetzt fehlte er mir. Und diese magische Reise durch den Wald und zu dem schwarzen Teich. Ich wollte fort, ich wollte zurück, ich wollte das meiste in meinem Leben ungeschehen machen. Auch meine Mutter tauchte flüchtig auf. Lavendel und Tränen, ein Leben, das ich nicht verstanden habe. Trug sie ein unsichtbares geschliffenes Schwert mit sich herum? Vielleicht stand sie da am anderen Ufer des Lebensflusses und winkte Sima zu?

In Gedanken versuchte ich auch, mit Harriet und Louise zu sprechen. Aber sie waren beide merkwürdig stumm, als meinten sie, ich müsse mit dieser Situation allein zurechtkommen.

Ich ging wieder hinein und fand ein kleines leeres Wartezimmer. Nach einer Weile kam jemand herein und sagte, Simas Zustand sei nach wie vor ernst. Sie sollte in die Intensivstation verlegt werden. Ich fuhr im Aufzug mit. Zwei Männer schoben die Bahre. Zwei Schwarze. Einer von ihnen lächelte. Ich erwiderte das Lächeln und hätte am liebsten von dem merkwürdigen Teleskop auf dem Mount Wilson erzählt. Sima lag mit geschlossenen Augen da, sie hing am Tropf, und durch einen Nasenkatheter wurde ihr Sauerstoff zugeführt. Ich beugte mich hinunter und flüsterte ihr ins Ohr: »Chara, wenn du gesund bist, wirst du zum Mount Wilson reisen und sehen, daß auf dem Mond ein Mensch steht, der dir verblüffend ähnlich sieht.«

Ein Arzt sprach mit mir über die unklare Lage und sagte, man müsse vermutlich operieren. Es erstaunte ihn, daß Sima noch immer nicht auf die Behandlung ansprach. Er stellte mir einige Fragen, aber ich antwortete, daß ich nicht wisse, ob sie irgendwelche Krankheiten hatte oder ob sie schon früher versucht hatte, Selbstmord zu begehen. Die Frau, die über diese Fragen Auskunft geben konnte, war unterwegs.

Agnes kam um kurz nach zehn. Ich fragte mich plötzlich, wie sie mit nur einem Arm Auto fahren konnte. Hatte sie ein umgerüstetes Fahrzeug? Aber die Frage war nicht wichtig. Ich führte sie hinter den Vorhang, wo Sima lag. Agnes fing an zu weinen, fast lautlos, aber ich wollte nicht, daß Sima es hörte und nahm sie wieder mit hinaus.

»Die Lage ist unverändert«, sagte ich. »Aber allein die Tatsache, daß du gekommen bist, macht alles besser. Versuch, mit Sima zu sprechen. Sie muß fühlen, daß du hier bist.«

»Hört sie meine Stimme?«

»Das wissen wir nicht. Aber wir können es hoffen.«

Agnes sprach mit dem Arzt. Auf alle seine Fragen hatte sie eine Antwort. Keine Krankheiten, keine Medikamente, keine früheren Selbstmordversuche, soweit sie wußte. Der Arzt, der in meinem Alter war, sagte, die Lage sei unverändert, aber etwas stabiler als bei Simas Einlieferung. Im Moment gab es keinen Grund zur unmittelbaren Sorge.

Ich sah, daß Agnes erleichtert war. Es gab einen Kaffeeautomaten im Korridor. Gemeinsam kratzten wir ein paar Münzen für zwei Tassen Kaffee zusammen. Ich staunte über die Geschicklichkeit, mit der sie ihre eine Hand benutzte, um das gleiche zu tun, wofür ich beide Hände brauchte.

Ich erzählte Agnes, was geschehen war.

Sie schüttelte langsam den Kopf. »Sie kann durchaus

auf dem Weg nach Rußland gewesen sein. Sima versucht immer, Berge zu besteigen. Sie begnügt sich nicht damit, auf den üblichen Pfaden zu spazieren wie wir anderen.«

»Aber warum hat sie mich aufgesucht?«

»Du wohnst auf einer Insel. Auf der anderen Seite des Meers liegt Rußland.«

»Aber als sie zu der Insel kommt, auf der ich wohne, versucht sie, sich das Leben zu nehmen? Das verstehe ich nicht.«

»Sima hat in ihrem Leben Dinge mitgemacht, die für uns kaum vorstellbar sind. Man kann es der Oberfläche eines Menschen nicht ansehen, wie schwer er im Inneren versehrt ist.«

»Sie hat mir eine ganze Menge erzählt.«

»Dann kannst du es jedenfalls ahnen.«

Gegen drei kam eine Schwester und sagte, der Zustand sei stabil. Wenn wir heimgehen wollten, könnten wir das tun. Sie würde anrufen, falls etwas geschah. Aber wir konnten nirgendwohin gehen, also blieben wir den ganzen Tag und die ganze Nacht. Agnes rollte sich auf einem schmalen Sofa zusammen und schlief ein. Ich saß die meiste Zeit auf einem Stuhl und blätterte in abgegriffenen Illustrierten, in denen mir unbekannte Menschen in bunten Farben von ihrer großen Bedeutung erzählten. Hin und wieder gingen wir etwas essen. Aber wir blieben nie lange weg.

Morgens um kurz nach fünf kam eine Schwester ins Wartezimmer und sagte, die Lage habe sich plötzlich verschlechtert. Schwere innere Blutungen seien aufgetreten, die Ärzte würden sofort operieren, um die Blutungen möglicherweise zu stoppen und die Lage wieder zu stabilisieren.

Wir hatten uns zu sicher gefühlt. Plötzlich war Sima wieder weit fort.

Der Arzt betrat den Raum, als es zwanzig nach sechs war. Er war sehr müde, setzte sich auf einen Stuhl und betrachtete seine Hände. Es war nicht gelungen, die Blutungen zu stoppen. Sima war gestorben. Sie war nicht mehr aufgewacht. Wenn wir Beistand brauchten, konnte er im Krankenhaus für eine Krisenhilfe sorgen.

Wir gingen zusammen hin und sahen Sima an. Die Schläuche waren abgekoppelt, die fauchenden Geräte waren verstummt. Die gelbe Farbe, die einem kürzlich gestorbenen Menschen ein fast wachsartiges Aussehen verleiht, zeigte sich schon in ihrem Gesicht. Wie viele tote Menschen ich in meinem Leben gesehen habe, weiß ich nicht. Ich habe Menschen sterben sehen, ich habe an pathologischen Untersuchungen teilgenommen, ich habe menschliche Gehirne in den Händen gehalten. Trotzdem war ich es, der in Tränen ausbrach, während Agnes stumm vor Schmerz war. Sie griff mit ihrer Hand nach meinem Arm, ich fühlte, daß sie stark war, und ich wünschte, sie würde ihren Griff nie mehr lockern.

Ich wollte bleiben, aber Agnes bat mich, nach Hause zu fahren. Sie könne sich um Sima kümmern, ich hätte getan, was ich konnte, sie sei dankbar, wolle aber allein sein. Agnes begleitete mich zu dem wartenden Taxi. Es war ein schöner Morgen, noch kühl. In einem Graben neben der Auffahrt wuchs Huflattich.

Der Augenblick des Huflattichs, dachte ich. Er war jetzt, an diesem Morgen, als Sima tot da drinnen lag. Für einen kurzen Moment hatte sie wie ein Rubin gefunkelt. Jetzt war es, als hätte es sie nie gegeben.

Der Tod erschreckt mich am meisten durch seine Gleichgültigkeit.

»Das Schwert«, sagte ich. »Sie hatte auch eine Tasche. Was soll damit geschehen?«

»Ich lasse von mir hören«, sagte Agnes. »Ich kann nicht sagen, wann. Aber ich weiß ja, wo du zu finden bist.«

Ich sah sie wieder im Krankenhaus verschwinden. Ein einarmiger trauriger Engel, der eins seiner ungeratenen und bemerkenswerten Kinder verloren hatte.

Ich stieg ins Taxi und sagte, wohin ich gefahren werden wollte. Der Fahrer betrachtete mich mißtrauisch. Mir wurde klar, daß ich einen gelinde gesagt fragwürdigen Eindruck machte. Ungepflegte Kleidung, abgeschnittene Stiefel, unrasiert und hohläugig.

»Wir nehmen gewöhnlich einen Vorschuß, wenn es lange Fahrten sind«, sagte der Fahrer. »Wir haben ziemlich schlechte Erfahrungen gemacht.«

Ich tastete meine Jacke ab und stellte fest, daß ich nicht einmal die Brieftasche bei mir hatte. »Meine Tochter ist gerade gestorben. Ich will nach Hause fahren. Sie werden Ihr Geld bekommen. Ich möchte, daß Sie ruhig und vorsichtig fahren.«

Ich brach in Tränen aus. Er sagte nichts mehr. Er war still, bis wir am Hafen ankamen. Es war zehn Uhr. Es wehte eine schwache Brise, die das Wasser im Hafenbecken kaum kräuselte. Ich bat ihn, vor dem roten Haus der Küstenwache zu halten. Hans Lundman hatte das Taxi kommen sehen und trat aus der Tür. Er sah meinem Gesicht an, daß es nicht gutgegangen war.

»Sie ist gestorben«, sagte ich. »Ich muß mir von dir einen Tausender leihen, um das Taxi zu bezahlen.«

»Ich nehme es auf meine Karte«, sagte Hans Lundman und ging zum Taxi.

Seine Schicht hatte vor mehreren Stunden geendet. Ich

begriff, daß er so lange wie möglich geblieben war, um mich zurückkommen zu sehen.

Hans Lundman wohnte auf einer der Inseln im südlichen Schärenmeer. »Ich fahre dich heim«, sagte er.

»Ich habe kein Geld zu Hause«, sagte ich. »Ich muß es von Jansson abheben lassen.«

»Wer kümmert sich in diesem Moment um Geld?« erwiderte er.

Es gibt mir immer Ruhe, draußen auf dem Meer unterwegs zu sein. Hans Lundmans Boot war ein umgebautes altes Fischerboot, das langsam voranstrebte. Bei seiner Arbeit hatte er es manchmal eilig, aber sonst nie.

Wir legten am Steg an. Die Sonne schien, es war warm. Der Frühling war gekommen. Aber es war, als ginge mich das nichts an. Ich stand vor dem unsichtbaren Zaun des sprießenden Grüns.

»Draußen bei den Seufzern liegt ein Boot«, sagte ich. »Vertäut. Es ist gestohlen.«

Er verstand. »Wir finden es morgen«, sagte er. »Zufällig patrouilliere ich vorbei. Der Dieb ist unbekannt.«

Wir schüttelten uns die Hände.

»Sie hätte nicht sterben sollen«, sagte ich.

»Nein«, sagte Hans Lundman. »Das hätte sie nicht.«

Ich blieb auf dem Steg stehen und sah ihn rückwärts aus der Bucht ablegen. Er hob die Hand zum Gruß und war weg.

Ich setzte mich auf die Bank. Es dauerte lange, bis ich zu meinem Haus hinaufging, dessen Tür sperrangelweit offen stand.

3

DIE EICHEN waren in diesem Jahr ungewöhnlich spät dran.

Ich notierte in meinem Logbuch, daß die große Eiche zwischen dem Bootshaus und dem, was einmal Großvaters und Großmutters Hühnerstall gewesen war, erst am 25. Mai grün zu werden begann.

Der große Eichenhain unten in der Bucht auf der nördlichen Seite der Insel, in der Bucht, die aus einem unerfindlichen Grund schon immer »Streit« genannt wurde, begann sich einige Tage früher zu belauben.

Es heißt, der Staat habe die Eichen hier auf den Inseln Anfang des 19. Jahrhunderts gepflanzt, um Holz für die Kriegsschiffe zu bekommen, die in Karlskrona gebaut wurden. Der Blitz schlug einmal in den Hain ein, als ich ein Kind war. Ich erinnere mich, daß Großvater die Reste des Stamms absägte. Dieser Baum hatte 1802 Wurzeln geschlagen und zu wachsen begonnen. Das war zu Napoleons Zeiten, hatte Großvater erzählt. Ich wußte damals nicht, wer Napoleon war, aber ich verstand, daß es sehr lange her war. Diese Jahresringe sind mir dann durch mein Leben gefolgt. Beethoven lebte noch, als die Eiche eine zarte Pflanze war. Als mein Vater geboren wurde, war der Baum hoch gewachsen.

Der Sommer kam, wie so oft draußen auf den Inseln, in mehreren Sprüngen. Man konnte nie sicher sein, wann er wirklich hier war, um zu bleiben. Aber ich merkte nicht viel von ihm, außer durch die kurzen Aufzeichnungen, die ich mich jeden Tag zu machen zwang. Mein Gefühl der Einsamkeit wurde gewöhnlich schwächer, wenn es wärmer wurde. In diesem Jahr war es nicht so. Ich saß da mit meinem Ameisenhügel, einem scharf geschliffenen Schwert und Simas halb leerer Tasche.

Während dieser Zeit telefonierte ich oft mit Agnes. Sie erzählte, daß das Begräbnis in der Kirche von Mogata stattgefunden habe. Abgesehen von Agnes und den beiden Mädchen, die ich bei ihr getroffen hatte, Miranda und Aida, hatte sich nur ein sehr alter Mann, der behauptete, ein weitläufiger Verwandter von Sima zu sein, eingefunden. Er war in einem Taxi gekommen. Agnes hatte gefürchtet, er würde sterben, so gebrechlich war er. Sie hatte nicht ganz herausfinden können, auf welche Weise er mit Sima verwandt war. Vielleicht hatte er sich eingebildet, sie sei jemand anders? Als sie ihm eine Fotografie von Sima zeigte, hatte er sie nicht einmal mit Sicherheit erkannt.

Aber was machte das aus, hatte Agnes gesagt. Die Kirche hätte voll sein müssen mit Menschen, die von diesem jungen Mädchen Abschied nehmen wollten, das keine Möglichkeit gehabt hatte, ihre inneren Gaben zu entdecken und die Welt zu erforschen, die offen vor ihr hätte liegen sollen.

Auf dem Deckel des Sarges hatte ein Strauß Rosen gelegen. Eine Frau aus der Gemeinde mit einem unruhigen Kind hatte auf der Orgelempore ein paar Choräle gesungen, Agnes hatte ein paar Worte gesagt, und den Pfarrer hatte sie ermahnt, nicht unnötig von einem versöhnenden und allwissenden Gott zu sprechen.

Als ich hörte, daß das Grab nur eine Nummer erhalten sollte, erbot ich mich, einen Stein zu bezahlen. Eines Tages brachte Jansson einen Brief von Agnes mit einer

Zeichnung des Steins, wie er aussehen sollte. Simas Name und das Todesdatum, darüber hatte sich Agnes eine Rose vorgestellt.

Ich rief sie am selben Abend an und fragte, ob man nicht statt der Rose ein Samuraischwert nehmen sollte.

Sie verstand, was ich meinte, und sagte, sie habe auch diesen Gedanken gehabt. »Aber das gibt Ärger«, sagte sie. »Ich schaffe es nicht, um das Recht zu kämpfen, ein Schwert auf Simas Grabstein einzumeißeln.«

»Was soll ich mit ihren Habseligkeiten machen? Dem Schwert und der Tasche?«

»Was ist in der Tasche?«

»Unterwäsche. Ein Paar Hosen, ein Pullover. Eine lädierte Karte von der Ostsee und dem Finnischen Meerbusen.«

»Ich komme und hole sie. Ich will dein Haus sehen. Und vor allem will ich das Zimmer sehen, in dem Sima lag und weinte und sich schnitt.«

»Ich habe schon gesagt, daß ich zu ihr hätte hinuntergehen sollen. Ich werde immer bereuen, daß ich es nicht getan habe.«

»Ich werfe dir nichts vor. Ich will nur den Ort sehen, an dem sie zu sterben begann. Den Ort, an dem sie ihren Tod vollendet hat, habe ich schon gesehen, zusammen mit dir.«

Sie hätte mich in der letzten Woche im Mai besuchen sollen, aber irgend etwas kam dazwischen. Zweimal verschob sie den Termin. Das eine Mal war Miranda ausgerissen, das andere Mal war sie krank geworden. Als die Eichen ausschlugen, war sie immer noch nicht gekommen. Das Schwert und die Tasche mit Simas Sachen hatte ich in das Zimmer mit dem Ameisenhügel gestellt. Eines Nachts erwachte ich aus einem Traum, in dem die Ameisen angefangen hatten, die Tasche und das Schwert in ihren Hügel einzubauen. Ich rannte die Treppe hinunter und riß die Tür auf. Doch die Ameisen waren immer noch dabei, den Eßtisch und das weiße Tuch zu besiegen.

Ich stellte Simas Habseligkeiten ins Bootshaus.

Eines Tages kam Jansson und erzählte wie nebenbei, die Küstenwache habe vor einiger Zeit ein gestohlenes Motorboot draußen bei den Seufzern gefunden. Ich verstand, daß Hans Lundman sein Versprechen gehalten hatte.

»Eines Tages hat man sie auf dem Hals«, sagte Jansson grimmig.

»Wen denn?«

»Die Gangster. Sie kommen aus allen Richtungen. Was soll man tun, um sich zu verteidigen? Das Boot nehmen und aufs Meer hinaus fahren?«

»Was sollten sie hier draußen tun? Was gibt es hier zu stehlen?«

»Wenn ich nur daran denke, fürchte ich um meinen Blutdruck.«

Ich holte die Blutdruckmanschette aus dem Bootshaus. Jansson legte sich auf die Bank. Nach einer Ruhepause von fünf Minuten maß ich seinen Blutdruck.

»Er ist ausgezeichnet. 140 zu 80.«

»Ich glaube, du täuschst dich.«

»Dann solltest du dich an einen anderen Arzt wenden.«

Ich ging ins Bootshaus und blieb dort stehen, bis ich hörte, wie Jansson rückwärts vom Steg ablegte.

In den Tagen, bevor die Eichen auszuschlagen begannen, nahm ich mir endlich meinen Kahn vor. Als es mir nach großen Anstrengungen gelungen war, die schwere Persenning wegzuziehen, fand ich ein totes Eichhörn-

chen im Kielschwein. Ich war erstaunt, da ich hier draußen auf der Insel noch nie Eichhörnchen gesehen, nicht
einmal davon gehört hatte, daß es welche gab.

Der Kahn war in einem bedeutend schlechteren Zustand, als ich gefürchtet hatte. Nach einer zweitägigen
gründlichen Inventur der Schäden, verursacht durch
mangelnde Pflege, war ich bereit zum Aufgeben, bevor
ich richtig angefangen hatte. Am nächsten Tag kratzte ich
trotzdem weiter abgeblätterte Farbe von der Beplankung
ab. Ich rief Hans Lundman an und bat um seinen Rat. Er
versprach, in ein paar Tagen vorbeizukommen. Die Arbeit schritt langsam voran. Ich war es nicht gewohnt, andere regelmäßige Tätigkeiten auszuführen, als in mein
Logbuch zu schreiben.

Am Tag, an dem ich anfing, den Kahn abzukratzen,
suchte ich mein Logbuch aus dem ersten Jahr meines
Aufenthalts auf der Insel heraus. Ich schlug das Datum
des Tages auf. Zu meinem Erstaunen hatte ich notiert, ich
sei betrunken gewesen. »Gestern habe ich mich betrunken.« Nichts weiter. Ich erinnerte mich, aber nur sehr
vage und vor allem nicht, warum. Am Tag zuvor hatte ich
notiert, daß ich ein Fallrohr repariert hatte. Am Tag nach
meinem Besäufnis hatte ich Netze ausgelegt und sieben
Flundern und drei Barsche gefangen.

Ich legte das Logbuch zur Seite. Es war Abend. Der
Apfelbaum stand in voller Blüte. Ich meinte, Großmutter da draußen auf der Bank sitzen zu sehen, eine
schimmernde Gestalt, die mit dem Hintergrund, dem
Baumstamm, den Felsen und dem Dorngestrüpp ver-
schmolz.

Am folgenden Tag kam Jansson mit Briefen von Harriet und von Louise. Ich hatte ihnen schließlich doch von
dem Mädchen erzählt, das auf meine Insel gekommen

war, und von ihrem tragischen Tod. Als erstes las ich Harriets Brief. Wie gewöhnlich enthielt er nicht viele Zeilen. Sie schrieb, sie sei zu müde, um einen richtigen Brief zustande zu bringen. Ich las und runzelte die Stirn. Die Schrift war schwer zu entziffern, nicht wie früher. Die Buchstaben wanden sich auf dem Papier. Außerdem war der Inhalt verwirrend. Sie schrieb, es gehe ihr besser, aber sie fühle sich kränker. Zu Simas Tod schrieb sie nichts.

Ich legte den Brief weg. Die Katze sprang auf den Tisch. Manchmal beneide ich Tiere, die sich nicht mit Mitteilungen befassen müssen, die in verschlossenen Briefumschlägen ankommen. War Harriet benommen von schmerzstillenden Medikamenten, als sie den Brief schrieb? Ich wurde unruhig, zog das Telefon zu mir und rief sie an. Wenn sie im Begriff war, ins absolute Endstadium der Krankheit hinüberzugleiten, wollte ich es wissen. Ich ließ es viele Male klingeln. Dann versuchte ich es mit ihrem Mobiltelefon. Auch da meldete sich niemand. Ich sprach ihr eine Mitteilung auf Band und bat sie, von sich hören zu lassen.

Dann öffnete ich den Brief von Louise. Er handelte von dem bemerkenswerten Höhlensystem in Lascaux im westlichen Frankreich, wo ein paar Jungen im Jahr 1940 zufällig eine Anzahl von siebzehntausend Jahre alten Höhlenmalereien gefunden hatten. Einige der Tiere, die in den Fels geritzt und koloriert waren, hatten eine Länge von vier Metern. Jetzt, schrieb sie, »sind diese uralten Kunstwerke von der Zerstörung bedroht, weil wahnsinnige Menschen Klimaanlagen in den Gängen installiert haben. Die amerikanischen Touristen, welche die Höhlen besuchen, sollen nicht auf ihre Bequemlichkeiten verzichten, zu der künstlich gekühlte Luft unbedingt gehört. Die Felswände sind von schwerem Schimmelbefall betroffen. Wenn nichts getan wird, wenn nicht eine vereinte Welt für dieses älteste Kunstmuseum, das wir besitzen, die Verantwortung übernimmt, wird man in Zukunft diese Bilder nur als Kopien sehen können.«

Sie schrieb, daß sie vorhabe, aktiv zu werden. Ich nahm an, daß sie an alle Politiker Europas schreiben würde, und empfand Stolz. Ich hatte eine Tochter, die Widerstand leistete.

Den Brief hatte sie bei verschiedenen Gelegenheiten geschrieben. Sowohl die Schrift als auch die Stifte wechselten. Zwischen den ernsten und erregten Abschnitten hatte sie einfache Notizen eingefügt. Sie hatte sich beim Wasserholen den Fuß verstaucht. Giaconelli war krank gewesen, sie hatten eine Lungenentzündung befürchtet, aber jetzt war er auf dem Weg der Besserung. Sie drückte ihr Mitgefühl für die Trauer aus, die ich nach Simas Tod empfand.

»Bald werde ich kommen«, schloß der Brief. »Ich will die Insel sehen, auf der du dich all die Jahre versteckt hast, in denen du ausgewichen bist. Ich habe zwar manchmal geträumt, daß ich einen Vater hätte, der genauso erschreckend schön war wie Caravaggio. Das kann man dir nicht nachsagen. Aber jetzt kannst du dich jedenfalls nicht mehr vor mir unsichtbar machen. Ich will dich kennenlernen, ich will mein Erbe bekommen, ich will, daß du mir all das erklärst, was ich immer noch nicht verstehe.«

Kein Wort über Harriet. Das verstand ich nicht. Kümmerte sie sich überhaupt nicht um ihre Mutter, die im Begriff war zu sterben?

Wieder wählte ich Harriets verschiedene Nummern. Noch immer keine Antwort. Ich rief Louises Mobiltelefon an, aber auch dort meldete sich niemand. Ich stieg auf den Fels an der Rückseite des Hauses. Es war ein schöner Frühsommertag. Noch keine richtige Wärme, aber die Inseln wurden allmählich grün. In der Ferne sah ich eins der ersten Segelboote dieses Jahres, unterwegs von einem unbekannten Heimathafen. Plötzlich verspürte ich ein Verlangen, mich von der Insel loszureißen. So viel Zeit meines Lebens hatte ich mit Wanderungen zwischen dem Steg und dem Haus vergeudet.

Ich wollte ganz einfach weg. Als Harriet mit ihrem Rollator da draußen auf dem Eis stand, durchbrach sie den Fluch, in den ich mich eingebaut hatte wie in einen Käfig. Ich entdeckte, daß die zwölf Jahre auf der Insel zerronnen waren wie eine Flüssigkeit, die aus einem beschädigten Gefäß gesickert war. Man machte keine Schritte rückwärts, man konnte nicht von vorn anfangen.

Ich ging auf der Insel herum. Es roch stark nach Meer und Erde. Eifrige Austernfischer liefen an der Strandkante entlang und pickten mit ihren roten Schnäbeln. Es war, als streifte ich in einem Gefängnishof herum, in ein paar Tagen würde ich aus dem Tor treten und wieder ein freier Mann sein. Aber wohin sollte ich mich begeben? Was für ein Leben erwartete mich?

Ich setzte mich unter eine der Eichen an der Bucht namens Streit. Plötzlich wurde mir klar, daß ich Eile hatte. Es war keine Zeit mehr zu verlieren. Was immer mich erwartete.

Am Abend ging ich hinunter zum Kahn und ruderte hinaus zum Starrudden. Dort war der Boden glatt. Ich legte ein Flundernetz aus, hegte aber keine Hoffnung, Fisch zu fangen, vielleicht eine Flunder oder einen Barsch, der die Katze erfreuen würde. Das Netz würde sich mit den schmierigen Algen füllen, die mittlerweile am Boden der Ostsee lauern.

Vielleicht ist das Meer, das an den schönen Frühsommerabenden vor mir liegt, etwas, das sich langsam in einen Morast verwandelt.

Später an diesem Abend machte ich etwas, was ich niemals verstehen sollte. Ich holte einen Spaten und grub das Grab aus, in dem der Hund lag. Bald stieß ich auf den verwesenden Körper. Ich legte den gesamten Kadaver frei. Die Verwesung war schnell fortgeschritten. Die Würmer hatten schon die meisten Schleimhäute im Maul, in den Augen und Ohren aufgefressen und den Magen geöffnet. Am Anus lag ein weißer Klumpen von Würmern. Ich stellte den Spaten ab und holte die Katze, die drinnen auf dem Sofa schlief. Ich nahm sie in die Arme und setzte sie auf den toten Hund. Sie machte einen Sprung direkt in die Luft, als wäre sie auf eine Klapperschlange gestoßen, und verschwand dann zur Hausecke hin, wo sie sich umdrehte, bereit, ihre Flucht fortzusetzen. Ich nahm ein paar von den fetten Leichenwürmern in die Hand und fragte mich, ob ich es schaffen würde, sie zu schlucken, oder ob der Brechreiz mich daran hindern würde. Dann warf ich sie wieder auf den Hund und schaufelte rasch das Grab wieder zu.

Ich wußte nicht, was ich trieb. Bereitete ich eine ähnliche Graböffnung in mir selbst vor? Um all das zu sehen, was ich so lange mit mir herumgeschleppt hatte?

Lange schrubbte ich die Hände unter dem Wasserhahn in der Küche. Mir war übel von dem, was ich getan hatte.

Gegen elf rief ich bei Harriet und bei Louise an. Immer noch bekam ich keine Antwort.

Früh am Morgen des nächsten Tages holte ich die Netze ein. Es fanden sich zwei magere Flundern und ein toter

Barsch darin. Das Netz war, wie ich es befürchtet hatte, von Schlick und Algen verklebt. Es kostete mich über eine Stunde, es einigermaßen zu säubern und an der Wand des Geräteschuppens aufzuhängen. Ich war froh, daß mein Großvater nicht mehr erleben mußte, wie das Meer, das er geliebt hatte, im Begriff war, erstickt zu werden. Dann fuhr ich fort, den Kahn abzukratzen. Ich arbeitete halb nackt und versuchte, mich mit meiner Katze zu versöhnen, die sich nach der gestrigen Begegnung mit dem toten Hund abwartend verhielt. Die Flundern verschmähte sie. Den Barsch schleppte sie zu einer Felskluft und verzehrte ihn langsam.

Um zehn ging ich hinein und rief wieder an. Noch immer meldete sich niemand. Heute würde auch keine Post kommen. Es gab nichts, was ich tun konnte.

Ich kochte mir ein paar Eier zum Lunch und blätterte in einer zerfledderten Broschüre über geeignete Farben zur Grundierung von alten Holzbooten. Die Broschüre war acht Jahre alt.

Nach dem Essen legte ich mich auf die Küchenbank, um auszuruhen. Die Anstrengung vom Abkratzen des Kahns machte mich schnell müde. Ich schlummerte ein, kaum daß ich lag.

Es ging auf eins zu, als ich mit einem Ruck aufwachte. Durch das offene Küchenfenster hörte ich das Geräusch eines alten Zündkugelmotors. Es klang wie Janssons Boot, aber heute war nicht sein Tag. Ich erhob mich von der Küchenbank, steckte die Füße in die Stiefel und ging hinaus. Das Motorengeräusch näherte sich. Es bestand kein Zweifel, daß es Janssons Boot war. Es hat ein ungleichmäßiges Geräusch, da das Abgasrohr manchmal unter der Wasseroberfläche liegt, manchmal darüber. Ich ging zum Steg hinunter und wartete. Es wunderte mich, daß er mit halber Kraft fuhr. Schließlich schob sich der Steven zwischen den äußeren Klippen hervor. Das Boot bewegte sich sehr langsam.

Dann verstand ich, warum. Jansson hatte etwas im Schlepptau. Eine alte Kuhfähre hing an der Trosse hinter dem Boot. Als ich ein Kind war, hatte ich diese Fähren gesehen, wie sie Kühe zu den Inseln auf die Sommerweide transportierten. Aber das war damals. In all den Jahren, die ich hier draußen allein wohnte, hatte ich keine einzige Fähre gesehen.

Auf der Kuhfähre befand sich Louises Wohnwagen. Sie selbst stand in der offenen Tür, genau wie es mir von unserer ersten Begegnung in Erinnerung war. Am Geländer entdeckte ich eine andere Person. Es war Harriet mit ihrem Rollator.

Hätte ich es gekonnt, hätte ich mich ins Wasser gestürzt und wäre davongeschwommen. Aber ich konnte nicht verschwinden. Jansson drosselte die Geschwindigkeit und machte die Schlepptaue los, während er gleichzeitig die Fähre so anstieß, daß sie zum seichtesten Teil der Bucht glitt. Ich stand da wie gelähmt und sah sie am Strand hängenbleiben.

Jansson legte am Steg an. »Das hätte ich nie gedacht, daß ich für diese alte Fähre noch mal eine Verwendung haben würde. Das letzte Mal, daß ich sie draußen hatte, brachte ich zwei Pferde nach Rökskär. Aber das muß mindestens fünfundzwanzig Jahre her sein«, sagte er.

»Du hättest mich anrufen können«, sagte ich. »Du hättest mich vorwarnen können.«

Jansson sah aufrichtig erstaunt aus. »Ich dachte, du wüßtest, daß ich komme. Das sagte die, die Louise heißt. Wir müssen sie wohl mit deinem Traktor herausholen.

Wir haben Glück, daß Hochwasser herrscht. Sonst hätten wir den Wohnwagen ins Wasser fahren müssen.«

Niemand hatte mir etwas gesagt. Ich hatte die Erklärung dafür bekommen, daß niemand sich meldete, als ich angerufen hatte. Louise half Harriet mit dem Rollator an Land. Ich merkte, daß Harriet abgenommen hatte und jetzt viel schwächer war als damals, als ich sie bei meiner erregten Abfahrt im Wohnwagen zurückgelassen hatte.

Ich ging hinunter zum Strand.

Louise hielt Harriet untergehakt. »Es ist schön hier«, sagte Louise. »Ich ziehe den Wald vor. Aber das hier ist schön.«

»Ich nehme an, ich sollte willkommen sagen«, erwiderte ich.

Harriet hob den Kopf. Ihr Gesicht war verschwitzt. »Ich falle hin, wenn ich loslasse«, sagte sie. »Ich lege mich gern wieder auf das Bett bei den Ameisen.«

Wir halfen ihr zum Haus hinauf. Ich sagte zu Jansson, er könne versuchen, meinen alten Traktor zum Leben zu erwecken. Harriet legte sich auf das Bett. Sie atmete schwer und schien Schmerzen zu haben. Louise gab ihr eine Tablette und holte Wasser. Harriet schluckte die Tablette unter großen Schwierigkeiten.

Dann sah sie mich an und streckte die Hand aus. »Ich werde nicht mehr lange leben«, sagte sie. »Nimm mich an der Hand.«

Ich nahm ihre warme Hand.

»Ich will hier liegen und dem Meer lauschen und euch beide nahe bei mir haben. Nichts weiter. Die Alte verspricht, nicht unnötig lästig zu sein. Ich werde nicht einmal schreien, wenn die Schmerzen allzu heftig werden. Dann nehme ich meine Tabletten, oder Louise gibt mir eine Spritze.«

Sie schloß die Augen. Wir standen da und schauten sie an. Bald schlief sie.

Louise ging um den Tisch herum und betrachtete den wachsenden Ameisenhügel. »Wie viele Ameisen sind das?« flüsterte sie.

»Es heißt, es kann eine Million sein, vielleicht mehr.«

»Wie lange hast du ihn schon?«

»Es ist das elfte Jahr.«

Wir verließen das Zimmer.

»Du hättest anrufen können«, sagte ich.

Sie stellte sich vor mich hin und packte meine Schultern mit einem festen Griff. »Dann hättest du nein gesagt. Das will ich nicht. Jetzt sind wir hier. Das bist du der Mutter genauso schuldig wie mir, vor allem mir. Wenn sie jetzt so gern da liegen und dem Meer lauschen will statt hupenden Autos, wenn sie stirbt, dann soll sie das tun dürfen. Und du solltest froh sein, daß ich dich nicht mit meinen Anklagen verfolgen werde, bis du stirbst.«

Sie drehte sich um und ging hinaus. Jansson hatte den Traktor in Gang gebracht. Es war, wie ich es in all diesen Jahren vermutet hatte, er hat eine gute Hand mit schwer zu startenden Motoren.

Wir befestigten ein paar Seile am Wohnwagen und schafften es, ihn von der Kuhfähre an Land zu bekommen.

Jansson fuhr den Traktor. »Wo soll er stehen?« rief er.

»Dort«, antwortete Louise und zeigte auf den Grasflecken oberhalb des kleinen Sandstreifens auf der anderen Seite des Bootshauses.

»Ich will einen eigenen Strand haben«, fuhr sie fort. »Davon habe ich immer schon geträumt.«

Jansson bewies ein großes Geschick mit dem Traktor,

als es ihm gelang, den Wohnwagen an seinen Platz zu manövrieren. Wir legten alte Fischkästen und Strandholz als Stütze darunter, bis er stabil da stand.

»Das wird fein«, sagte Jansson zufrieden. »Die einzige Insel hier draußen, die einen Wohnwagen auf dem Grundstück hat.«

»Jetzt laden wir zum Kaffee ein«, sagte Louise.

Jansson sah mich fragend an. Ich sagte nichts.

Es war das erste Mal, daß Jansson mein Haus betrat, seit ich auf der Insel wohne.

Er sah sich neugierig in der Küche um. »Hier sieht es so aus, wie ich es in Erinnerung habe«, sagte er. »Du hast nicht viel verändert. Wenn ich mich nicht täusche, ist es dasselbe Tuch, das die Alten hatten.«

Louise kochte Kaffee und fragte, ob ich einen Weizenkuchen hätte. Ich hatte keinen. Sie verschwand durch die Tür, um Gebäck aus ihrem Wohnwagen zu holen.

»Das ist eine hübsche Frau«, sagte Jansson. »Wie hast du sie gefunden?«

»Ich habe sie nicht gefunden. Sie war es, die mich gefunden hat.«

»Hast du eine Anzeige aufgegeben? Ich habe selber schon daran gedacht.«

Jansson ist kein besonders schneller Denker. Man kann ihn keiner unnötigen Aktivitäten hinter der Stirn beschuldigen. Aber daß er glauben konnte, Louise wäre eine Dame, die ich irgendwie aufgerissen hätte, mit Wohnwagen und allem, inklusive einer sterbenskranken Alten, das war unbegreiflich.

»Es ist meine Tochter«, sagte ich. »Habe ich dir nicht erzählt, daß ich eine Tochter habe? Ich erinnere mich genau, daß ich das getan habe. Wir saßen unten auf der Bank. Du hattest Schmerzen in einem Ohr. Es war im

Herbst. Ich erzählte, daß ich eine erwachsene Tochter hätte. Hast du es vergessen?«

Jansson hatte natürlich keine Ahnung, wovon ich sprach. Aber er hatte nicht den Mut zu protestieren. Er wollte nicht Gefahr laufen, mich als seinen ständig bereiten Leibarzt zu verlieren.

Louise kam mit einem Brotkorb zurück. Jansson und meine Tochter schienen sofort Gefallen aneinander zu finden. Ich würde Louise erklären, daß sie Herrscherin über ihren Wohnwagen sein könne, aber was meine Insel betraf, gab es niemand außer mir, der bestimmte, welche Regeln galten. Eine davon war, daß man Jansson nicht zum Kaffee in meine Küche einlud.

Jansson schleppte seine Kuhfähre ab und verschwand hinter der Landzunge. Ich fragte nicht, was Louise ihm gezahlt hatte. Wir machten einen Spaziergang rund um die Insel, da Harriet immer noch schlief. Ich zeigte ihr, wo mein Hund begraben lag. Dann kletterten wir über die Klippen nach Süden und folgten der Strandlinie.

Es war, als hätte ich für eine kurze Weile doch ein kleines Kind bekommen. Louise fragte nach allem, nach den Pflanzen, dem Tang, den Inseln, die im Dunst auftauchten, nach den Fischen in den Tiefen, die sie nicht sehen konnte. Ich war in der Lage, vielleicht die Hälfte ihrer Fragen zu beantworten. Aber das kümmerte sie nicht, das wichtigste war offenbar, daß ich ihr zuhörte.

Auf Norrudden gab es ein paar Felsblöcke, die einst vom Eis zu hohen Thronsesseln geformt worden waren. Wir setzten uns.

»Wessen Idee war es?« fragte ich.

»Ich glaube, uns ist der Gedanke gleichzeitig gekommen. Es war an der Zeit, dich zu besuchen und die Familie zu versammeln, bevor es zu spät ist.«

»Was sagen deine Freunde da oben im Wald?«

»Sie wissen, daß ich eines Tages zurückkomme.«

»Warum mußtest du deinen Wohnwagen mitschleppen?«

»Das ist meine Hülle. Den verlasse ich nie.«

Sie erzählte von Harriet. Sie hatte sich von einem der Boxer nach Stockholm fahren lassen, einem Mann namens Sture, der davon lebte, Brunnen zu bohren.

Dann hatte sich Harriets Befinden rapide verschlechtert. Louise war hinuntergefahren und hatte sie gepflegt, da sie sich nicht in ein Hospiz einliefern lassen wollte. Sie hatte sich das Recht erkämpft, Harriet selbst die schmerzstillenden Medikamente zu geben, die sie brauchte. Es blieb nur noch eine palliative Behandlung. Alle Versuche, die Ausbreitung des Krebses zu stoppen, waren aufgegeben worden. Der Countdown hatte begonnen. Louise stand in Kontakt mit dem Pflegedienst in Stockholm.

Wir saßen auf den Thronstühlen und sahen aufs Meer hinaus.

»Sie hat kaum mehr als einen Monat zu leben«, sagte Louise. »Schon jetzt gebe ich ihr hohe Dosen von schmerzstillenden Mitteln. Sie wird hier sterben. Du solltest dich gut vorbereiten. Du bist Arzt, bist es wenigstens gewesen. Du bist besser mit dem Tod vertraut, als ich es bin. So viel habe ich immerhin verstanden, daß man ganz allein mit seinem Tod ist. Aber wir können dasein und ihr helfen.«

»Hat sie starke Schmerzen?«

»Es kommt vor, daß sie schreit.«

Wir gingen weiter am Strand entlang. Als wir auf die Landzunge hinauskamen, die direkt zum offenen Meer hin liegt, blieben wir erneut stehen. Großvater hatte eine Bank da hingestellt, die er aus dem Untergestell eines alten Mähdreschers und ein paar dicken Eichenplanken gefertigt hatte. Wenn er und Großmutter sich ausnahmsweise zankten und zerstritten, ging er gewöhnlich da hin und setzte sich, bis sie ihn holte und sagte, das Essen sei fertig. Dann war die Wut verraucht. Ich hatte meinen Namen in die Bank geritzt, als ich sieben war. Großvater hatte das sicher nicht gefallen, aber er hatte nie etwas gesagt.

Ein paar Eiderenten und Samtenten und Säger schaukelten auf der Dünung.

»Es gibt eine tiefe Schlucht hier draußen«, sagte ich. »Der Boden liegt sonst zwischen fünfzehn und zwanzig Meter tief. Plötzlich öffnet sich ein Riß hinunter auf sechsundfünfzig Meter. Als ich ein Kind war und einen Draggen vom Kahn aus herabließ, träumte ich immer, der Riß würde sich als bodenlos erweisen. Es sind Geologen hier gewesen und haben versucht herauszufinden, warum er existiert. Soweit ich weiß, konnten sie keine erschöpfende Erklärung geben. Das sagt mir zu. Ich glaube nicht an eine Welt, in der alle Rätsel gelöst sind.«

»Ich glaube an eine Welt, in der man Widerstand leistet«, sagte Louise.

»Du denkst an deine französischen Höhlen?«

»Unter vielem anderen denke ich an sie.«

»Schreibst du Briefe?«

»Zuletzt an Tony Blair und Präsident Chirac.«

»Haben sie geantwortet?«

»Natürlich nicht. Aber ich bereite andere Einsätze vor.«

»Was für welche?«

Sie schüttelte den Kopf. Darauf wollte sie nicht antworten.

Wir setzten unsere Wanderung fort und blieben vor

dem Bootshaus stehen. Die Sonne brannte auf die Wand in Lee.

»Du hast eins deiner Versprechen bei Harriet eingelöst«, sagte Louise. »Sie hat noch einen Wunsch.«

»Ich fahre nicht noch einmal zum Waldteich.«

»Sie wünscht sich hier etwas. Ein Sommerfest.«

»Was soll das heißen?«

Louise wurde ärgerlich. »Kann man etwas anderes mit einem Sommerfest meinen, als das, was das Wort sagt? Ein Fest, wenn Sommer ist.«

»Ich pflege keine Feste hier auf der Insel zu veranstalten. Weder im Sommer noch im Winter.«

»Dann wird es Zeit, daß du es tust. Harriet will an einem schönen Sommerabend zusammen mit einigen Menschen draußen sitzen, gut essen, gut trinken und dann in ihr Bett zurückkehren, um so schnell wie möglich zu sterben.«

»Das können wir natürlich machen. Du, ich und sie. Wir stellen einen Tisch auf das Gras vor den Johannisbeerbüschen.«

»Harriet will Gäste haben. Sie will Menschen treffen.«

»Wer sollte das sein?«

»Du bist es, der hier wohnt. Lade ein paar von deinen Freunden ein. Es müssen nicht so viele sein.«

Louise ging zum Haus hinauf. Sie wartete nicht auf Antwort. Ich sah ein, daß ich dieses Fest würde geben müssen. Ich konnte Jansson, Hans Lundman und seine Frau Romana einladen, die in dem großen Supermarkt drinnen im Ort hinter der Fleischtheke steht.

Harriet würde ihr letztes Abendmahl hier draußen auf meiner Insel einnehmen. Das war das wenigste, was ich für sie tun konnte.

4

BIS MITTSOMMER regnete es fast pausenlos. Wir gestalteten unseren Alltag so einfach wie möglich, Harriets verschlechtertem Zustand entsprechend. Anfangs schlief Louise im Wohnwagen. Aber nachdem Harriet zwei Nächte hintereinander vor Schmerz geschrien hatte, war sie in meine Küche gezogen. Ich erbot mich, sie abzulösen, indem ich Harriet Tabletten und Injektionen verabreichte, aber Louise wollte die Verantwortung nicht teilen. Sie legte eine Matratze auf den Fußboden, die sie morgens in der Diele unterbrachte. Sie erzählte, daß die Katze gern zu ihren Füßen lag.

Harriet verschlief den größten Teil ihrer Zeit, von all den Schmerzmitteln in einem Dämmerzustand. Sie wollte fast nie etwas essen, aber Louise zwang sie mit endloser Geduld, Nahrung zu sich zu nehmen. Es gab bei ihr eine Zärtlichkeit der Mutter gegenüber, die mich berührte. Ich stand abseits und würde nie an dieser Nähe teilhaben.

Abends saßen wir unten in Louises Wohnwagen und schwatzten. Sie hatte das Kochen übernommen. Ich bestellte ihre Einkaufslisten telefonisch in dem Laden, und die Lebensmittel kamen mit dem Postboot. In der Woche vor Mittsommer erkannte ich, daß Harriet nicht mehr viel Zeit blieb. Jedesmal, wenn sie wach war, fragte sie nach dem Wetter, und ich verstand, daß sie an ihr Sommerfest dachte. Als Jansson das nächste Mal kam, während es immer noch fast den ganzen Tag regnete und Nordwinde vom fernen Eismeer wehten, lud ich ihn für den Freitag zu einem Fest ein.

»Hast du Geburtstag?«

»Jedesmal, wenn Weihnachten ist, hast du dich beklagt, weil ich keine Lichtergirlanden aufhänge. Jedesmal an Mittsommer jammerst du darüber, daß ich nicht mal einen Schnaps hier unten auf dem Steg kippen will. Jetzt lade ich zu einem Fest ein. Sollte das so schwer zu verstehen sein? Um sieben, wenn das Wetter es erlaubt.«

»Ich fühle es in meinen Daumen, daß die Wärme unterwegs ist.«

Jansson meint, er könne eine Wünschelrute lenken und nach Wasseradern suchen. Außerdem sind seine Daumen wetterfühlig.

Ich sagte nichts über seine Daumen. Am selben Tag rief ich Hans Lundman an und lud ihn und seine Frau ein.

»Da arbeite ich«, sagte er. »Aber ich kann wahrscheinlich mit Edvin tauschen. Hast du Geburtstag?«

»Ich habe immer Geburtstag«, antwortete ich. »Um sieben, wenn das Wetter es erlaubt.«

Zusammen mit Louise plante ich das Fest. Ich holte ein paar Sommermöbel aus Großvaters und Großmutters Zeit hervor, die lange weggestellt gewesen waren. Ich strich sie an und reparierte den Tisch, dessen eines Bein vermodert war.

Am Tag vor Mittsommer schüttete es draußen. Es blies eine steife Brise aus Nordwest, die Temperatur sank auf 12 Grad. Louise und ich erklommen den Felsen und sahen Boote, die es in den Windschatten der Bucht auf der anderen Seite von Korsholmen, meiner nächsten Nachbarinsel, hineingetrieben hatte.

»Wird morgen solches Wetter herrschen?« fragte Louise.

»Laut Janssons Daumen soll es schön werden«, antwortete ich.

Am nächsten Tag flaute der Wind ab. Der Regen hörte auf, die Wolken zerstreuten sich, und die Temperatur stieg. Harriet hatte zwei schwere Nächte gehabt, in denen die schmerzstillenden Medikamente nicht zu helfen schienen. Dann trat eine plötzliche Ruhe ein. Wir bereiteten unser Fest vor.

Louise wußte genau, wie Harriet es haben wollte. »Eine einfache Verschwendung«, sagte sie. »Es ist eine hoffnungslose Aufgabe, das Einfache mit der Verschwendung zu verbinden. Aber man muß manchmal das wollen, was unmöglich ist.«

Es wurde ein seltsames Sommerfest, und ich glaube nicht, daß einer der Teilnehmer es vergessen wird, auch wenn unsere Erinnerungsbilder sich voneinander unterscheiden. Hans Lundman rief am Morgen an und fragte, ob sie ihre Enkelin mitbringen könnten, die auf Besuch war und nicht allein zu Hause gelassen werden konnte. Sie hieß Andrea und war sechzehn Jahre alt. Ich wußte, daß sie eine geistige Behinderung hatte, die sich unter anderem darin äußerte, daß sie ein grenzenloses Vertrauen für andere Menschen hegte. Es fiel ihr schwer, bestimmte Sachen zu verstehen oder sie zu erlernen wie andere geistig Behinderte. Aber was Andrea vor allem auszeichnete, war die Art, wie sie sich jemandem näherte, den sie nicht kannte. Sie gab jedem Beliebigen die Hand, als Kind war sie wildfremden Menschen auf den Schoß geklettert.

Natürlich konnten sie sie mitbringen. Wir deckten für sieben Personen statt für sechs. Harriet, die das Bett kaum mehr verließ, saß schon um fünf Uhr nachmittags auf ihrem Stuhl im Garten. Louise hatte ihr ein helles

Sommerkleid angezogen und ihr grauschwarzes Haar zu einem schönen Knoten im Nacken gekämmt. Ich konnte sehen, daß Louise sie auch geschminkt hatte. Harriets ausgemergeltes Gesicht hatte etwas von der Kraft zurückgewonnen, die sie früher im Leben besessen hatte. Ich setzte mich mit einem Glas Wein in der Hand neben sie.

Sie nahm es mir ab und leerte es zur Hälfte. »Schenk mir ein«, sagte sie. »Um nicht einzuschlafen, habe ich die Einnahme von allem verringert, was die Schmerzen weghält. Es tut weh, und es wird schlimmer. Aber jetzt will ich weißen Wein statt weißer Tabletten. Wein!«

Ich ging hinaus in die Küche, wo entkorkte Flaschen standen. Louise machte sich an etwas zu schaffen, was unterwegs in den Ofen war.

»Harriet möchte Wein haben«, sagte ich.

»Aber dann gib ihn ihr doch! Dieses Fest ist für sie. Es ist das letzte Mal im Leben, daß sie sich gute Laune antrinken kann. Wenn sie sich betrinkt, sollten wir nur froh sein.«

Ich nahm die Flasche mit hinaus in den Garten. Der Tisch war schön gedeckt. Louise hatte ihn mit Blumen und grünen Zweigen geschmückt. Über die kalten Gerichte, die schon bereit standen, hatte sie ein paar von Großmutters verschlissenen Handtüchern gelegt.

Wir stießen an. Harriet nahm meine Hand. »Bist du mir böse, weil ich in deinem Haus sterben will?«

»Warum sollte ich dir böse sein?«

»Du wolltest nicht mit mir leben. Dann willst du mich vielleicht auch nicht sterbend in deinem Haus haben.«

»Es würde mich nicht wundern, wenn du uns alle überlebst.«

»Ich bin bald tot. Ich fühle schon, wie es in mir zieht.

Manchmal in den Nächten, wenn ich vor Schmerzen aufwache, gerade bevor es so weh tut, daß ich laut herausschreie, schaffe ich es, mich zu fragen, ob ich Angst vor dem habe, was mich erwartet. Das habe ich. Aber ich habe Angst, ohne eigentlich Angst zu haben. Es ist mehr wie eine vage Unruhe, weil ich im Begriff bin, eine Tür zu öffnen, ohne sicher zu wissen, was sich hinter ihr verbirgt. Dann kommen die Schmerzen, und dann sind sie es, die ich fürchte. Nichts anderes.«

Louise kam heraus und setzte sich mit einem Glas Wein. »Die Familie«, sagte sie. »Ich weiß nicht einmal, ob ich mit Nachnamen Welin oder Hörnfeldt heißen will. Vielleicht bin ich Louise Hörnfeldt-Welin. Briefschreiberin von Beruf.«

Sie hatte eine Kamera und fotografierte Harriet und mich, wie wir mit den Gläsern in der Hand dasaßen. Dann machte sie ein Bild mit Selbstauslöser, um auch drauf zu sein.

»Ich habe einen altmodischen Apparat«, sagte sie. »Der Film muß entwickelt werden. Aber jetzt habe ich doch das Bild bekommen, von dem ich geträumt habe.«

Wir tranken auf den Mittsommerabend. Ich dachte daran, daß Harriet unter dem hellen Sommerkleid Windeln tragen mußte und daß die schöne Louise tatsächlich meine Tochter war.

Louise verschwand hinunter zum Wohnwagen, um sich umzuziehen. Die Katze sprang plötzlich auf den Tisch. Ich verscheuchte sie. Beleidigt verzog sie sich. Wir saßen still da und lauschten dem leisen Rauschen vom Meer.

»Du und ich«, sagte Harriet. »Du und ich. Und plötzlich ist es vorbei.«

Als es sieben wurde, war es windstill, das Thermometer zeigte 17 Grad.

Jansson und die Familie Lundman trafen gleichzeitig ein. Die Boote folgten einander wie ein freundlicher kleiner Konvoi. Beide trugen Flaggen am Heck. Louise stand unten auf dem Steg und strahlte. Ihr Kleid war fast aufreizend kurz, aber sie hatte schöne Beine, und ich erkannte die roten Schuhe, die sie angehabt hatte, als sie aus dem Wohnwagen trat und ich sie zum ersten Mal gesehen hatte. Jansson trug einen alten Anzug, der eine Spur zu eng war, Romana glitzerte in Schwarz und Rot, und Hans hatte sich in Weiß gekleidet und hatte die Schiffermütze auf dem Kopf. Andrea trug ein blaues Kleid und ein gelbes Haarband. Wir vertäuten die Boote, drängten uns eine Weile auf dem Steg und sprachen über den Sommer, der gekommen war, und zogen dann hinauf zum Haus. Jansson hatte blanke Augen und tat hin und wieder einen Fehltritt. Doch das kümmerte keinen, am wenigsten Harriet, die sich aus eigener Kraft vom Stuhl erhob und allen die Hand reichte.

Wir hatten uns entschlossen, es zu sagen, wie es war. Harriet war Louises Mutter, ich war Louises Vater, einst waren Harriet und ich fast verheiratet gewesen. Jetzt war Harriet krank, aber nicht so schlimm, daß wir nicht an einem Abend draußen unter den Eichen sitzen und tafeln konnten.

Hinterher, als alles vorbei war, dachte ich, unser Fest sei wie ein kleines Orchester gewesen, in dem die verschiedenen Mitglieder ihre Instrumente stimmten. Wir plauderten uns langsam zusammen, bis der richtige Klang entstand. Zugleich aßen wir, stießen an, trugen Schüsseln hin und her und ließen unser Lachen über die Klippen schallen. Harriet war in diesem Moment vollkommen gesund. Sie sprach mit Hans über Notraketen, mit Romana über Lebensmittelpreise, und sie bat Jansson, von den eigentümlichsten Postsendungen zu erzählen, die er während all seiner Jahre als Postillion herumgefahren hatte. Es war ihr Fest, sie war es, die dominierte, dirigierte und alle Klänge zu einer Einheit versammelte. Andrea sagte nichts. Sie hatte sich bald eng an Louise geklammert, die sie gewähren ließ. Wir wurden natürlich alle betrunken, Jansson als erster, aber er verlor nie die Kontrolle. Er half Louise, die Teller zu tragen, und nichts fiel ihm aus den Händen. In der Dämmerung war er es auch, der Kerzen und Räucherspiralen anzündete, die Louise gekauft hatte, um die Mücken fernzuhalten. Andrea betrachtete die Erwachsenen mit forschenden Augen. Harriet, die auf der anderen Seite des Tisches saß, streckte manchmal ihre Hand aus und berührte Andreas Fingerspitzen. Mich überkam eine große Trauer, als ich da saß und sah, wie die Finger sich begegneten. Die eine würde bald sterben, die andere würde nie ganz verstehen, was es bedeutete zu leben. Harriet fing meinen Blick ein und hob ihr Glas. Wir ließen die Gläser klingen und tranken.

Dann hielt ich eine Rede. Sie war überhaupt nicht vorbereitet. Jedenfalls war ich mir nicht darüber im klaren, daß ich die Worte formuliert hatte, die zu sagen ich jetzt aufgestanden war. Ich sprach von der Einfachheit und der Verschwendung. Von der Vollendung, die es vielleicht nicht gab, die man aber trotzdem an einem schönen Sommerabend im Kreise guter Freunde erahnen konnte. Der schwedische Sommer war launisch, auch nicht besonders lang. Doch er konnte betäubend schön sein, wie gerade an diesem Abend. »Ihr seid meine Freunde«, sagte ich. »Ihr seid meine Freunde und meine Familie, und ich bin ein unwirscher Fürst auf dieser Insel, der euch nie hereingelassen hat. Ich danke euch für die Geduld, die ihr bewiesen habt, ich fürchte die Gedanken, die ihr gehabt habt, und ich wünsche mir, daß dies nicht das einzige Mal sein wird, daß wir uns so treffen.«

Wir tranken. Eine kleine Abendbrise zog durch das Laubwerk der Eichen und bewegte die Flammen der Kerzen und den Rauch, der von den Mückenspiralen aufstieg.

Jansson erhob sich, nachdem er an sein Glas geklopft hatte. Er schwankte, hielt sich aber aufrecht. Er sagte nichts. Dann begann er zu singen. Mit dem allerklarsten Bariton sang er das Ave Maria, daß es mich schauderte. Ich glaube, allen am Tisch erging es so. Hans und Romana wirkten ebenso verdutzt wie ich. Niemand schien zu wissen, daß Jansson eine mächtige Singstimme besaß. Mir stiegen die Tränen in die Augen. Da stand Jansson mit all seinen eingebildeten Gebrechen in seinem engen Anzug und sang, als hätte sich Gott an diesem Sommerabend zu uns gesellt. Warum er seine Stimme verborgen gehalten hatte, konnte nur er selbst beantworten.

Er sang so, daß die Vögel verstummten. Andrea lauschte mit geöffnetem Mund. Es waren mächtige, fast verzaubernde Augenblicke. Als er geendet und sich wieder gesetzt hatte, waren wir alle stumm.

Schließlich durchbrach Hans die Stille mit dem einzigen Wort, das gesagt werden konnte. »Donnerwetter.«

Die Fragen hagelten auf Jansson nieder. Wie er sang? Warum hatte er es noch nie vorher getan?

Doch Jansson antwortete nicht. Er wollte auch nichts anderes mehr singen. »Ich habe meine Dankrede gehalten«, sagte er. »Ich habe gesungen. Ich wünschte, dieser Abend würde nie ein Ende nehmen.«

Wir fuhren fort zu trinken und zu essen. Harriet hatte

ihren Taktstock niedergelegt, und jetzt sprangen die Gespräche hin und her wie auf Grasbüscheln. Wir waren alle betrunken, Louise und Andrea schlichen hinunter zum Bootshaus und dem Wohnwagen. Hans kam auf die Idee, daß er und Romana tanzen sollten. Sie verschwanden in einem hüpfenden und hopsenden Tanz, der laut Jansson einen Rheinländer darstellen sollte, und tauchten hinter der Hausecke wieder auf, diesmal in etwas vertieft, was eher einer Polka glich.

Harriet genoß es. Ich glaube, während des Abends gab es Augenblicke, an denen sie keine Schmerzen verspürte und auch nicht daran dachte, daß sie bald sterben würde. Ich schenkte Wein nach und goß Schnapsgläser für alle außer Andrea voll. Jansson schwankte auf die Büsche zu, um zu pinkeln, Hans und Romana übten sich im Fingerhakeln, und aus meinem Radio erklang Musik, etwas Träumerisches für Klavier von Schumann, wie ich zu erkennen meinte. Ich setzte mich neben Harriet.

»Es war am besten, daß es so gekommen ist«, sagte sie.

»Was meinst du?«

»Wir hätten nie zusammen leben können. Ich wäre dein ständiges Horchen und Kramen in meinen Papieren schließlich leid geworden. Es war, als hätte ich dich unter der Haut. Du hast mir Juckreiz verursacht. Da ich dich liebte, kümmerte mich das nicht. Ich dachte, es würde vorübergehen. Das tat es auch. Aber erst, als du weg warst.«

Sie hob das Glas und sah mir in die Augen. »Du bist nie ein guter Mensch gewesen«, sagte sie. »Du hast dich die ganze Zeit vor einer Verantwortung gedrückt, die du hättest übernehmen sollen. Gut wirst du nie werden. Aber vielleicht besser. Verliere jetzt Louise nicht. Kümmere dich um sie, dann wird sie sich um dich kümmern.«

»Du hättest es erzählen sollen«, sagte ich. »Ich hatte so viele Jahre lang eine Tochter, ohne davon zu wissen.«

»Natürlich hätte ich es erzählen sollen. Du hast recht, wenn du sagst, ich hätte dich finden können, wenn ich es wirklich gewollt hätte. Aber ich war so wütend. Es war meine Art, mich zu rächen, dein Kind für mich zu behalten. Dafür werde ich jetzt gestraft.«

»Wieso?«

»Ich empfinde Reue.«

Jansson kam angeschwankt und ließ sich auf der anderen Seite von Harriet nieder, unbeeindruckt davon, daß wir ein Gespräch miteinander führten.

»Ich finde, du bist eine einzigartige Frau«, sagte er mit belegter Stimme. »Eine ganz einzigartige Frau, die sich ohne Zögern in meinen Hydrokopter setzt und sich auf das Eis hinausbegibt.«

»Das war ein Erlebnis«, antwortete Harriet. »Aber ich will diesen Ausflug nicht wiederholen.«

Ich stand auf und stieg auf den Felsen. Die Geräusche von der anderen Seite des Hauses erreichten mich als Klänge und vereinzelte Rufe. Ich meinte, Großmutter da unten auf der Bank am Apfelbaum zu sehen, Großvater vielleicht auf dem Pfad vom Bootshaus herauf unterwegs.

Es war ein Abend, an dem die Lebenden und die Toten zusammen ein Fest feiern konnten. Es war ein Abend für diejenigen, die noch lange leben würden, und diejenigen, die wie Harriet ganz nah an der unsichtbaren Grenze standen und auf die Fähre über den Fluß warteten.

Eine Fähre hatte sie bereits bewältigt, Janssons Kuhfähre, die sie hierher geführt hatte. Jetzt blieb nur noch die letzte Überfahrt.

Ich ging hinunter zum Steg. Die Tür des Wohnwagens stand offen. Ich ging um ihn herum und spähte vorsichtig durchs Fenster. Andrea probierte Louises Kleider. Sie balancierte auf den hohen Absätzen hellblauer Schuhe und trug ein eigentümliches Kleid mit glitzernden Pailletten.

Ich setzte mich auf die Bank. Ich erinnerte mich plötzlich an den Abend der Wintersonnenwende. Da hatte ich in der Küche gesessen und gedacht, daß sich nichts in meinem Leben verändern würde. Seitdem war ein halbes Jahr vergangen, und nichts war sich mehr gleich. Jetzt hatte die Sommersonnenwende begonnen, uns wieder in die Dunkelheit hineinzuführen. Ich hörte Stimmen auf meiner sonst so stillen Insel. Romanas schrilles Lachen, und plötzlich auch Harriets Stimme, als sie sich über den Tod erhob und die Schmerzen nach mehr Wein riefen.

Mehr Wein! Es war wie ein Jagdruf. Harriet hatte ihre letzten Kräfte mobilisiert, um den Endkampf auszufechten. Ich ging hinauf zum Haus und entkorkte die letzten Flaschen. Als ich hinauskam, stand Jansson da und hielt Romana in einem wiegenden, halb bewußtlosen Tanz umarmt. Hans war zu Harriet hinübergewechselt. Er hielt ihre Hand, oder vielleicht war es umgekehrt, und sie lauschte, während er ihr mühsam und ohne Erfolg zu erklären versuchte, wie Leuchttürme in den Fahrwassern leuchteten, um die Navigation des Schiffs auch bei sehr hohen Geschwindigkeiten zu sichern. Louise und Andrea tauchten aus den Schatten auf. Niemand außer Harriet bemerkte die schöne Andrea in Louises phantasievollen Kreationen. Noch immer trug sie die hellblauen Schuhe.

Louise sah, daß ich Andreas Füße betrachtete. »Giaconelli hat sie für mich gemacht«, flüsterte sie mir ins Ohr. »Jetzt schenke ich sie diesem Mädchen, das so viel Liebe in sich hat, die niemand anzunehmen wagt.«

Die lange Nacht ging langsam in ein traumartiges Stadium über, in dem ich mich nicht ganz klar erinnere, was geschah oder was gesagt wurde. Aber bei einer Gelegenheit, als ich zum Pinkeln ging, saß Jansson auf der Treppe des Hauses und weinte in den Armen von Romana. Hans tanzte Walzer mit Andrea, Harriet und Louise flüsterten vertraulich miteinander, und die Sonne stieg achtsam aus dem Meer.

Wir waren ein schwankendes Gefolge, das sich gegen vier Uhr morgens auf dem Pfad hinunter zum Steg befand. Harriet ging hinter ihrem Rollator, mit Hans als gehorsamem Sekundanten. Wir standen unten am Steg, nahmen Abschied, lösten die Vertäuungen und sahen die Boote davonfahren.

Kurz bevor Andrea mit den hellblauen Schuhen in der Hand ins Boot steigen wollte, kam sie auf mich zu und umfaßte mich mit ihren mageren, von Mücken zerstochenen Armen.

Lange nachdem die Boote hinter der Landzunge verschwunden waren, spürte ich die Umarmung wie eine warme Hülle.

»Ich begleite Harriet hinauf«, sagte Louise. »Sie muß bestimmt gründlich gewaschen werden. Es ist leichter, wenn wir das in Ruhe tun können. Wenn du müde bist, kannst du dich in den Wohnwagen legen.«

»Ich fange damit an, die Teller einzusammeln.«

»Das mächen wir morgen.«

Ich sah sie Harriet zum Haus hinauf begleiten. Jetzt war Harriet müde. Sie schaffte es kaum, sich aufrecht zu halten, obwohl sie sich sowohl auf den Rollator wie auf ihre Tochter stützte.

Meine Familie, dachte ich. Die Familie, die ich erst bekommen habe, als es schon zu spät war.

Ich schlummerte da auf der Bank ein und wachte erst auf, als Louise mich an der Schulter berührte.

»Sie schläft jetzt. Das sollten wir auch tun.«

Die Sonne stand schon hoch über dem Horizont. Ich hatte Kopfschmerzen und einen trockenen Mund.

»Glaubst du, daß sie zufrieden ist?« fragte ich.

»Ich hoffe es.«

»Hat sie nichts gesagt?«

»Sie war fast bewußtlos, als ich sie ins Bett legte.«

Wir gingen zum Haus hinauf. Die Katze, die den größten Teil der Nacht über verschwunden war, hatte sich auf die Küchenbank gelegt.

Louise nahm meine Hand. »Ich möchte wissen, wer du bist«, sagte sie. »Eines Tages werde ich es vielleicht verstehen. Aber das Fest war gelungen. Und ich mag deine Freunde.«

Sie rollte die Matratze auf dem Boden aus. Ich ging hinauf in mein Zimmer und legte mich aufs Bett, ohne etwas anderes als die Schuhe auszuziehen.

In den Träumen hörte ich Möwen und Seeschwalben schreien. Sie kamen immer näher, und plötzlich schossen sie im Sturzflug auf mein Gesicht zu. Es war Harriet, die wieder vor Schmerzen schrie.

Das große Fest war vorbei.

5

EINE WOCHE später verschwand die Katze. Obwohl Louise und ich jede Felsspalte auf der Insel durchsuchten, war und blieb die Katze unauffindbar. Während der Tage, an denen wir sie suchten, dachte ich oft an meine Hündin. Sie hätte die Katze sofort gefunden. Aber die Hündin war tot, und mir wurde klar, daß auch die Katze jetzt vermutlich fort war. Ich wohnte auf einer Insel voller toter Tiere, zusammen mit einem sterbenden Menschen, der seine letzten schmerzerfüllten Tage durchlitt, zusammen mit einem wachsenden Ameisenhügel, der langsam alles in Besitz nahm, was sich im Zimmer befand.

Die Katze kam nicht wieder. Die Hochsommerhitze lag drückend auf meiner Insel. Ich fuhr in meinem Boot mit Außenbordmotor zum Festland und kaufte einen Ventilator, den wir drinnen bei Harriet aufstellten. Nachts standen die Fenster offen. Die Mücken tanzten vor den alten Fliegengittern, die Großvater einst angefertigt hatte. Auf einem der Rahmen war sogar eine Jahreszahl mit einem Zimmermannsstift verzeichnet. 1936. Trotz des schlechten Anfangs begann ich zu glauben, daß die lange Hitzewelle im Juli diesen Sommer in den wärmsten verwandeln würde, den ich während meiner Jahre auf der Insel erlebt hatte.

Louise badete abends. Es ging Harriet jetzt so schlecht, daß wir uns immer in Hörweite ihres Zimmers aufhielten. Einer von uns mußte in der Nähe sein. Ihre Schmerzen kamen in immer kürzeren Zeitabständen. Jeden dritten Tag beriet sich Louise telefonisch mit dem

Pflegedienst, der die äußerste Verantwortung für Harriet trug. In der zweiten Juliwoche wollten die Pfleger, daß ein Arzt Harriet besuchen sollte. Ich stand in der Diele und wechselte eine Glühbirne aus, als Louise mit ihnen sprach. Zu meinem Erstaunen hörte ich sie sagen, das sei nicht nötig, da ihr eigener Vater Arzt sei.

In regelmäßigen Abständen nahm ich das Boot zum Festland und fuhr zur Apotheke, um neue Packungen mit Harriets schmerzstillenden Medikamenten zu holen. Eines Tages bat mich Louise, einen Packen Ansichtskarten zu kaufen. Was sie zeigten, spiele keine Rolle. In einem Laden kaufte ich ein ganzes Lager mit Ansichtskarten und Briefmarken auf, und während Harriet schlief, schrieb Louise all ihren Freunden im Wald. Hin und wieder arbeitete sie auch an einem Brief, von dem ich verstand, daß er sehr lang werden würde. An wen er gerichtet war, gab sie nicht preis. Sie ließ die Papiere nie auf dem Tisch liegen, sondern nahm sie immer mit in den Wohnwagen.

Ich warnte sie davor, daß Jansson mit Sicherheit jede Ansichtskarte lesen würde, die sie ihm übergab.

»Warum sollte er das tun?«

»Er ist neugierig.«

»Ich glaube, er respektiert meine Ansichtskarten.«

Wir sprachen nicht mehr über die Sache. Jedesmal, wenn Jansson am Steg anlegte, übergab sie ihm weitere geschriebene Ansichtskarten. Er steckte sie in seine Posttasche, ohne sie anzusehen.

Er klagte auch nicht mehr über seine Beschwerden. In diesem Sommer, in dem Harriet in meinem Haus auf dem Sterbebett lag, schien Jansson plötzlich von all seinen eingebildeten Krankheiten geheilt zu sein.

Da Louise Harriet pflegte, war es an mir zu kochen.

Natürlich war Harriet die eigentliche Hauptperson, aber Louise lenkte das Haus, als wäre es ein Schiff und sie der Kommandant. Ich hatte nichts dagegen.

Die warmen Tage waren für Harriet eine Qual. Ich kaufte noch einen Ventilator, ohne daß es eigentlich besser wurde.

Ich rief mehrmals Hans Lundman an und fragte, was die Meteorologen zu den Wetteraussichten meinten. »Es ist eine merkwürdige Hitzewelle«, sagte er. »Sie benimmt sich nicht wie gewöhnlich. Ein Hochdruck kommt von irgendwoher und bewegt sich immer weiter, wenn auch so langsam, daß wir es kaum merken. Aber dieser Hochdruck ist einzigartig. Er liegt ganz still. Diejenigen, die etwas von der Wettergeschichte verstehen, meinen, es sei dieselbe Art von Hitzewelle, die in dem heißen Sommer 1955 über Schweden lag.«

Ich erinnerte mich an diesen Sommer. Ich hatte den größten Teil meiner Zeit damit verbracht, mit Großvaters Segelboot herumzusegeln. Es war ein Sommer der Unruhe mit dem pochendem Puls der Teenagerzeit. Ich hatte nackt draußen auf den warmen Felsplatten gelegen und von Frauen geträumt. Die schönsten meiner Lehrerinnen waren in meiner Vorstellungswelt vorbeigewandert und hatten einander als meine Geliebten abgelöst.

»Es muß doch eine Prognose geben«, sagte ich. »Wann wird die Hitze nachlassen?«

»Zur Zeit liegt der Hochdruck still. Draußen im Gelände gibt es schon Stellen, die sich selbst entzünden. Es brennt auf Inseln, auf denen es noch nie gebrannt hat.«

Hin und wieder türmten sich dunkle Wolken am Festlandhorizont auf, und die Gewitter kamen vom Inland hereingedonnert. Mitunter blieb der Strom weg, aber Großvater hatte viele lange Tage darauf verwendet, ein sinnreiches Blitzableitersystem zu konstruieren, das sowohl das Wohnhaus wie das Bootshaus schützte.

Als das Gewitter sich zum ersten Mal näherte, an einem Abend nach den heißesten Tagen, erzählte Louise von ihrer Angst. Das meiste von dem, was wir an alkoholischen Getränken hatten, war bei dem großen Fest draufgegangen. Es war nur noch eine halbe Flasche Kognak übrig.

Sie schenkte ein Glas ein. »Ich mache kein Theater«, sagte sie. »Ich habe wirklich so große Angst.«

Dann nahm sie das Glas und setzte sich damit unter den Küchentisch. Ich hörte sie stöhnen, wenn die Blitze einschlugen und der Knall folgte.

Als das Gewitter sich verzog, kroch sie wieder hervor, mit leerem Glas und bleichem Gesicht. »Ich weiß nicht, warum«, sagte sie. »Es gibt nichts, was mich so sehr erschreckt wie das Licht von den Blitzen und der Donner, der mir entgegengeschleudert wird.«

»Hat Caravaggio Gewitter gemalt?« fragte ich.

»Er hatte bestimmt genau solche Angst wie ich. Er hat oft das gemalt, wovor er Angst hatte. Aber kein Gewitter, soviel ich weiß.«

Der Regen, der den Gewittern folgte, erfrischte die Erde und uns, die wir hier wohnten. Wenn die Unwetter fortzogen, war ich es, der gewöhnlich zu Harriet hineinging. Erst sah ich jedoch draußen nach, ob es einen Regenbogen gab. Sie hatte den Kopf hoch gelagert, um die Schmerzen zu lindern, die vom Rücken ausstrahlten. Ich setzte mich auf den Stuhl am Bettrand und nahm ihre dünne und kalte Hand.

»Regnet es noch?«

»Es hat aufgehört. Jetzt fließen wütende kleine Bäche von den Klippen hinunter ins Wasser.«

»Gibt es einen Regenbogen?«

»Heute abend nicht.«

Sie lag eine Weile schweigend da. »Ich habe die Katze lange nicht gesehen«, sagte sie.

»Sie ist weg. Wir haben gesucht. Wir finden sie nicht.«

»Dann ist sie tot. Katzen ziehen sich zurück, wenn sie spüren, daß ihre Zeit um ist. In bestimmten Volksstämmen gibt es Menschen, die es genauso machen. Wir anderen halten uns so lange wir können an denen fest, die da sitzen und darauf warten, daß wir endlich sterben.«

»Ich warte nicht.«

»Natürlich tust du das. Wer bei jemand sitzt, der bald sterben wird, jemand, der hoffnungslos von einer tödlichen Krankheit befallen ist, kann nichts anderes tun. Und vom Warten wird man ungeduldig.«

Sie sprach abgehackt, als stiege sie eine endlose Treppe hinauf und müßte oft stehenbleiben, um Atem zu holen. Vorsichtig streckte sie die Hand nach ihrem Wasserglas aus. Ich gab es ihr und stützte ihren Kopf, als sie trank.

»Ich bin dankbar, daß du mich entgegengenommen hast«, sagte sie. »Ich hätte da draußen auf dem Eis erfrieren können. Du hättest nicht so tun müssen, als hättest du mich gesehen.«

»Daß ich dich einmal verlassen habe, bedeutet nicht, daß ich es wieder tun würde.«

Sie schüttelte fast unmerklich den Kopf. »Du, der so viel gelogen hat, hast nicht einmal gelernt, wie man das macht. Das meiste, was man sagt, muß wahr sein. Sonst wird die Lüge unhandlich. Du weißt genausogut wie ich, daß du mich noch einmal hättest verlassen können. Hast du andere als mich verlassen?«

Ich dachte nach, ehe ich antwortete. Ich wollte, daß

das, was ich sagte, wahr sein sollte. »Einen«, sagte ich. »Einen Menschen.«

»Wie hieß sie?«

»Keine Frau. Mich selbst.«

Sie schüttelte wieder langsam den Kopf. »Es hat keinen Sinn, weiter darauf herumzukauen. Unsere Leben sind geworden, wie sie geworden sind. Bald werde ich tot sein. Du wirst noch eine Weile leben. Dann bist du auch fort. Dann sind die Spuren ausgelöscht. Das Licht glomm zwischen zwei großen Dunkelheiten auf.«

Sie streckte die Hand aus und umfaßte mein Handgelenk. Ich konnte ihren schnellen Puls spüren. »Ich will dir etwas sagen, was du vielleicht schon geahnt hast. Ich habe nie in meinem Leben einen anderen Mann so geliebt, wie ich dich geliebt habe. Um zu dieser Liebe zurückzufinden, habe ich dich aufgesucht. Damit du deine Tochter zurückbekommen solltest, die ich dir weggenommen habe. Aber vor allem wollte ich in der Nähe des Mannes sterben, den ich immer geliebt habe. Ich habe auch nie jemanden so gehaßt, wie ich dich gehaßt habe. Aber der Haß tut weh, und Schmerzen habe ich schon mehr als genug. Die Liebe schenkt eine Erfrischung, eine Ruhe, vielleicht sogar eine Geborgenheit, die bewirkt, daß die Begegnung mit dem Tod nicht so erschreckend ist. Sag nichts zu dem, was ich jetzt gesagt habe. Glaub mir einfach. Und bitte Louise, hereinzukommen. Ich habe mich naß gemacht.«

Ich holte Louise, die auf der Treppe saß. »Es ist schön«, sagte sie. »Fast wie tief drinnen im Wald.«

»Ich habe Angst vor dichten Wäldern«, antwortete ich. »Ich habe immer Angst gehabt, daß ich mich verirren würde, wenn ich mich zu weit vom Pfad entfernte.«

»Du hast Angst vor dir selber. Vor nichts sonst. Das

gilt auch für mich. Oder für Harriet. Oder für die wunderbare kleine Andrea. Oder für Caravaggio. Wir haben Angst vor uns selbst und vor dem, was wir in anderen von uns sehen.«

Sie ging zu Harriet hinein, um Harriets Windel zu wechseln. Ich setzte mich auf die Bank unter dem Apfelbaum, ganz nah am Grab des Hundes. Von weitem konnte ich das dumpfe Motorengeräusch von einem großen Schiff hören. Vielleicht war es die Marine, die schon ihre üblichen Herbstmanöver eingeleitet hatte.

Harriet hatte gesagt, sie hätte niemand so geliebt wie mich. Das wühlte mich auf. Ich hatte es nicht erwartet. Nun war es, als könnte ich schließlich sehen, was der Verrat an ihr bedeutet hatte, für sie ebenso wie für mich.

Ich beging Verrat, da ich Angst hatte, selbst verraten zu werden. Meine Angst davor, mich zu binden, vor Gefühlen, die so stark waren, daß ich sie nicht kontrollieren konnte, hatte bewirkt, daß ich mich immer zurückzog. Warum es so war, konnte ich nicht beantworten. Aber ich wußte, daß ich nicht allein war. Ich lebte in einer Welt, in der viele Männer herumgingen und auf die gleiche Art Angst hatten wie ich.

Ich hatte versucht, mich selbst in meinem Vater zu sehen. Aber seine Angst war eine andere gewesen. Er hatte nie gezögert, die Liebe zu zeigen, die er für meine Mutter oder für mich empfand, auch wenn es nicht leicht war, mit meiner Mutter zu leben.

Ich muß das hier verstehen, dachte ich. Bevor ich sterbe, muß ich wissen, warum ich gelebt habe. Noch bleibt eine Zeit, die ich gut zu nutzen habe.

Ich spürte, daß ich sehr müde war. Die Tür zum hinteren Zimmer war angelehnt. Ich ging die Treppe hinauf. Als ich mich hingelegt hatte, ließ ich die Lampe am Bett brennen. An der Wand neben dem Bett hingen immer schon ein paar Seekarten, die mein Großvater am Strand gefunden hat. Sie haben Wasserschäden und sind schwer zu deuten. Aber sie zeigen Scapa Flow bei den südlichen Orkneyinseln, wo die britische Kriegsmarine im Ersten und im Zweiten Weltkrieg ihren Hauptstützpunkt hatte. Viele Male bin ich mit dem Blick den engen Fahrwassern um Pentland Firth herum gefolgt und habe mir die englischen Schiffe und ihre Späher vorgestellt, die fürchteten, die Periskope deutscher U-Boote an der Mündung der Häfen zu entdecken.

Ich schlief bei eingeschalteter Lampe ein. Gegen zwei wachte ich davon auf, daß Harriet schrie. Ich drückte die Hände gegen die Ohren und wartete, bis die schmerzstillenden Medikamente wirkten.

Wir lebten mit einem Schweigen in meinem Haus, das jederzeit vom rasenden Gebrüll des Schmerzes durchbrochen werden konnte. Immer öfter kam mir der Gedanke, daß ich wünschte, Harriet würde bald sterben. Um ihretwillen, ich wollte, daß sie von den Qualen befreit werden sollte, aber auch um meiner selbst und um Louises willen.

Die lange Hitzewelle dauerte bis zum 24. Juli an. Da notierte ich in meinem Logbuch, daß ein nordöstlicher Wind wehte und daß die Temperatur angefangen hatte zu fallen. Die andauernde Hitze wurde von einer instabilen Wetterlage abgelöst, bei der über der Nordsee ein Tiefdruck auf den anderen folgte. In der Nacht zum 27. Juli fegte ein nördlicher Sturm über das Schärenmeer. Ein paar Dachpfannen am Schornstein lösten sich und zersplitterten am Boden. Es gelang mir, auf das Dach zu steigen und die Pfannen durch andere zu ersetzen, die seit vielen Jahren in einer meiner Scheunen lagerten, nachdem der Stall Ende der 1960er Jahre abgerissen worden war.

Harriet ging es zunehmend schlechter. Sie war jetzt, während sich die Unwetter und die Kaltfront zur Küste hin bewegten, nur jeweils für ein paar Stunden wach. Wir wechselten uns mit der Pflege ab. Das einzige, wofür Louise die alleinige Verantwortung übernahm, war, sie zu waschen und ihre Windeln zu wechseln.

Ich war dankbar, daß mir das erspart blieb. Das war etwas, was ich nicht mit Harriet erleben wollte.

Das Herbstdunkel näherte sich. Die Nächte wurden länger, die Sonne wärmte nicht so, wie noch vor ein paar Wochen. Louise und ich stellten uns darauf ein, daß Harriet jederzeit sterben konnte. Ihr Atem ging keuchend, immer seltener tauchte sie aus dem Dämmerschlaf auf. Wenn sie wach war, saßen wir für gewöhnlich beide an ihrem Bett. Louise wollte uns zusammen sehen können. Harriet sagte nicht viel, wenn sie einmal aufwachte. Sie fragte manchmal, wie spät es sei, ob sie nicht bald etwas zu essen bekäme. Es wurde immer offensichtlicher, daß sie sich nicht länger orientieren konnte. Manchmal dachte sie, daß sie sich im Wohnwagen draußen im Wald befände, manchmal in ihrer Wohnung in Stockholm. In ihrem Bewußtsein gab es keine Insel, kein Zimmer mit einem Ameisenhügel. Es gab bei ihr auch kaum eine Einsicht, daß sie tatsächlich auf dem Weg war zu sterben. Wenn sie zum Leben erwachte, war es wie die natürlichste Sache der Welt. Sie trank etwas Wasser, aß vielleicht ein paar Löffel Suppe und schlief dann wieder ein. Die Gesichtshaut war jetzt so stark um ihren Schädel gespannt, daß ich fürchtete, sie würde reißen und die Knochen würden hindurchdringen. Der Tod ist häßlich, dachte ich. Von der schönen Harriet war jetzt kaum etwas übrig. Sie war ein wachsfarbenes Skelett unter einer Decke, sonst nichts.

An einem dieser Abende Anfang August setzten Louise und ich uns auf die Bank unter dem Apfelbaum. Wir hatten warme Jacken angezogen, und Louise hatte sich eine meiner alten Wollmützen über den Kopf gestülpt.

»Was machen wir, wenn sie tot ist?« fragte ich. »Du mußt darüber nachgedacht haben. Du weißt vielleicht, welche Wünsche sie hat?«

»Sie möchte eingeäschert werden. Sie hat mir vor ein paar Monaten einen Prospekt von einem Bestattungsunternehmen geschickt. Vielleicht habe ich ihn aufgehoben, vielleicht habe ich ihn weggeworfen. Sie hatte den billigsten Sarg und eine Urne zum ermäßigten Preis angekreuzt.«

»Hat sie ein Anrecht auf einen Grabplatz?«

Louise runzelte die Stirn. »Was bedeutet das?«

»Gibt es ein Familiengrab? Wo liegen ihre Eltern? Man sagt für gewöhnlich, daß man zu einer Gemeinde oder einer Stadt gehört. Früher sprach man zumindest auch von einem Anrecht auf einen Grabplatz.«

»Ihre Angehörigen liegen über das ganze Land verteilt. Ich habe nie gehört, daß sie Blumen auf das Grab ihrer Eltern gelegt hätte. Dafür hat sie erklärt, daß sie keinen Stein haben will. Am liebsten, glaube ich, will sie im Wind verstreut werden. Und es gibt tatsächlich nichts, was verhindert, daß das geschieht.«

»Man braucht eine Genehmigung«, sagte ich. »Jansson hat von alten Fischern hier draußen erzählt, die ihre Asche über den alten Heringsgründen verstreut haben wollten.«

Wir saßen schweigend da und überlegten, was mit Harriet geschehen sollte. Ich selbst hatte einen Grabplatz bekommen. Vermutlich sprach nichts dagegen, daß Harriet ihren Platz an meiner Seite finden würde.

Plötzlich legte Louise die Hand auf meinen Arm. »Wir brauchen tatsächlich keine Genehmigung. Harriet könnte einer von all den Menschen in diesem Land sein, die es nicht gibt.«

»Alle haben ein Personenkennzeichen. Es wird uns nicht gestattet, einfach so zu verschwinden. Bis wir tot sind, gilt das Personenkennzeichen.«

»Es gibt immer Ausweichmöglichkeiten«, sagte Louise. »Sie stirbt hier in deinem Haus. Wir verbrennen sie, wie man Menschen in Indien einäschert. Dann verstreuen wir sie über dem Wasser. Ich kündige ihre Wohnung in Stockholm und räume sie aus. Ich gebe keinen Nachsendeantrag auf. Sie holt ihre Rente nicht mehr ab. Ich teile dem Pflegedienst mit, daß sie verstorben ist. Das ist das einzige, was sie wissen wollen. Irgend jemand wird vielleicht anfangen, Fragen zu stellen. Aber ich kann sagen, ich hätte seit mehreren Monaten keinen Kontakt mehr zu meiner Mutter. Und von hier ist sie nach einem kurzen Besuch abgereist.«

»Ist sie das?«

»Wer, glaubst du, würde Jansson oder Hans Lundman fragen, wo sie geblieben ist?«

»Genau das ist es. Wo ist sie geblieben? Wer hat sie an Land gefahren?«

»Du. Vor einer Woche. Niemand weiß mehr, daß sie noch da ist.«

Allmählich begriff ich, daß es Louise ernst war. Wir sollten Harriet hier sterben lassen und uns um die Bestattung kümmern. Konnte das wirklich gelingen? Wir sprachen an diesem Abend nicht mehr darüber. In der Nacht fiel es mir schwer zu schlafen. Schließlich begann ich zu glauben, daß es möglich wäre.

Zwei Tage später, als Louise und ich beim Essen saßen, legte sie plötzlich ihre Gabel hin. »Das Feuer«, sagte sie. »Jetzt weiß ich, wie wir es anzünden können, ohne daß jemand sich zu wundern beginnt.«

Ich hörte mir ihren Vorschlag an. Anfangs sperrte ich mich dagegen. Aber dann begriff ich, daß es ein schöner Gedanke war.

Der Mond verschwand. Die Herbstdunkelheit lag über dem Schärenmeer. Die letzten Segelboote des Sommers lenzten zurück zu ihren Heimathäfen. Die Marine hielt ihre Manöver im südlichen Schärenmeer ab. Hin und wieder erreichte uns die Druckwelle von fernen Kanonenschüssen. Harriet schlief jetzt fast rund um die Uhr. Wir wechselten uns damit ab, Wache zu halten. Während meiner Zeit als Medizinstudent hatte ich mir nebenbei als Nachtwache Geld verdient. Ich konnte mich immer noch an das erste Mal erinnern, als ich bei einem Menschen saß, der vor meinen Augen starb. Es geschah ohne die geringste Bewegung, völlig lautlos. So unendlich klein war der große Sprung. Während einer kaum meßbaren Zeiteinheit gelangte der lebende Mensch zu den Toten.

Ich erinnerte mich, daß ich dachte: Dieser Mensch, der jetzt tot ist, ist ein Mensch, den es eigentlich gar nicht gegeben hat. Mit dem Tod wird alles ausgelöscht, was gewesen ist. Der Tod hinterläßt keine Spur außer der, mit der ich mich immer so schwergetan habe. Die Liebe, die Gefühle. Ich flüchtete vor Harriet, weil sie mir zu nahe kam. Und jetzt wird sie bald fort sein.

Louise war während der letzten Tage von Harriets Leben oft traurig. Ich selbst empfand eine wachsende Angst davor, daß ich mich selbst dem näherte, was Harriet durchmachte. Ich fürchtete die Erniedrigung, die wartete, und hoffte, daß mir ein sanfter Tod vergönnt sein würde, der es mir ersparte, lange zu liegen und zu warten, bis ich das letzte Ufer erreichte.

Harriet starb in der Morgendämmerung, kurz nach sechs, am 22. August. Die Nacht war unruhig gewesen, die schmerzstillenden Medikamente schienen nicht zu helfen. Ich kochte gerade Kaffee, als Louise in die Küche kam. Sie stellte sich neben mich und wartete, bis ich meine siebzehn Sekunden gezählt hatte.

»Mama ist tot.«

Wir gingen in das Zimmer, in dem Harriet lag. Ich fühlte mit den Fingern den Puls und lauschte mit dem Stethoskop nach Herzgeräuschen. Sie war wirklich tot. Wir setzten uns an ihr Bett. Louise weinte still, fast lautlos. Ich selbst empfand nur eine quälend selbstbezogene Erleichterung darüber, daß nicht ich es war, der da lag und tot war.

Wir blieben vielleicht zehn Minuten da sitzen. Ich horchte noch einmal nach Herzgeräuschen. Dann legte ich eins von Großmutters bestickten Handtüchern auf Harriets Gesicht.

Wir tranken den Kaffee, der noch warm war. Als es sieben war, rief ich die Küstenwache an.

Es war Hans Lundman, der antwortete. »Danke für den schönen Abend. Ich hätte anrufen sollen.«

»Dank dir auch.«

»Wie steht es mit deiner Tochter?«

»Sehr gut.«

»Und Harriet?«

»Sie ist abgereist.«

»Andrea schwankt in ihren schönen hellblauen Schuhen herum. Das kannst du Louise ausrichten.«

»Das werde ich tun. Ich rufe an, um sagen, daß ich heute eine Menge altes Gerümpel verbrennen werde. Falls jemand anruft und glaubt, es würde draußen auf der Insel brennen.«

»Die Dürre ist für dieses Jahr vorbei.«

»Es könnte ja jemand glauben, mein Haus brennt.«

»Es ist gut, daß du angerufen hast.«

Ich ging hinaus auf den Hof. Es war windstill. Eine Wolkendecke breitete sich über dem Himmel aus. Ich ging hinunter zum Bootshaus und holte die Persenning, die ich als Leichentuch vorbereitet hatte. Ich hatte sie mit Teer getränkt. Ich breitete sie auf dem Boden aus. Louise hatte Harriet das schöne Kleid angezogen, das sie während des Sommerfests getragen hatte. Sie hatte ihr die Haare gekämmt und ihre Lippen geschminkt. Noch immer weinte sie, genauso lautlos wie vorher. Wir standen eine Weile da und hielten uns umarmt.

»Ich werde sie vermissen«, sagte Louise. »Ich bin ihr so viele Jahre lang böse gewesen. Jetzt merke ich, daß sie etwas in mir geöffnet hat. Es wird offenbleiben und die Trauer durch mich hindurch wehen lassen, solange ich lebe.«

Ich hörte ein letztes Mal Harriets Herz ab. Ihre Haut hatte schon begonnen, die gelbe Farbe anzunehmen, die auf den Tod folgte.

Wir warteten noch ein paar Stunden. Dann trugen wir sie hinaus und rollten sie in die Persenning ein. Ich hatte das Feuer, das ihren Körper zur Vergänglichkeit verbrennen sollte, vorbereitet, indem ich einen von meinen Reservekanistern mit Benzin bereitgestellt hatte.

Wir hoben sie in meinen alten Kahn hinein. Ich tränkte den Körper und den Bootsrumpf mit Benzin.

»Es ist besser, wenn wir uns abseits stellen«, sagte ich. »Das Benzin wird heftig aufflammen. Wenn du zu nahe stehst, kannst du Feuer fangen.«

Wir traten einige Schritte zurück. Ich sah Louise an. Sie weinte nicht mehr. Sie nickte. Ich zündete einen kleinen Bausch Putzwolle an und warf ihn auf den Kahn.

Das Feuer flammte mit Getöse auf. Es zischte und knisterte von der eingeteerten Persenning. Louise nahm mich bei der Hand. Schließlich war mein alter Kahn zur Anwendung gekommen. Darin konnte ich Harriet in eine andere Welt schicken, an die sie genausowenig glaubte wie ich, auf die wir aber zuinnerst eine Hoffnung setzten.

Während das Feuer brannte, ging ich hinunter zum Bootshaus und holte eine alte Metallsäge. Damit begann ich, den Rollator zu zersägen. Nach einer Weile stellte ich fest, daß die Säge unbrauchbar war. Ich legte den Rollator zusammen mit zwei Senksteinen und zwei Ketten in den Kahn. Ich ruderte zum Norrudden hinüber und ließ den Rollator mit den Ketten und Senkern auf den Boden hinunter. Es war niemand da, der vor Anker lag oder fischte. Nichts würde im Rollator hängenbleiben und ihn wieder zur Oberfläche hinaufziehen.

Der Rauch stieg hoch in den Himmel. Ich ruderte zurück und dachte, daß Jansson bald kommen würde.

Louise hockte da und sah auf den brennenden Kahn. »Ich wünschte, ich könnte ein Instrument spielen«, sagte sie. »Weißt du, was Mama am liebsten gehört hat?«

»Ich glaube, sie mochte traditionellen Jazz. Den hörten wir uns damals, als wir zusammen waren, in Gamla Stan an.«

»Du irrst dich. Es war Sail Along Silvery Moon. Eine sentimentale Melodie aus den 1950er Jahren. Sie wollte sie ständig hören. Ich hätte sie jetzt für sie gespielt. Als Abschiedschoral.«

»Ich weiß nicht einmal, wie sie klingt.«

Unsicher summte sie die Melodie. Vielleicht hatte ich sie irgendwann einmal gehört. Aber nie von einer Jazzband gespielt.

»Ich werde mit Jansson sprechen«, sagte ich. »Harriet ist gestern abgereist. Ich habe sie zum Festland gebracht. Es kam ein Auto mit einem Verwandten und holte sie ab. Sie mußte nach Stockholm ins Krankenhaus.«

»Sag, daß sie grüßen ließ«, sagte Louise. »Dann wird er sich nicht fragen, warum sie fortgegangen ist.«

Jansson war wie üblich pünktlich. Er hatte einen Landvermesser bei sich im Boot, der einen Auftrag auf Bredholmen hatte. Wir nickten einander zu.

Jansson stieg auf den Steg und betrachtete das Feuer. »Ich habe Lundman angerufen«, sagte er. »Ich fürchtete, es wäre dein Haus.«

»Ich verbrenne den Kahn«, sagte ich. »Es ließ sich nicht mehr seetauglich machen. Noch einen Winter wollte ich ihn nicht sehen.«

»Das ist recht«, sagte Jansson. »Alte Boote weigern sich zu sterben, wenn man sie nicht in Stücke zerhackt oder verbrennt.«

»Harriet ist abgereist«, sagte ich. »Ich habe sie gestern an Land gebracht. Sie läßt grüßen.«

»Das ist freundlich von ihr«, sagte Jansson. »Grüße sie zurück. Eine feine alte Dame. Kann ich hoffen, daß es ihr ein bißchen besserging?«

»Sie mußte ins Krankenhaus. Ich glaube nicht, daß es ihr besserging. Aber sie läßt grüßen.«

Jansson hatte keine Post. Er fuhr weiter mit dem Land-vermesser. Es fielen ein paar Regenspritzer. Ich kehrte zum Feuer zurück. Das Heck war eingesunken. Man konnte nicht mehr unterscheiden, was verkohltes Holz und was die Persenning mit ihrem Inhalt war. Es kam kein Geruch nach verbranntem Fleisch vom Feuer. Louise hatte sich auf einen Stein gesetzt. Ich dachte plötzlich an Sima und fragte mich, ob meine Insel den Tod anlockte. Hier hatte sie sich die Schnitte zugefügt, hierher war Harriet gekommen, um zu sterben. Mein Hund war tot, und meine Katze war verschwunden.

Plötzlich überkam mich Unmut gegen mich selbst. Ich war bestimmt kein schlechter Mensch. Ich war nicht gewalttätig, ich beging keine Verbrechen. Aber ich hatte Harriet verraten, und ebenso andere Menschen. Als meine Mutter nach dem Tod meines Vaters neunzehn Jahre lang allein in einem Altersheim lebte, hatte ich sie ein einziges Mal besucht. Da war schon so viel Zeit ver-gangen, daß sie nicht mehr wußte, wer ich war. Sie glaubte, ich sei ihr Bruder, der vor fünfzig Jahren gestor-ben war. Ich versuchte nicht, sie davon zu überzeugen, daß ich es war. Ich saß nur da und stimmte ihr zu. Frei-lich bin ich dein Bruder, der vor so langer Zeit gestorben ist. Danach verließ ich sie. Ich kam nie zurück. Ich war nicht einmal auf ihrem Begräbnis. Ich überließ alles einem Bestattungsunternehmen und bezahlte die Rech-nung. Außer dem Pfarrer und dem Organisten war nur ein Vertreter vom Bestattungsunternehmen in der Ka-pelle anwesend.

Ich ging nicht hin, weil niemand mich zwingen konnte. Ich begriff jetzt, daß ich meine Mutter verachtet hatte. Auf irgendeine Art hatte ich auch Harriet verachtet.

Vielleicht hatte ich eine Verachtung gegenüber allen

Menschen gehegt. Vor allem aber eine Verachtung gegenüber mir selbst.

Ich wußte nicht einmal mehr, ob ich ein guter ortho-
pädischer Chirurg war. Ich war ein kleines erschrockenes
Wesen, das am Beispiel meines Vaters sah, welche brutale
Hölle einen Menschen erwarten konnte, wenn er heran-
wuchs.

Der Tag verging genauso langsam, wie die Wolken sich
über den Himmel bewegten. Als das Feuer zu erlöschen
begann, warf ich Holzscheite hinein, die ich vorher mit
Benzin getränkt hatte. Es nahm Zeit, einen Menschen
einzuäschern, besonders wenn es nicht in einem Ofen geschah, in dem die Hitze bis zu tausend Grad steigen
konnte, damit auch die Knochen zu Asche wurden.

Das Feuer brannte bis in die Dämmerung hinein. Ich
legte weitere Holzscheite nach, kratzte mit einem Re-
chen in der Asche herum. Louise brachte ein Tablett mit
Essen. Wir tranken das, was vom Kognak übrig war, und
wurden rasch betrunken. Wir weinten und lachten vor
Trauer, aber auch vor Erleichterung, daß Harriets Qualen vorbei waren. Louise war mir jetzt näher, da Harriet
nicht mehr zwischen uns stand und mich daran erinnerte,
daß ich sie verlassen hatte. Wir saßen da im Gras, anein-
andergelehnt, während wir den Rauch des Scheiterhau-
fens in die Dunkelheit hinaus verschwinden sahen.

»Ich bleibe für immer auf dieser Insel«, sagte Louise.

»Bleib wenigstens bis morgen«, sagte ich.

Erst in der Morgendämmerung ließ ich das Feuer zu
Glut verglimmen.

Louise hatte sich im Gras zusammengerollt und
schlief. Ich deckte sie mit meiner Jacke zu. Sie erwachte,
als ich Eimer mit Meerwasser auf die Glut schüttete. Von
Harriet und dem alten Kahn war jetzt nichts mehr übrig.

Louise sah auf die Asche, die ich zusammenharkte. »Nichts«, sagte sie. »Eben noch war sie ein ganz lebendiger Mensch. Jetzt ist nichts mehr übrig.«

»Ich habe mir gedacht, wir sollten die Asche in den Kahn bringen und sie auf dem Wasser verstreuen.«

»Nein«, sagte sie. »Das kann ich nicht. Wenigstens ihre Asche muß übrig bleiben.«

»Ich habe keine Urne.«

»Eine Dose, was auch immer. Ich will, daß die Asche bleibt. Wir können sie neben dem Hund begraben.«

Louise verschwand ins Bootshaus hinunter. Mir war unwohl bei dem Gedanken, daß jetzt unter dem Apfelbaum eine Begräbnisstätte geschaffen wurde. Ich hörte, wie es im Bootshaus klapperte. Louise kam mit einer Dose heraus, die Schmierfett für Großvaters alten Bootsmotor enthalten hatte. Ich hatte sie saubergemacht und für Nägel und Schrauben verwendet. Jetzt war sie leer. Louise blies den Staub heraus, stellte die Dose neben den Aschehaufen und holte einen Spaten. Dann grub ich neben dem Hund ein Loch. Wir stellten die Dose hinein und schaufelten das Loch wieder zu. Louise verschwand zwischen den Klippen und kam nach einer Weile mit einem Stein zurück, in den die Zeit etwas eingeritzt hatte, was wie ein Kreuz aussah. Den legte sie auf das Grab.

Es war ein anstrengender Tag gewesen. Wir waren beide müde. Das Abendessen nahmen wir schweigend ein. Louise ging hinunter zum Wohnwagen, um dort zu schlafen. Ich suchte lange im Badezimmerschrank, ehe ich eine Schlaftablette fand. Ich schlief fast sofort ein und wachte erst nach neun Stunden wieder auf. Wann das zuletzt geschehen war, wußte ich nicht.

Louise saß am Küchentisch, als ich am Morgen herunterkam. Die Tür zum Zimmer stand offen. Alle Spuren von dem Todeskampf, der sich hier abgespielt hatte, waren weggeräumt.

»Ich fahre ab«, sagte sie. »Heute schon. Das Meer ist still. Kannst du mich zum Hafen bringen?«

Ich setzte mich an den Tisch. Ich war überhaupt nicht darauf vorbereitet, daß sie fortgehen wollte. »Wohin willst du?«

»Ich habe verschiedene Aufgaben zu erledigen.«

»Harriets Wohnung kann doch ein paar Tage warten.«

»Das ist es nicht, woran ich denke. Erinnerst du dich an die Höhle mit den Zeichnungen, die von Schimmel befallen ist?«

»Ich dachte, du wolltest die Politiker mit Briefen überfallen?«

Sie schüttelte den Kopf. »Briefe bewirken nichts. Ich muß etwas anderes tun.«

»Was?«

»Ich weiß nicht. Noch nicht. Dann verreise ich, um einige von Caravaggios Gemälden zu sehen. Ich habe jetzt Geld. Harriet hat fast zweihunderttausend Kronen hinterlassen. Sie hat mir hin und wieder Geld gegeben. Außerdem bin ich sparsam gewesen. Du hast dich sicher über das Geld gewundert, das du beim Durchstöbern meines Wohnwagens entdeckt hast. Sparsamkeit, sonst nichts. Ich habe in meinem Leben nicht nur Briefe geschrieben. Hin und wieder habe ich wie andere gearbeitet. Und ich habe nichts vergeudet.«

»Wie lange wirst du fort sein? Wenn du nicht zurückkommst, will ich, daß du deinen Wohnwagen mitnimmst. Hier auf der Insel hat er nichts zu suchen.«

»Warum wirst du so böse?«

»Ich bin traurig darüber, daß du verschwindest und bestimmt nie wiederkommst.«

Sie stand heftig auf. »Ich bin nicht wie du. Ich kehre zurück. Außerdem habe ich dir erzählt, daß ich verreise. Wenn mein Wohnwagen nicht stehen bleiben kann, schlage ich vor, daß du ihn ebenfalls verbrennst. Ich gehe jetzt packen. In einer Stunde bin ich bereit zum Aufbruch. Fährst du mich oder fährst du mich nicht?«

Es war windstill, das Meer spiegelblank, als ich sie mit dem Boot, dessen Motor gleich neben der Brücke unheilvoll zu stottern begann, dann aber ansprang, zum Festland fuhr. Louise saß im Vorschiff und lächelte. Ich bereute meinen Ausbruch.

Drinnen am Hafen wartete ein Taxi. Sie hatte nur einen Rucksack dabei. »Ich werde anrufen«, sagte sie. »Ich werde Karten schicken.«

»Wie kann ich dich erreichen?«

»Du hast die Nummer von meinem Mobiltelefon. Ich kann nicht versprechen, daß ich es immer eingeschaltet habe. Aber ich verspreche, auch eine Karte an Andrea zu schicken.«

»Schicke auch eine an Jansson. Er wird vor Freude außer sich sein.«

Sie hockte sich hin, um mir näher zu sein. »Mach meinen Wohnwagen schön, bis ich zurückkomme. Räum ihn auf. Putze meine roten Schuhe, die ich zurückgelassen habe.«

Sie strich mit der Hand über meine Stirn und stieg in ein Taxi, das den Hang hinauf verschwand. Ich nahm meinen Reservekanister und ging hinunter zum Schiffsladen, um ihn nachzufüllen. Der Hafen lag fast verlassen da. Die Sommerboote waren verschwunden.

Als ich zurückkam, ging ich rund um die Insel und

suchte noch einmal nach meiner Katze. Ich fand sie nicht. Jetzt war ich einsamer auf meiner Insel, als ich es während der Jahre, die ich hier gewohnt hatte, jemals gewesen war.

Es vergingen ein paar Wochen. Alles kehrte wieder zu dem Zustand zurück, in dem es zuvor gewesen war. Jansson kam in seinem Boot, hin und wieder mit einem Brief von Agnes, aber keinem von Louise. Ich rief sie an, ohne daß sie sich meldete. Meine Nachrichten auf ihrem Beantworter waren wie geistlose kleine Tagebuchnotizen über Wind und Wetter und die Katze, die auf so rätselhafte Weise verschwunden war.

Vermutlich hatte der Fuchs die Katze geholt. Und dann schwimmend die Insel verlassen.

Die Unruhe nahm zu. Ich dachte, ich würde es bald nicht länger aushalten. Ich mußte von der Insel weg. Aber ich wußte nicht, wohin.

Der September kam mit einem Sturm aus Nordost. Noch immer kein Lebenszeichen von Louise. Auch Agnes war verstummt. Ich saß meist am Küchentisch und starrte durch das Fenster hinaus. Die Landschaft da draußen schien zu erstarren. Es war, als wäre dieses ganze Haus, in dem ich mich befand, langsam auf dem Weg, von einem riesigen Ameisenhügel eingeschlossen zu werden, der lautlos höher und höher wuchs.

Der Herbst wurde härter. Ich wartete.

Wintersonnenwende

I

IN DER Nacht zum 3. Oktober kam der Frost.

Ich sah in meinen alten Logbüchern, daß es noch nie so früh Minusgrade gegeben hatte, seit ich auf der Insel wohne. Ich wartete immer noch darauf, daß Louise etwas von sich hören ließe. Noch war nicht einmal eine Ansichtskarte gekommen.

Am Abend klingelte das Telefon. Es war eine Frau, die fragte, ob ich Fredrik Welin sei. Ich meinte ihren Dialekt, ebenso wie die Stimme, wiederzuerkennen. Als sie sagte, sie heiße Anna Ledin, sagte mir das nichts.

»Ich bin Polizistin. Wir haben uns schon einmal getroffen.«

Da wußte ich es. Die Frau, die tot auf ihrem Küchenfußboden lag. Anna Ledin war die junge Polizistin mit dem Pferdeschwanz unter der Uniformmütze.

»Ich rufe wegen des Hundes an«, sagte sie. »Sara Larssons Spaniel, den wir mitgenommen haben. Niemand hat einen Anspruch auf den Hund erhoben. Wir hätten ihn zur Tötung weggeben müssen. Da habe ich mich um ihn gekümmert. Es ist eine schöne Hündin. Jetzt habe ich einen Mann kennengelernt, der allergisch gegen Hunde ist. Ich will sie immer noch nicht töten lassen. Da sind Sie mir eingefallen. Ich hatte Ihren Namen und Ihre Adresse notiert. Ich wollte Sie fragen, ob Sie sich vorstellen könnten, die Hündin in Ihre Obhut zu nehmen. Sie müssen Hunde mögen, da Sie angehalten haben, als Sie sie draußen an der Straße sahen.«

Da war nicht das geringste Zögern, als ich antwortete.

»Meine Hündin ist kürzlich gestorben. Ich kann mich um sie kümmern. Wie kommt sie hierher?«

»Ich bringe sie Ihnen. Ich habe herausgefunden, daß Sara Larsson sie Rubin genannt hat. Ein ziemlich ungewöhnlicher Name für einen Hund, aber ich habe ihn nicht geändert. Sie ist fünf Jahre alt.«

»Wann haben Sie vor zu kommen?«

»Ende nächster Woche.«

Ich wagte es nicht, sie in meinem eigenen Boot nach Hause zu bringen, da es so klein war. Ich traf eine Verabredung mit Jansson. Er stellte viele Fragen betreffs des Hundes, aber ich antwortete nur einsilbig, daß ich ihn geerbt hätte. Er fragte nicht weiter.

Nachmittags um drei am 12. Oktober kam Anna Ledin mit dem Hund angefahren. Sie sah ganz anders aus, wenn sie keine Uniform trug.

»Ich wohne auf einer Insel«, sagte ich. »Dort wird sie die Alleinherrscherin sein.«

Sie gab mir die Leine. Rubin setzte sich neben mich.

»Ich fahre sofort ab«, sagte sie. »Sonst muß ich weinen. Kann ich anrufen und fragen, wie es geht?«

»Natürlich können Sie das.«

Sie setzte sich ins Auto und fuhr davon. Rubin zog nicht an der Leine, um dem Auto nachzulaufen. Sie zögerte auch nicht, in Janssons Boot zu springen.

Wir fuhren über die Bucht mit ihrem dunklen Wasser. Vom Finnischen Meerbusen her waren kalte Winde hereingezogen.

Als wir an Land gekommen waren und Jansson davongefahren war, ließ ich sie von der Leine. Sie verschwand zwischen den Klippen. Nach einer halben Stunde kam sie zurück. Die Einsamkeit fühlte sich nicht mehr so lastend an.

Es war Herbst geworden.

Ich fragte mich fortwährend, was mit mir geschah. Und warum Louise nichts von sich hören ließ.

2

MIR GEFIEL der Name der Hündin nicht.

Es schien auch nicht so, als würde sie ihn schätzen, da sie selten kam, wenn ich sie rief. Kein Hund heißt Rubin. Warum hatte Sara Larsson ihr diesen Namen gegeben? Eines Tages, als Anna Ledin anrief, um zu hören, wie es ging, fragte ich sie, ob sie wisse, wie der Hund seinen Namen bekommen habe.

Die Antwort, die sie mir gab, war erstaunlich. »Es ging das Gerücht, daß Sara Larsson in ihrer Jugend als Putzfrau auf einem Lastschiff gearbeitet hatte, das oft in Antwerpen anlegte. Sie musterte ab und wurde Putzfrau in einer Diamantenschleiferei. Vielleicht war es die Erinnerung an die Edelsteine, die sie auf diesen Namen gebracht hat.«

»Diamant wäre besser gewesen.«

Plötzlich entstand ein Lärm um Anna Ledin herum. Ich hörte ferne Stimmen, Schreien und Brüllen, und jemand, der auf Blech zu hämmern schien.

»Ich muß jetzt aufhören.«

»Wo sind Sie?«

»Wir nehmen gerade einen Mann fest, der auf einem Schrottplatz Amok läuft.«

Das Gespräch brach ab. Ich versuchte, es vor mir zu sehen: Die zarte kleine Anna Ledin mit gezogener Waffe und dem Pferdeschwanz, der hinter der Uniformmütze baumelte. Es war bestimmt kein Spaß, ihrem Eingreifen ausgesetzt zu sein.

Ich taufte die Hündin auf Carra um. Daß es teilweise

um meine Tochter ging, die nie etwas von sich hören ließ, und um ihr Interesse für Caravaggio, ergab sich von selbst. Aber warum gibt man einem Tier einen bestimmten Namen? Ich weiß es nicht.

Es bedurfte eines Trainings von einigen Wochen, um sie Rubin vergessen zu lassen und zu einer Carra zu machen, die widerwillig angelaufen kam, wenn ich sie rief.

Der Oktober verging mit wechselndem Wetter, einer ziemlich warmen Woche, wie verspätete Hundstage, und anderen Tagen mit beißenden Winden aus Nordost. Manchmal, wenn ich aufs Meer hinaussah, konnte ich mit dem Blick den Vogelscharen folgen, die sich unruhig versammelten, um dann plötzlich nach Süden aufzubrechen.

Es gibt eine besondere Art von Wehmut, die sich mit den Zugvögeln einstellt, wenn sie davonfliegen. Auf die gleiche Weise, wie man Freude empfinden kann, wenn sie wiederkommen. Der Herbst schließt sein Buch, der Winter naht.

Jeden Morgen, wenn ich aufwachte, fühlte ich in meinem Körper nach, ob neue Beschwerden des Alters sich zeigten. Zuweilen beunruhigte es mich, daß mein Urinstrahl immer kraftloser wurde. Es lag etwas besonders Erniedrigendes in dem Gedanken, zu sterben, weil mit dem Urinabgang etwas nicht stimmte. Es fiel mir schwer, mir vorzustellen, daß die alten griechischen Philosophen oder die römischen Kaiser an Prostatakrebs gestorben sind. Auch wenn es natürlich so war.

Ich dachte über mein Leben nach und machte hin und wieder einen nichtssagenden Eintrag in mein Logbuch. Ich notierte nicht mehr, woher der Wind kam und wie kalt oder warm es war. Ich gab erfundene Windrichtungen und Temperaturen an. Am 27. Oktober dieses Jahres schrieb ich für die Zukunft nieder, daß meine Insel von einem Taifun heimgesucht worden sei und daß die Temperatur am Abend plus 37 Grad betragen habe.

Ich saß an meinen verschiedenen Gedankenorten. Meine Insel war so wunderbar beschaffen, daß es immer irgendwo eine Leeseite gab. Der starke Wind konnte nie als Ausflucht dienen. Ich suchte den Windschatten, und dann saß ich da und fragte mich, warum ich mich entschieden hatte, der zu werden, der ich bin. Ein paar von den Grundsteinen waren natürlich leicht zu entdecken. Ich hatte den Sprung aus meinem dürftigen Herkunftsmilieu heraus getan, wobei die tägliche Erinnerung an das demütigende Leben, das mein Vater leben mußte, mir genug Kraft gab, um aufzubrechen. Aber ich erkannte auch, daß ich es dem Zufall zu verdanken hatte, in einer Zeit geboren zu sein, die solche Sprünge erlaubte. Eine Zeit, in der das Kind eines Kellners Abitur machen und sogar Arzt werden konnte. Aber warum war ich ein Mensch geworden, der nach Verstecken suchte statt nach Gemeinschaft? Warum hatte ich keine Kinder haben wollen? Warum hatte ich immer ein Leben wie ein Fuchs geführt, mit vielen Ausgängen aus dem Bau?

Die verdammte Amputation, für die ich keine Verantwortung übernehmen wollte, war eine Sache. Ich war nicht der einzige orthopädische Chirurg auf der Welt, dem so etwas widerfahren war.

Es gab in diesem Herbst Augenblicke, in denen mich Panik befiel. Das führte zu endlosen Abenden vor dem Fernseher und zu schlaflosen Nächten, in denen ich das Leben, das ich geführt hatte, ebenso betrauerte wie verfluchte.

Schließlich kam ein Brief von Louise als eine Art Rettungsring für den Ertrinkenden. Sie schrieb, sie habe viele Tage damit verbracht, Harriets Wohnung auszuräumen. Dem Brief hatte sie eine Anzahl von Fotografien beigelegt, die sie zwischen Harriets Papieren gefunden hatte, Fotografien, von denen sie nichts geahnt hatte. Verdutzt saß ich da und starrte auf Bilder von Harriet und mir, damals vor 40 Jahren aufgenommen. Harriet erkannte ich, blickte aber fremd und fast erschüttert auf mich selbst. Auf einer Fotografie, irgendwann um 1966 in Stockholm aufgenommen, trug ich einen Bart, und das hatte ich vergessen. Wer das Bild gemacht hatte, wußte ich nicht. Es faszinierte mich, daß im Hintergrund ein Mann stand, der aus einer Branntweinflasche trank.

An ihn erinnerte ich mich. Aber wohin waren Harriet und ich unterwegs gewesen? Woher kamen wir? Wer hatte das Bild aufgenommen?

Verwundert blätterte ich die Fotografien durch. Meine Erinnerungen hatte ich in einen Raum verbannt, den ich abgeschlossen und dessen Schlüssel ich weggeworfen hatte.

Louise schrieb, wieviel sie während der Tage und Wochen, in denen sie mit dem Ausräumen der Wohnung beschäftigt gewesen sei, von ihrer Kindheit entdeckt habe. »Aber vor allem wurde mir klar, daß ich eigentlich nie etwas über meine Mutter gewußt habe«, schrieb sie. »Hier gab es Briefe und vereinzelte, nie besonders ausdauernde Tagebücher, die von Gedanken und Erlebnissen berichteten, die sie nie an mich weitergegeben hatte. Beispielsweise träumte sie davon, Fliegerin zu werden. Zu mir sagte sie immer, sie sei jedesmal, wenn ihr eine Flugreise bevorstand, starr vor Schreck gewesen. Sie wollte einen Rosengarten auf Gotland anlegen, sie versuchte ein Buch zu schreiben, das nie fertig wurde. Am meisten aber hat mich getroffen, daß ich entdeckte, wie viele Unwahrheiten sie mir erzählt hat. Erinnerungsbilder aus meiner Kindheit tauchen auf, und Mal für Mal ertappe ich sie dabei, daß sie mich angelogen hat. Einmal war eine ihrer Freundinnen krank, und sie mußte sie besuchen. Ich erinnere mich daran, daß ich weinte und sie bat, zu Hause zu bleiben, aber ihre Freundin war so furchtbar krank. Sie mußte zu ihr fahren. Jetzt entdecke ich, daß sie mit einem Mann, den sie zu heiraten hoffte, der dann aber rasch aus ihrem Leben verschwand, nach Frankreich gefahren war. Ich will dich nicht mit Details von dem ermüden, was ich gefunden habe. Aber ich weiß jetzt, daß man in seinem Leben aufgeräumt haben muß, bevor man stirbt. Es wundert mich, daß Harriet, die so lange wußte, daß sie todkrank war, sich nicht selbst zum Wegwerfen und Verbrennen entschlossen hat. Ihr muß klargewesen sein, was ich hier vorfinden würde. Ich kann es mir nur so erklären, daß sie mich wissen lassen wollte, daß sie in vielerlei Hinsicht nicht diejenige war, für die ich sie gehalten habe. War es ihr wichtig, mir die Wahrheit zu offenbaren, obwohl mir klarwerden würde, daß sie mich so viele Male angelogen hatte? Noch immer kann ich mich nicht entscheiden, ob ich sie respektieren oder gemein finden soll. Jetzt ist die Wohnung leer, ich werfe ihre Schlüssel durch den Briefschlitz und mache mich davon. Ich werde den Höhlen einen Besuch abstatten und Caravaggio mitnehmen.«

Der letzte Satz in dem Brief verblüffte mich. Wie würde sie Caravaggio in die französischen Höhlen mitnehmen können, die sie beschützen wollte? Gab es eine Botschaft zwischen den Zeilen, die ich nicht deuten konnte?

Sie hatte keine Adresse angegeben, an die ich eine Antwort schicken konnte. Trotzdem setzte ich mich noch am selben Abend hin und begann zu schreiben. Ich kommentierte die Fotografien, erzählte von meinem eigenen nachlassenden Gedächtnis und schilderte ihr auch meine Wanderungen mit Carra über die Klippen. Ich versuchte ihr zu erklären, wie ich durch mein Leben tappte, als wäre ich in eine dornige Buschlandschaft geraten, durch die es kaum ein Vorwärtskommen gab.

Vor allem schrieb ich, wie sehr sie mir fehlte. Das wiederholte ich ein ums andere Mal in dem Brief.

Ich klebte den Umschlag zu, frankierte ihn und schrieb ihren Namen darauf. Dann sollte er da liegen, in der Erwartung, daß sie mir vielleicht eines Tages ihre Adresse schicken würde.

Ich war an diesem Abend gerade zu Bett gegangen, als das Telefon klingelte. Ich bekam Angst, das Herz schlug stark. Es konnte keine gute Botschaft sein, die mir jemand so spät abends übermitteln wollte. Ich ging hinunter in die Küche und nahm den Hörer ab. Carra lag auf dem Boden und sah mich an.

»Hier ist Agnes. Ich hoffe, ich habe dich nicht geweckt.«

»Das wäre auch egal. Ich schlafe sowieso viel zuviel.«

»Ich komme jetzt.«

»Stehst du am Kai drinnen im Hafen?«

»Noch nicht. Ich habe vor, morgen zu kommen, wenn das paßt.«

»Natürlich paßt es.«

»Kannst du mich abholen?«

Ich horchte auf den Wind und die Wellen, die sich an den Felsplatten am Norrudden brachen. »Es stürmt zu sehr für mein kleines Boot. Ich werde jemand beauftragen. Wann kommst du an?«

»Gegen Mittag.«

»Ich werde dafür sorgen, daß dich jemand abholt.«

Sie beendete das Gespräch genauso abrupt, wie es angefangen hatte. Ich spürte, daß sie besorgt war. Sie hatte es offenbar eilig zu kommen.

Um fünf Uhr morgens begann ich zu putzen. Ich wechselte den Beutel in meinem uralten Staubsauger und entdeckte, daß der Staub sich wieder über mein Haus gelegt hatte. Ich brauchte drei Stunden, um es einigermaßen sauber zu bekommen. Nachdem ich mein Bad genommen, mich abgetrocknet und die Heizung in Gang gebracht hatte, setzte ich mich an den Küchentisch, um Jansson anzurufen. Aber ich wählte statt dessen die Nummer der Küstenwache. Hans Lundman war in einem der Boote unterwegs, rief aber nach einer Viertelstunde zurück.

Ich fragte, ob er eine Frau am Kai abholen und zu mir bringen könnte. »Ich weiß, daß es dir nicht erlaubt ist, Passagiere zu befördern«, sagte ich. »Ich weiß, daß es verboten ist.«

»Wir können ja immer eine Patrouille an deiner Insel vorbeischicken«, antwortete er. »Wie heißt der Passagier?«

»Es ist eine Frau. Du kannst sie nicht verfehlen. Sie ist einarmig.«

Hans und ich ähnelten uns. Im Gegensatz zu Jansson verbargen wir unsere Neugier und stellten selten unnötige Fragen. Allerdings glaube ich nicht, daß Hans in den Papieren und Habseligkeiten seiner Mitarbeiter herumstöberte.

Ich nahm Carra mit und ging um die Insel herum. Es war der erste November, das Meer wurde immer grauer, die Bäume verloren ihre letzten Blätter. Ich empfand eine große Erwartung angesichts von Agnes' Besuch. Zu meinem Erstaunen merkte ich, daß er mich erregte. In Gedanken stand sie nackt mit ihrem Armstumpf in meiner Küche. Ich setzte mich auf die Bank am Steg und träumte von einer unmöglichen Liebesgeschichte. Was Agnes wollte, wußte ich nicht. Aber sie kam wohl kaum her, um mir ihre Liebe zu erklären.

Ich brachte Simas Schwert und ihre Tasche vom Bootshaus in die Küche. Agnes hatte nicht gesagt, ob sie bleiben würde, aber ich machte das Bett im Zimmer des Ameisenhügels zurecht.

Ich hatte mich dazu entschlossen, den Ameisenhügel in meiner Schubkarre wegzufahren und ihm einen Platz auf dem alten Weideland zu geben, das jetzt von Gestrüpp überwachsen war. Aber wie so vieles, hatte ich es nicht geschafft.

Gegen elf rasierte ich mich und suchte Kleider heraus, die ich anzog und dann verwarf. Der bevorstehende Besuch machte mich nervös wie einen Teenager. Schließlich kehrte ich zu meinen gewöhnlichen Sachen zurück, dunkle Hosen, abgeschnittene Stiefel und ein dicker Pullover, an dem lose Fäden hängen. Aus meiner Tiefkühltruhe hatte ich schon am Morgen ein Hähnchen geholt.

Ich ging herum und wischte Staub, wo ich schon naß gewischt hatte. Um zwölf zog ich die Jacke an und ging hinunter zum Steg, um zu warten. Es war kein Posttag, Jansson würde nicht kommen und stören. Carra saß längst ganz draußen auf dem Steg und schien zu ahnen, daß sich etwas anbahnte.

Hans Lundman kam mit dem großen Kreuzer von der Küstenwache. Schon von weitem konnte ich die starken

Motoren hören. Als das Schiff sich zur Mündung der Bucht vorschob, stand ich von der Bank auf. Hans legte nur mit dem Bug an, da es am Steg seicht war. Agnes kam mit einem Rucksack über der Schulter aus dem Steuerhaus. Hans trug Uniform. Er stützte sich mit den Händen an der Reling ab.

»Danke für die Hilfe«, sagte ich.

»Ich wollte sowieso vorbeikommen. Wir fahren Richtung Gotland und suchen nach einem herrenlosen Segelboot.«

Wir standen da und sahen, wie das große Schiff rückwärts ablegte. Agnes' Haare flatterten im Wind. Ich empfand eine fast unwiderstehliche Lust, sie zu küssen.

»Es ist schön hier«, sagte sie. »Ich habe versucht, mir deine Insel vorzustellen. Jetzt sehe ich, daß es falsch war.«

»Was hast du gesehen?«

»Dichtes Laub. Nicht nur Klippen zum offenen Meer hin.«

Der Hund kam uns entgegen.

Agnes sah mich fragend an. »Du hast doch geschrieben, der Hund sei tot.«

»Ich habe einen anderen bekommen. Von einer Polizistin. Es ist eine lange Geschichte. Der Hund heißt Carra.«

Wir gingen hinauf zum Haus. Ich wollte ihren Rucksack tragen, aber sie schüttelte den Kopf. Als wir in die Küche kamen, sah sie als erstes Simas Schwert und Tasche.

Sie setzte sich auf einen Stuhl. »Ist es hier geschehen? Ich will, daß du erzählst. Sofort. Jetzt.«

Ich berichtete ihr von all den unschönen Details, die ich für immer im Gedächtnis behalten sollte. Ihre Augen wurden blank. Es war eine Grabrede, die ich hielt, keine klinische Betrachtung über einen Selbstmord, der in einem Krankenhausbett vollendet worden war. Als ich verstummte, hatte sie keine Fragen. Sie ging nur den Inhalt der Tasche durch.

»Warum hat sie es hier gemacht?« fragte ich. »Irgendetwas muß doch geschehen sein, als sie hierher kam. Ich hätte mir überhaupt nicht vorstellen können, daß sie versuchen würde, sich das Leben zu nehmen.«

»Vielleicht hat sie hier eine Geborgenheit gefunden. Etwas, was sie nicht erwartet hatte.«

»Geborgenheit? Aber sie hat sich doch das Leben genommen!«

»Vielleicht ist die Verzweiflung so groß, daß man Geborgenheit braucht, um den Mut zu haben, den äußersten Sprung in den Tod zu tun? Vielleicht entdeckte sie das hier in deinem Haus? Sie hat wirklich versucht, sich umzubringen. Sie wollte nicht mehr leben. Sie schnitt sich nicht, um nach Hilfe zu rufen. Sie schnitt sich, um nicht länger ihre eigenen Schreie in sich widerhallen zu hören.«

Ich erkundigte mich, wie lange sie vorhatte zu bleiben. Sie fragte, ob sie hier übernachten könnte. Ich zeigte ihr das Bett in dem Zimmer, das die Ameisen bewohnten. Sie brach in Gelächter aus. Natürlich konnte sie hier schlafen. Ich sagte, es würde Hähnchen zum Abendessen geben. Agnes verschwand im Badezimmer. Als sie wieder herauskam, hatte sie sich umgezogen und die Haare hochgesteckt.

Sie bat mich, ihr die Insel zu zeigen. Carra folgte in unseren Spuren. Ich erzählte von jenem Tag, als sie dem Auto nachgerannt war und uns zum toten Körper von Sara Larsson geführt hatte. Ich merkte, daß mein Gerede sie störte. Sie wollte das genießen, was sie sah. Es war ein kühler Herbsttag, der dünne Teppich aus Heidekraut duckte sich im schneidenden Wind. Das Meer war blei-grau, alter Tang lag auf den Klippen und roch. Verein-zelte Vögel flogen aus den Felsklüften auf und ruhten auf den Aufwärtswinden, die sich immer an den Klippenrän-dern bilden. Wir kamen hinaus auf Norrudden, wo nur die kargen Felsplatten auftauchen, die ihre Rücken kaum über die Meeresoberfläche erheben, bevor das offene Meer beginnt. Ich stand ein wenig abseits und betrachtete sie. Sie schien hingerissen von dem, was sie sah.

Dann wandte sie sich zu mir hin und rief im Wind. »Eines verzeihe ich dir nie. Daß ich nicht mehr applau-dieren kann. Es ist ein menschliches Recht, innerlich jubeln zu können und dann dem Jubel Ausdruck zu verleihen, indem man die Handflächen gegeneinander klatscht.«

Darauf gab es für mich natürlich nichts zu antworten. Das wußte sie auch.

Sie kam zu mir hin und kehrte dem Wind den Rücken zu. »Ich habe das schon getan, als ich ein Kind war.«

»Was getan?«

»Applaudiert, wenn ich in die Natur hinauskam und etwas Schönes sah. Warum soll man nur applaudieren, wenn man in einem Konzertsaal sitzt oder einen Vortrag hört? Warum kann man nicht hier draußen auf den Klip-pen stehen und applaudieren? Ich glaube, ich habe nie et-was Schöneres gesehen als diesen Ausblick. Ich beneide dich darum, so zu leben.«

»Ich kann für dich applaudieren«, sagte ich.

Sie nickte und dirigierte mich hinaus auf die höchste und äußerste Klippe. Sie rief »Bravo!«, und ich applau-dierte. Es war ein seltsames Erlebnis.

Wir setzten unsere Wanderung fort und gelangten hinunter zu dem Wohnwagen an der Rückseite des Boots-hauses.

»Kein Auto«, sagte sie. »Kein Auto, keine Straße, aber ein Wohnwagen. Und ein Paar schöne rote hochhackige Schuhe.«

Die Tür stand offen. Ich hatte ein Holzstück als Blok-kade hingelegt, damit die Tür nicht schlug. Die Schuhe standen da und leuchteten. Wir setzten uns auf die Bank im Lee. Ich erzählte von meiner Tochter und von Har-riets Tod. Ich vermied es, meinen Verrat zu beschreiben. Plötzlich merkte ich, daß Agnes nicht zuhörte. Sie dachte an etwas anderes, und ich verstand, daß es einen Grund für ihren Besuch gab. Sie wollte nicht nur meine Küche sehen und das Schwert und die Tasche abholen.

»Es ist kalt«, sagte sie. »Vielleicht ist es so, daß einar-mige Menschen schneller frieren. Das Blut ist gezwun-gen, andere Wege zu nehmen.«

Wir gingen hinauf und setzten uns in die Küche. Ich zündete eine Kerze an und stellte sie auf den Tisch. Die Dämmerung war schon angebrochen.

»Sie nehmen mir das Haus weg«, sagte sie plötzlich. »Ich habe es gemietet, ich konnte mir nie leisten, es zu kaufen. Jetzt nehmen die Besitzer es mir weg. Ohne das Haus kann ich meine Tätigkeit nicht fortsetzen. Ich kann natürlich Arbeit in einer anderen Institution bekommen. Aber das will ich nicht.«

»Wem gehört das Haus?«

»Zwei reichen Schwestern, die in Lausanne wohnen. Sie haben ihr Vermögen mit betrügerischen Gesundheits-produkten gemacht, für die sie immer wieder Werbever-bot bekommen. Das Zeug besteht nur aus wertlosem Pulver, mit Vitaminen vermischt. Aber sie kommen so-fort mit neuen Namen und neuen Verpackungen wieder heraus. Das Haus gehörte ihrem Bruder, der keine anderen Erben hatte. Jetzt nehmen sie das Haus zurück, da die Dorfbewohner sich über meine Mädchen beschwert haben. Sie nehmen mir das Haus weg und sie nehmen mir die Mädchen weg. Wir leben in einem Land, in dem die Leute wollen, daß diejenigen, die nicht die Norm erfüllen, am besten tief im Wald oder auf Inseln wie dieser isoliert werden. Ich spürte, daß ich wegkommen mußte, um nachzudenken. Vielleicht, um zu trauern. Vielleicht, um zu träumen, daß ich genug Geld hätte, um das Haus zu kaufen. Aber das hatte ich nie.«

»Wenn ich es könnte, würde ich es kaufen.«

»Ich bin nicht gekommen, um dich darum zu bitten.«

Sie stand vom Eßtisch auf. »Ich gehe hinaus«, sagte sie. »Ich gehe einmal um die Insel herum, ehe es zu dunkel wird.«

»Nimm den Hund mit«, sagte ich. »Rufe sie, dann wird sie dir folgen. Sie ist eine gute Wandergefährtin. Sie bellt nie. Inzwischen bereite ich das Essen vor.«

Ich stand in der Haustür und sah sie über die Klippen verschwinden. Carra drehte ein paarmal den Kopf, um zu sehen, ob ich sie nicht zurückrief. Ich begann mit dem Kochen, während ich mir vorstellte, daß ich Agnes küßte.

Es kam mir in den Sinn, daß schon viele Jahre vergangen waren, seit ich mit dem Tagträumen aufgehört hatte. Ich hatte keine Tagträume mit mir herumgetragen und ich hatte kein erotisches Leben geführt.

Agnes wirkte weniger bedrückt, als sie zurückkam. »Ich muß gestehen«, sagte sie, bevor sie auch nur die Jacke ausgezogen und sich hingesetzt hatte. »Ich muß gestehen, daß ich nicht der Versuchung widerstehen konnte, die Schuhe deiner Tochter anzuprobieren. Sie passen mir perfekt.«

»Ich kann sie dir nicht geben, selbst wenn ich wollte.«

»Meine Mädchen würden mich totschlagen, wenn ich in hochhackigen Schuhen ankäme. Sie würden glauben, ich hätte mich verwandelt und wäre jemand anders geworden.«

Sie kauerte sich auf der Küchenbank zusammen und folgte mir mit dem Blick, als ich deckte und das Essen auftrug. Ich stellte ihr ein paar Fragen über das, was im Begriff war zu geschehen. Da sie einsilbig antwortete, verstummte ich. Wir beendeten die Mahlzeit, ohne noch etwas zu sagen. Die Dunkelheit war draußen vor den Fenstern angebrochen. Wir tranken Kaffee. Ich hatte in dem alten Holzherd Feuer gemacht, den ich nur an richtig kalten Wintertagen als Wärmequelle benutze. Der Wein, den wir zum Essen getrunken hatten, machte sich bei mir bemerkbar. Auch Agnes wirkte nicht ganz nüchtern. Als ich unsere Kaffeetassen nachgefüllt hatte, brach sie ihr Schweigen.

Plötzlich begann sie von ihrem Leben und den schweren Jahren zu erzählen. »Ich habe nach Trost gesucht«, sagte sie. »Ich habe versucht, Alkohol zu trinken. Aber ich mußte mich immer übergeben. Da bin ich dazu übergegangen, Haschisch zu rauchen. Das machte mich nur schläfrig und krank und verstärkte meine Angst vor dem, was geschehen war. Ich versuchte Liebhaber zu finden, die es ertrugen, daß mir ein Arm fehlte, ich begann mit Behindertensport und wurde eine ganz gute, aber immer lustlosere Mittelstreckenläuferin. Ich veröffentlichte Gedichte und Leserbriefe in verschiedenen Zeitungen, ich studierte die Geschichte der Amputation. Ich suchte Arbeit als Moderatorin in sämtlichen schwedischen TV-Kanälen und auch in einigen ausländischen. Aber nirgendwo gab es den Trost, morgens aufwachen zu können, ohne an das Unerträgliche zu denken, was geschehen war. Ich versuchte natürlich, eine Prothese zu tragen, aber sie funktionierte nie. Schließlich stellte ich mich eines Tages, drei Jahre nach der Operation, nackt vor den Spiegel, als stünde ich vor einem Gericht und würde bekennen, daß ich einarmig war. Da blieb nur noch Gott. Ich erhoffte Trost im Kniefall. Ich las die Bibel, ich versuchte, mich dem Koran zu nähern, ich besuchte die Zeltversammlungen der Pfingstkirche und die entsetzliche Kirche, die Worte des Lebens heißt. Ich tastete mich zu verschiedenen Sekten vor und überlegte, in ein Kloster zu gehen. Ich fuhr in diesem Herbst nach Spanien und ging den langen Weg nach Santiago de Compostela. Ich folgte dem Pilgerweg, beschwerte, wie man es tun sollte, den Rucksack mit einem Stein, den ich wegwerfen würde, wenn ich die Lösung meiner Probleme gefunden hätte. Ich nahm einen Stein, der vier Kilo wog. Den schleppte ich den ganzen Weg mit mir und legte ihn erst ab, als ich angekommen war. Die ganze Zeit hoffte ich, daß Gott sich zeigen und mit mir reden würde. Aber er war zu leise. Ich hörte seine Stimme nicht. Ununterbrochen schrie jemand im Hintergrund und übertönte ihn.«

»Wer?«

»Der Teufel. Er schrie. Ich lernte, daß Gott mit flüsternder Stimme spricht, während der Teufel schreit. Es gab für mich keinen Platz in dem Kampf, der zwischen den beiden ausgefochten wird. Als ich die Kirchentür hinter mir zuschlug, blieb mir nichts. Es war kein Trost zu finden. Das war ein Trost an sich, entdeckte ich. Und so beschloß ich, mich denen zu widmen, die schlimmer dran waren als ich. Auf diese Weise kam ich in Kontakt mit den Mädchen, von denen sonst niemand etwas wissen wollte.«

Wir tranken den Wein, der noch übrig war, und wurden immer betrunkener.

Mir fiel es schwer, mich auf das zu konzentrieren, was sie sagte, da ich sie berühren, mit ihr schlafen wollte. Wir wurden albern von allem, was wir tranken, sie erzählte von den verschiedenen Reaktionen, die ihr Armstumpf hervorgerufen hatte.

»Manchmal ließ ich mich von einem Hai vor Australien verschlingen. Oder ein Löwe hatte ihn in der Savanne in Botswana abgebissen. Ich nahm es mit den Einzelheiten nie genau, weil die Menschen dann daran glaubten, was ich sagte. Manchen Menschen, die ich aus verschiedenen Gründen nicht mochte, präsentierte ich gern richtig blutige und unangenehme Dinge. Bald behauptete ich, jemand hätte ihn mit einer Motorsäge abgesägt, bald war ich mit dem Arm in einer Maschine hängengeblieben, die ihn Zentimeter für Zentimeter gekappt hatte. Einmal brachte ich einen großen, starken Mann dazu, in Ohnmacht zu fallen. Das einzige, was ich nicht behauptete, war, daß der Arm in die Hände von Kannibalen geraten war, die ihn zerstückelt und gegessen hätten.«

Wir saßen draußen, um die Sterne zu sehen und dem Meer zu lauschen. Ich versuchte, ihr so nahe zu sein, daß ich sie streifte. Sie bemerkte es nicht.

»Es gibt eine Musik, die man nicht hört«, sagte sie.

»Die Stille singt. Das kann man hören.«

»Das meine ich nicht. Ich stelle mir eine Musik vor, die wir mit unseren Ohren nicht auffangen können. In ferner Zukunft, wenn unser Gehör verfeinert ist und neue Instrumente geschaffen wurden, können wir diese Musik hören und spielen.«

»Das ist ein schöner Gedanke.«

»Ich glaube, ich weiß, wie es klingen wird. Wie Menschenstimmen, wenn sie am allerklarsten sind. Menschen, die ohne Furcht singen.«

Wir gingen wieder hinein. Ich war jetzt so betrunken, daß ich schwankte. In der Küche goß ich Kognak ein.

Agnes legte die Hand über ihr Glas und erhob sich vom Tisch. »Ich muß schlafen«, sagte sie. »Es war ein merkwürdiger Abend. Ich bin nicht mehr so niedergeschlagen wie vorhin, als ich ankam.«

»Ich will, daß du hier bleibst«, sagte ich. »Ich will, daß du bei mir in meinem Zimmer schläfst.«

Ich stand auf und packte sie. Sie sperrte sich nicht, als ich sie an mich zog. Erst als ich sie zu küssen versuchte, leistete sie Widerstand. Sie sagte, ich solle aufhören, aber es gab kein Zurück mehr. Wir standen mitten im Zimmer und zogen und zerrten aneinander. Sie schrie mich an, aber ich drückte sie gegen die Tischkante, und wir glitten zu Boden. Da gelang es ihr, ihre Hand frei zu bekommen, und sie kratzte mich im Gesicht. Sie trat mich so fest in den Bauch, daß es mir den Atem nahm. Ich konnte nicht sprechen, ich suchte nach einem Ausweg, den es nicht gab, und sie hielt eins von meinen Küchenmesser vor sich.

Schließlich stand ich auf und setzte mich auf einen Stuhl.

»Warum hast du das getan?«

»Es tut mir leid. Ich wollte das nicht. Diese Einsamkeit macht mich verrückt.«

»Ich glaube dir nicht. Vielleicht bist du einsam, davon weiß ich nichts. Aber das war nicht der Grund, warum du auf mich losgegangen bist.«

»Ich wünschte, du könntest es vergessen. Verzeih mir. Ich sollte nicht trinken.«

Sie legte das Messer weg und stellte sich vor mich hin. Ich sah ihre Wut und ihre Enttäuschung. Es gab nichts, was ich hätte sagen können. Also fing ich an zu weinen. Zu meinem Erstaunen merkte ich, daß ich nicht weinte, um zu entkommen. Die Scham war echt.

Agnes setzte sich in die Ecke der Küchenbank. Sie hatte das Gesicht abgewandt und sah durch das dunkle Fenster hinaus.

Ich wischte mir das Gesicht mit Haushaltspapier ab und schneuzte mich. »Ich weiß, daß es unverzeihlich ist. Ich bereue es und wünschte, es wäre nicht geschehen.«

»Ich weiß nicht, was du tust oder was du dir einbildest. Wenn ich könnte, würde ich jetzt gehen. Aber es ist Nacht, es ist nicht möglich. Ich bleibe bis morgen hier.«

Sie stand auf und verließ die Küche. Ich hörte, daß sie einen Stuhl unter die Klinke der Zimmertür stellte. Ich ging hinaus und versuchte, durchs Fenster zu sehen. Sie hatte das Licht gelöscht. Vielleicht ahnte sie, daß ich da draußen stand und versuchte, sie zu sehen. Carra tauchte aus der Dunkelheit auf. Ich stieß sie mit dem Fuß weg. In diesem Moment war sie mir zuviel.

In dieser Nacht lag ich in meinem Zimmer wach. Um sechs ging ich in die Küche hinunter und lauschte an der Tür. Ob sie schlief oder wach war, konnte ich nicht erkennen. Ich setzte mich hin und wartete.

Um Viertel vor sieben öffnete sie die Tür und betrat die Küche. Sie hatte den Rucksack in der Hand. »Wie komme ich hier weg?«

»Es herrscht Flaute. Wenn du wartest, bis es hell wird, kann ich dich fahren.«

Sie begann, ihre Stiefel anzuziehen.

»Ich möchte etwas zu dem sagen, was heute nacht geschehen ist.«

Sie hob mit einer heftigen Bewegung die Hand. »Es gibt nichts mehr zu sagen. Du warst nicht der, für den ich dich hielt. Ich will so schnell wie möglich hier weg. Ich warte unten am Steg, bis es hell wird.«

»Kannst du dir nicht wenigstens anhören, was ich zu sagen habe?«

Sie antwortete nicht, sondern warf den Rucksack über die Schulter und verschwand hinaus in die Dunkelheit.

Bald würde es dämmern. Ich begriff, daß sie nicht auf mich hören würde, wenn ich zum Steg hinunterginge und versuchte, mit ihr zu reden.

Statt dessen setzte ich mich an den Tisch und schrieb einen Brief:

»Wir könnten deine Mädchen hierher umsiedeln. Laß die Schwestern und die Menschen im Dorf ihr Haus in Frieden haben. Ich habe das Recht, auf dem steinernen Fundament der alten Scheune ein Haus zu bauen. Das Bootshaus hat ein Zimmer, das isoliert und eingerichtet werden kann. Hier im Haus gibt es Zimmer, die leer stehen. Wenn ich einen Wohnwagen habe, kann ich auch noch einen hier hinstellen. Hier gibt es Platz genug.«

Ich ging hinunter zum Steg. Sie stand auf und stieg hinunter ins Boot. Ich reichte ihr den Brief, ohne etwas zu sagen. Sie zögerte, ob sie ihn annehmen sollte oder nicht. Dann steckte sie ihn in den Rucksack.

Das Meer war spiegelblank. Das Motorengeräusch zerriß die Stille und scheuchte Enten auf, die zum Meer hin verschwanden. Agnes saß mit abgewandtem Gesicht im Vorschiff.

Ich legte am niedrigsten Teil des Kais an und stellte den Motor ab. »Es geht ein Bus«, sagte ich. »Der Fahrplan hängt da an der Wand.«

Sie kletterte zum Kai hinauf, ohne etwas zu sagen.

Ich fuhr nach Hause und schlief. Am Nachmittag holte ich mein altes Rembrandtpuzzle heraus und schüttete die Teile auf den Tisch. Ich fing von vorn an und wußte, daß ich nie fertig werden würde.

Am Tag, nachdem Agnes abgereist war, blies ein nordöstlicher Sturm. Ich wachte davon auf, daß ein Fenster offen stand und schlug. In den Böen erreichte der Wind Orkanstärke. Ich zog mich an und ging hinunter, um die Vertäuungen des Boots zu überprüfen. Der Wasserstand war hoch. Die Wellen schlugen über den Steg und spritzten gegen die Wand des Bootshauses. Bei nordöstlichem Wind gehen die Wellen direkt ins Bootshaus. Ich sicherte das Heck mit einem Reservetau. Der Wind heulte an den Wänden. Als ich ein Kind war, konnte der starke Wind mich erschrecken. Das Bootshaus klang im Sturm wie die Stimmen von Menschen, die schrien und sich prügelten. Jetzt brachte der starke Wind Geborgenheit mit sich. Als ich da stand, fühlte ich mich unerreichbar.

Der Sturm hielt weitere zwei Tage an. An einem der Tage kam Jansson mit der Post. Ausnahmsweise war er verspätet.

Als er am Steg angelangt war, erzählte er, daß der Motor zwischen Röholmen und Höga Skärsnäset gestreikt hatte. »Ich habe noch nie Probleme gehabt«, klagte er. »Natürlich muß der Motor bei diesem Wetter Schwierigkeiten machen. Ich mußte einen Schleppanker auswerfen und wäre trotzdem fast zu den Untiefen bei Röholmen abgetrieben. Hätte ich ihn nicht doch noch in Gang gebracht, hätte ich da draußen Schiffbruch erlitten.«

Ich hatte ihn noch nie so aufgewühlt gesehen. Aus eigenem Antrieb bat ich ihn, sich auf die Bank zu setzen, damit ich seinen Blutdruck messen konnte. Er war eine

Spur erhöht, aber nicht mehr, als man nach dem, was er durchgemacht hatte, erwarten konnte.

Er stieg wieder hinunter ins Boot, das gegen den Steg schaukelte und schabte. »Ich habe keine Post«, sagte er. »Aber Hans Lundman hat eine Zeitung mitgeschickt.«

»Warum denn das?«

»Das hat er nicht gesagt. Sie ist von gestern.«

Er reichte mir eine der Großstadtzeitungen.

»Hat er gar nichts gesagt?«

»Nur, daß ich sie dir geben soll. Hans redet nicht mehr als nötig, wie du weißt.«

Ich schob das Vorschiff an, als Jansson in dem starken Gegenwind begann, rückwärts abzulegen. Als er abdrehte, wäre er fast im seichten Wasser auf Grund gelaufen. In letzter Sekunde bekam der Motor genug Kraft, und das Boot verließ die Bucht.

Als ich zum Haus gehen wollte, sah ich etwas Weißes an der Strandkante treiben, wo der Wohnwagen stand. Ich ging näher heran und sah, daß es ein toter Schwan war. Der lange Hals wand sich wie eine Schlange hinunter in den Tang. Ich ging zurück zum Bootshaus, legte die Zeitung auf das Werkzeugregal und zog ein Paar Arbeitshandschuhe an. Dann holte ich den Schwan heraus. Ein Nylonseil hatte sich tief in den Körper geschnitten und die Federn eingeschnürt. Er war verhungert, da er keine Nahrung suchen konnte. Ich trug ihn hinauf zu einer der Klippen. Krähen und Möwen würden ihn bald verspeist haben. Carra folgte mir und schnupperte an dem Vogel.

»Der ist nicht für dich«, sagte ich. »Er ist für andere.«

Das Puzzle langweilte mich plötzlich. Ich ging hinunter zum Bootshaus, holte eins meiner Flundernetze und begann, es instand zu setzen. Mein Großvater hatte mir mit großer Geduld beigebracht, wie man Taue spleißt und Netze flickt. Noch immer steckten das Wissen und die Technik in den Fingern. Ich saß da und reparierte Maschen, bis die Dämmerung anbrach. In Gedanken führte ich ein Gespräch mit Agnes über das, was geschehen war. In der eingebildeten Welt konnten wir uns versöhnen.

Am Abend aß ich die Reste des Hähnchens. Dann legte ich mich auf die Küchenbank und lauschte dem Wind. Ich wollte gerade das Radio einschalten, um die Nachrichten zu hören, als mir die Zeitung einfiel, die Jansson mitgebracht hatte. Ich nahm die Taschenlampe und ging hinunter zum Bootshaus, um sie zu holen.

Hans Lundman tat selten etwas ohne eine bestimmte Absicht. Ich setzte mich an den Küchentisch und ging die Zeitung sorgfältig durch. Irgendwo stand etwas, was er mich sehen lassen wollte.

Ich fand es auf der vierten Seite bei den Auslandsnachrichten. Es gab ein Bild von einem Gipfeltreffen mit den europäischen Staatsoberhäuptern, Präsidenten und Premierministern. Sie hatten sich für das Foto aufgestellt. Im Vordergrund befand sich eine nackte Frau, die ein Plakat hochhielt. Unter dem Bild standen ein paar Worte über den peinlichen Zwischenfall. Ein Frau in einem schwarzem Regenmantel hatte sich mit falschen Ausweisen Zutritt zur Pressekonferenz verschafft. Drinnen angekommen, hatte sie den Regenmantel fallen lassen und das Plakat hochgehoben. Ein paar Sicherheitswächter hatten sie rasch weggebracht. Ich betrachtete das Bild und bekam Magenschmerzen. In einer der Küchenschubladen hatte ich ein Vergrößerungsglas. Ich betrachtete das Bild noch einmal. Meine Unruhe wuchs in dem Maß, wie meine Ahnungen sich bestätigten. Es war Louise, die da stand. Ich erkannte ihr Gesicht, auch wenn es teilweise abgewandt war. Es gab keinen Zweifel, daß es Louise war, die das Plakat in einer triumphierenden und herausfordernden Geste über den Kopf hielt.

Der Text auf dem Plakat handelte von der Höhle, in welcher der Schimmel im Begriff war, die uralten Wandmalereien zu zerfressen.

Hans Lundman war eine scharfsichtige Person. Er hatte Louise erkannt. Vielleicht hatte sie auch während des Sommerfests mit ihm über die Höhle gesprochen, die sie um jeden Preis erhalten wollte.

Ich nahm ein Küchentuch und wischte mir den Schweiß unter dem Hemd weg. Mir zitterten die Hände.

Ich ging hinaus in den Wind, rief den Hund und setzte mich in der Dunkelheit auf Großmutters Bank.

Ich lächelte. Louise war da draußen in der Dunkelheit und lächelte zurück. Ich hatte eine Tochter, auf die ich wahrlich stolz sein konnte.

3

AN EINEM Tag Mitte November kam endlich der Brief, auf den ich gewartet hatte. Da wußte das ganze Schärenmeer, daß ich eine Tochter hatte, die vor den versammelten europäischen Staatsoberhäuptern Unruhe gestiftet hatte. Ich war Hans Lundman immer noch dankbar dafür, daß er scharfsichtig genug gewesen war, um Louise zu erkennen. Seine Gewohnheit, nach schwer deutbaren Objekten am Horizont zu spähen, machte ihn vermutlich auch besonders aufmerksam, wenn er nur eine Zeitung durchblätterte.

Aber alle wußten davon. Jansson hatte bestimmt dazu beigetragen, daß das Gerücht sich verbreitete und aufblähte. Es wurde behauptet, daß Louise vor den versammelten und glotzenden Männern einen raffinierten Striptease aufgeführt hatte, sich bis auf die Haut ausgezogen und sich mit erotischen Bewegungen vor- und zurückgebeugt hatte, bevor sie abgeführt wurde. Da hatte sie Gewalt gegen die Wächter geübt, einen hatte sie gebissen, wobei Blut auf Tony Blairs Schuhe spritzte. Es hieß, sie sei zu einer langen Gefängnisstrafe verurteilt worden.

Eines Tages bekam ich einen anonymen Brief, in dem jemand, der die Unterschrift »Ehrlicher Christ« wählte, seiner Meinung Ausdruck verlieh, daß ich und meine Tochter Menschen seien, die »nicht gebraucht wurden«. Einen kurzen Moment lang verspürte ich großes Unbehagen. Eines Tages würde vielleicht eine Schar ehrlicher Christen die Insel betreten, um mich und Louise anzugreifen.

Louise hielt sich in Amsterdam auf. Sie schrieb, daß sie in einem kleinen Hotel in der Nähe des Bahnhofs und des Rotlichtviertels wohnte. Sie ruhte sich aus und besuchte jeden Tag eine Ausstellung, in der Rembrandts und Caravaggios Kunst miteinander verglichen wurde. Sie hatte reichlich Geld. Total unbekannte Menschen hatten ihr Spenden geschickt, Journalisten hatten große Summen für ihre Geschichte gezahlt. Eine Strafe hatte sie nicht bekommen. Der Brief endete damit, daß sie mich Anfang Dezember zu besuchen gedachte.

In dem Brief hinterließ sie eine Adresse. Ich schrieb sofort eine Antwort, die ich Jansson in die Hand drückte, zusammen mit dem Brief, den ich nicht abgeschickt hatte. Ich bemerkte seine Neugier, als er ihren Namen sah, aber er sagte nichts.

Louises Brief machte mir auch Mut, an Agnes zu schreiben. Nach ihrem Besuch hatte sie nichts von sich hören lassen. Ich schämte mich. Zum ersten Mal in meinem Leben gelang es mir nicht, eine Entschuldigung für mein Verhalten zu finden. Ich konnte nicht beiseite schieben, was an jenem Abend geschehen war.

Ich schrieb ihr und bat um Verzeihung. Nichts weiter, nur das. Ein Brief, der neunzehn Worte enthielt, sorgfältig ausgewählt. Es gab kein einschmeichelndes Wort darin, ebensowenig wie den Versuch einer Ausflucht.

Zwei Tage später rief sie an. Ich war vor dem Fernseher eingeschlafen und dachte, es wäre Louise, die sich meldete, als ich den Hörer an mich riß.

»Ich habe deinen Brief bekommen. Erst hatte ich vor, ihn ungeöffnet wegzuwerfen. Aber ich habe ihn gelesen. Ich akzeptiere deine Entschuldigung. Wenn du das meinst, was du geschrieben hast.«

»Jedes Wort.«

»Du verstehst wohl nicht, woran ich denke. Ich frage nach dem, was du über deine Insel und meine Mädchen geschrieben hast.«

»Natürlich dürft ihr herkommen.«

»Ich wage nicht zu glauben, daß das wahr ist.«

»Es ist wahr.«

Ich konnte hören, wie sie atmete.

»Komm her«, sagte ich.

»Nicht jetzt. Ich muß nachdenken.«

Sie legte auf. Die Hochstimmung, die ich verspürt hatte, als ich Louises Brief las, kehrte zurück. Ich ging hinaus und betrachtete die Sterne und dachte, daß es bald ein Jahr her war, seit Harriet draußen auf dem Eis gestanden hatte und mein Leben in Bewegung geraten war.

Ende November wurde die Küste wieder von einem schweren Sturm heimgesucht. Er kam direkt von Osten und kulminierte am Abend des zweiten Tages. Ich ging hinunter zum Steg und sah, daß der Wohnwagen bedenklich im Wind schwankte. Mit Hilfe von alten Senksteinen und angeschwemmten Hölzern stützte ich ihn an der Rückseite ab. Da hatte ich schon einen alten elektrischen Heizkörper und ein Kabel herbeigeschafft, um es im Wohnwagen warm zu machen, wenn Louise zurückkehrte.

Als der Sturm abgeflaut war, ging ich um die Insel herum. Östliche Stürme konnten viel Treibholz an die Strände werfen. Diesmal fand ich keine Baumstämme. Hingegen war ein altes Steuerhaus von einem Fischerboot an Land getrieben. Zuerst dachte ich, es sei die Spitze eines Schiffs, das im Sturm gestrandet war. Aber als ich mich näherte, sah ich, daß es nur dieses losgerissene Steuerhaus war, das auf meinen Klippen gelandet war. Nach längerer Überlegung ging ich ins Haus und rief Hans Lundman an. Immerhin konnten es die Reste eines schiffbrüchigen Fischerboots sein, die ich gefunden hatte. Eine Stunde später hatte ich die Küstenwache da. Es gelang uns, das Steuerhaus aufs Land zu ziehen und mit Seilen zu befestigen. Hans stellte fest, daß es alt war und daß keine Angaben über vermißte Fischerboote vorlagen.

»Es hat wohl irgendwo an Land gestanden, der Wind hat es zu fassen gekriegt und in die See geworfen. Es ist durch und durch vermodert und war wohl kaum an einem Boot befestigt. Vermutlich ist es dreißig bis vierzig Jahre alt.«

»Was soll ich damit anfangen?« fragte ich.

»Wenn du kleine Kinder hättest, könnte es ein Spielhäuschen werden. So taugt es eigentlich nur noch zum Verheizen.«

Ich erzählte, daß Louise heimkommen wollte. »Ich habe eigentlich nie begriffen, wie es kam, daß du sie in der Zeitung bemerkt hast. Es war ein schlechtes Bild. Trotzdem hast du sie erkannt.«

»Man weiß nie, warum man sieht, was man sieht. Andrea vermißt sie. Es vergeht kein Tag, an dem sie sich nicht die Schuhe anzieht und nach Louise fragt. Ich denke oft an sie.«

»Hast du Andrea das Bild in der Zeitung gezeigt?«

Er sah mich verwundert an. »Natürlich habe ich das getan.«

»Das Bild ist kaum für Kinder geeignet. Sie war doch nackt.«

»Na und? Kindern bekommt es nicht, wenn man ihnen nicht die Wahrheit sagt. Kinder leiden oft unter Lügen, genauso wie wir, die erwachsen sind.«

Er verschwand hinter dem Steuerrad und legte den Rückwärtsgang ein. Ich holte eine Axt aus dem Bootshaus, ging zurück zu dem Steuerhaus und zerhackte es. Es ging leicht, da das Holz vermodert war.

Ich war gerade fertig und hatte den Rücken gestreckt, als ich einen stechenden Schmerz in der Brust verspürte. Da ich viele Male in meinem Leben Gefäßkrämpfe diagnostiziert hatte, erkannte ich, was der Schmerz bedeutete. Ich setzte mich auf einen Stein, tat tiefe Atemzüge, knöpfte das Hemd auf und wartete. Nach etwa zehn Minuten verschwand der Schmerz. Ich wartete weitere zehn Minuten ab, bevor ich ganz langsam nach Hause ging. Es war elf Uhr vormittags. Ich rief Jansson an. Ich hatte Glück, es war einer seiner postfreien Tage. Ich sagte nichts von meinem Schmerz, sondern bat ihn nur, zu kommen und mich zu holen.

»Du hast dich sehr plötzlich entschieden«, sagte er.

»Was meinst du damit?«

»Sonst fragst du gewöhnlich eine Woche im voraus.«

»Kannst du mich holen oder nicht?«

»Ich bin in einer halben Stunde am Steg.«

Als wir an Land gekommen waren, sagte ich, daß ich vermutlich noch am selben Tag zurückkehren würde, aber noch nicht wisse, wann. Jansson platzte fast vor Neugier, aber ich gab ihm keine Antworten.

Im Behandlungszentrum erklärte ich, was geschehen war. Nach einer Wartezeit durchlief ich die üblichen Untersuchungen, ließ ein EKG machen und sprach mit einem Arzt. Er war vermutlich einer von all den angeheuerten Ärzten, die heute zwischen den Behandlungszentren pendeln, weil es kaum noch gelingt, Ärzte für eine längere Zeitspanne zu binden. Er gab mir die Medikamente und die Verhaltensvorschriften, die ich erwartet hatte. Zugleich schrieb er eine Überweisung für eine gründlichere Untersuchung im Krankenhaus.

Ich rief Jansson von der Rezeption aus an und bat ihn, mich abzuholen. Dann kaufte ich zwei Flaschen Kognak und fuhr zurück zum Hafen.

Erst später, als ich wieder auf der Insel war, spürte ich die Angst. Der Tod hatte nach mir gegriffen und meine Widerstandskraft auf die Probe gestellt. Ich trank ein Glas Kognak. Dann ging ich hinaus auf die Klippen und rief direkt übers Meer. Ich schrie meine Angst heraus, die ich als Wut bemäntelte.

Der Hund saß in einiger Entfernung und betrachtete mich.

Ich wollte nicht mehr allein sein. Ich wollte nicht wie eine der Klippen sein, die stumm den unerbittlichen Gang der Tage und der Zeit bezeugen.

Am 3. Dezember unterzog ich mich der Untersuchung im Krankenhaus. Es gab keinen bleibenden Fehler an meinem Herzen. Medikamente, Bewegung und eine geeignete Kost konnten mich noch viele Jahre in Gang halten. Der Arzt war in meinem Alter. Ich sagte ihm wie es war, daß ich früher selbst Arzt gewesen, aber dann dazu übergegangen sei, ein Fischerhaus draußen an der Küste zu bewohnen. Er war freundlich uninteressiert und sagte zum Abschied, daß ich an einer sehr mäßigen Angina litte.

Am 7. Dezember kam Louise. Die Temperatur war gefallen, der Herbst ging langsam in den Winter über. Das Regenwasser in den Felsklüften wurde nachts zu Eis. Sie hatte aus Kopenhagen angerufen und gebeten, daß Jansson sie abholte. Das Gespräch brach ab, ehe ich weitere Fragen stellen konnte. Ich stellte den Heizkörper in ihrem Wohnwagen an, putzte ihre roten Schuhe und bezog das Bett mit sauberen Laken.

Die Schmerzen im Herzen waren nicht wieder aufgetreten. Ich schrieb einen Brief an Agnes und fragte, ob sie mit dem Nachdenken fertig sei. Als Antwort kam eine Ansichtskarte. Sie zeigte ein Gemälde von van Gogh und enthielt einen Text von zwei Worten. »Noch nicht.«

Ich hätte gern gewußt, was Jansson dachte, als er die Karte las.

Louise kam am Steg an Land und hatte nichts anderes dabei als den Rucksack, den sie getragen hatte, als sie abgereist war. Ich hatte mir vorgestellt, sie würde große Koffer mit all dem anschleppen, was sie während ihrer Expedition angesammelt hatte. Der Rucksack wirkte sogar noch leerer als bei ihrer Abreise.

Jansson machte den Eindruck, als wäre er am liebsten am Steg liegengeblieben. Ich reichte ihm einen Umschlag mit der Summe, die er gewöhnlich für seine Fahrten nahm, und dankte für die Hilfe. Louise begrüßte den Hund. Sie schienen einander gleich zu mögen. Ich öffnete die Tür des Wohnwagens, der jetzt aufgewärmt war. Sie stellte den Rucksack ab und folgte mir hinauf zum Haus. Bevor wir hineingingen, stand sie eine Weile auf dem kleinen Grabhügel unter dem Apfelbaum.

Ich kochte Dorsch. Sie langte zu, als hätte sie seit langer Zeit nichts zu essen bekommen. Ich fand sie bleicher und auch dünner als bei ihrer Abreise. Sie erzählte, daß der Plan, in eines der politischen Gipfeltreffen einzudringen, die jährlich stattfanden, schon bestanden hätte, als sie die Insel verließ.

»Ich saß unten auf der Bank am Bootshaus und habe mir alles ausgedacht«, sagte sie. »Ich hatte nicht das Gefühl, daß die Briefe, die ich schrieb, irgendeine Wirkung hatten. Ich erkannte, daß sie vielleicht nur für mich selbst einen Sinn gehabt hatten. Jetzt wählte ich einen anderen Weg.«

»Warum hast du nichts gesagt?«

»Ich kannte dich nicht gut genug. Du hättest vielleicht versucht, mich daran zu hindern.«

»Warum hätte ich das tun sollen?«

»Harriet hat immer versucht, mich dazu zu bringen, das zu tun, was sie wollte. Warum solltest du anders sein?«

Ich versuchte, ihr weitere Fragen über ihre Reise zu stellen, aber sie schüttelte nur den Kopf. Sie war müde, brauchte Ruhe.

Um Mitternacht begleitete ich sie hinunter zum Wohnwagen. Das Thermometer vor dem Küchenfenster zeigte ein Grad plus. Sie schauderte vor Kälte und hakte mich unter. Das hatte sie noch nie getan.

»Ich vermisse den Wald«, sagte sie. »Ich vermisse meine Freunde. Aber jetzt ist hier der Ort, wo der Wohnwagen steht. Es war lieb von dir, ihn für mich aufzuwärmen. Ich werde tief schlafen und von all den Gemälden träumen, die ich während der Monate gesehen habe, die ich von hier fort war.«

»Ich habe deine roten Schuhe geputzt«, sagte ich.

Sie küßte mich auf die Wange, bevor sie im Wohnwagen verschwand.

In den ersten Tagen nach ihrer Heimkehr hielt Louise sich fern. Sie kam zum Essen, wenn ich sie rief, war aber einsilbig und leicht gereizt, wenn ich ihr zu viele Fragen stellte. Eines Abends ging ich hinunter zum Wohnwagen und spähte durch das Fenster. Sie saß am Tisch und schrieb in ein Notizbuch. Plötzlich drehte sie das Gesicht zum Fenster. Ich duckte mich hastig und hielt den Atem an. Sie öffnete die Tür nicht. Ich hoffte, daß sie mich nicht gesehen hatte.

Während ich darauf wartete, daß sie wieder zugänglich wurde, machte ich täglich Spaziergänge mit dem Hund, um nicht einzurosten. Das Meer war bleigrau, immer seltener sah ich Seevögel. Das Schärenmeer war im Begriff, sich in seine Winterhülle zurückzuziehen.

Eines Abends schrieb ich das, was mein neues Testament werden sollte. Alles, was ich besaß, sollte natürlich Louise zufallen. Der Gedanke an das, was ich Agnes versprochen hatte, quälte mich. Aber ich tat, was ich immer tat. Ich schob die Unruhe weg und dachte, es würde sich bestimmt rechtzeitig eine Lösung finden.

Am Morgen des achten Tages nach ihrer Heimkehr saß Louise am Küchentisch und wartete auf mich, als ich gegen sieben Uhr herunterkam. »Jetzt bin ich nicht mehr müde«, sagte sie. »Jetzt kann ich wieder Menschen treffen.«

»Agnes«, sagte ich. »Agnes würde ich gern hierher einladen. Das ist die Frau, bei der ich den falschen Arm amputiert habe. Vielleicht kannst du sie davon überzeugen, mit ihren Mädchen hier zu leben.«

Louise sah mich fragend an, als hätte sie mich nicht verstanden. Ich ahnte nichts von der Gefahr, die nahte.

Ich erzählte von Agnes' Besuch, sagte aber natürlich nichts von dem, was sich zwischen uns abgespielt hatte. »Ich hatte vor, Agnes und ihre Mädchen hierherkommen zu lassen, wenn sie das Haus verliert, in dem sie ihr Betreuungsheim führt.«

»Bist du dabei, deine Insel wegzugeben?«

»Hier gibt es nur mich und den Hund. Warum soll diese Insel nicht endlich wieder nützlich sein?«

Louise schlug wütend nach der Kaffeetasse, die vor ihr

stand. Die Tasse und die Untertasse zersplitterten an der Wand. »Willst du mein Erbe weggeben? Willst du mir nicht einmal etwas von deinem Nachlaß gönnen, wenn ich bisher schon nichts bekommen habe?«

Ich stammelte, als ich antwortete. »Ich gebe ihr nichts. Ich würde sie nur hier leben lassen.«

Louise sah mich lange an. Es war, als hätte ich eine Schlange vor mir. Dann stand sie so heftig auf, daß der Stuhl umfiel. Sie nahm ihre Jacke und ging. Die Tür ließ sie offen. Lange wartete ich darauf, daß sie wiederkam.

Ich schloß die Tür. Endlich verstand ich, was es für sie bedeutet hatte, daß ich eines Tages vor ihrem Wohnwagen aufgetaucht war. Ich hatte ihr eine Zugehörigkeit gegeben. Sie hatte sogar den Wald für das Meer aufgegeben, für mich und meine Insel. Jetzt glaubte sie, ich sei im Begriff, ihr das alles wegzunehmen.

Ich hatte alle Gedanken an das, was mit der Insel geschehen würde, wenn ich einmal fort war, verdrängt. Außer Louise gab es niemand, der Anspruch auf mein Erbe erheben konnte. Irgendwann hatte ich erwogen, die Insel einer Schärenmeerstiftung zu hinterlassen. Das würde nur dazu führen, daß raubgierige Politiker in Zukunft auf meinem Steg saßen und das Meer genossen. Jetzt hatte sich alles verändert. Würde ich in dieser Nacht hinfallen und sterben, würde Louise als meine leibliche Erbin auftreten. Was sie dann tat, war ebenso ihre Freiheit wie ihre Verantwortung.

Während des ganzen Tages zeigte sie sich nicht. Abends ging ich hinunter zum Wohnwagen. Louise hatte sich aufs Bett gelegt. Ihre Augen waren offen. Ich zögerte, bevor ich an die Tür klopfte.

»Geh hier weg!«

Ihre Stimme war schrill und angespannt.

»Wir müssen über das hier reden können.«

»Verschwinde!«

»Mach die Tür auf!«

Ich probierte die Klinke. Es war nicht abgeschlossen. Aber ich kam nicht dazu, die Tür zu öffnen, ehe sie sie aufstieß. Sie traf mich direkt auf den Mund. Die Lippen platzten auf, ich fiel rücklings hin und schlug mit dem Kopf auf einen Stein. Bevor ich mich aufrichten konnte, war sie über mir und schlug mich mit Teilen eines alten Korkgürtels, der auf dem Boden lag, ins Gesicht.

»Hör auf. Es blutet.«

»Es blutet nicht genug.«

Ich bekam den Korkgürtel zu fassen und riß ihn ihr aus den Händen. Da fing sie an, mich mit der Faust auf die Stirn zu schlagen. Schließlich gelang es mir, mich ihrem Griff zu entwinden und mich aufzurappeln.

Wir standen da und keuchten.

»Komm zum Haus herauf. Wir müssen reden.«

»Du siehst furchtbar aus. Es war nicht meine Absicht, dich so hart zu schlagen.«

Ich kehrte in die Küche zurück und erschrak, als ich mein Gesicht sah. Es war voller Blut. Nicht nur die Lippen, sondern auch die rechte Augenbraue waren geplatzt. Sie hat mich kampfunfähig geschlagen, dachte ich. Nicht umsonst hat sie boxen gelernt, auch wenn es jetzt zufällig die Wohnwagentür war, die den besten Schlag gelandet hatte.

Ich wischte mir das Gesicht ab und wickelte Eisstücke in ein Handtuch, das ich gegen den Mund und das Auge drückte. Es verging eine Weile, ehe ich ihre Schritte vor der Tür hörte.

»Wie ernst ist es?«

»Ich werde überleben. Aber neue Gerüchte werden sich auf den Inseln verbreiten. Nicht genug damit, daß meine Tochter sich von den Männern, die unsere Welt lenken, bis auf die Haut auszieht. Obendrein kommt sie nach Hause und benimmt sich gegenüber ihrem alten Vater wie ein geisteskranker Gewalttäter. Du, die geboxt hat, mußt wissen, was mit einem Gesicht passieren kann.«

»Ich habe es nicht so gemeint.«

»Natürlich hast du das. Ich glaube, du wolltest mich eigentlich umbringen, bevor ich ein Testament verfasse, das dich enterbt.«

»Ich war außer mir.«

»Du mußt dich nicht rechtfertigen. Aber du irrst dich. Ich wollte nur Agnes und ihren Mädchen helfen. Weder sie noch ich können sagen, für wie lange es gilt. Das ist alles. Nichts weiter. Keine Versprechungen, keine Geschenke.«

»Ich dachte, du wolltest mich wieder verlassen.«

»Ich habe dich nie verlassen. Ich habe Harriet verlassen. Von dir wußte ich nichts. Sonst wäre vielleicht alles anders geworden.«

Ich leerte das Handtuch aus und füllte neue Eisstücke nach. Das Auge war jetzt fast zugeschwollen.

Allmählich kehrte wieder Ruhe ein. Wir setzten uns an den Küchentisch. Es schmerzte in meinem Gesicht.

Ich streckte die Hand aus und legte sie auf ihren Arm. »Ich nehme dir nichts weg. Das hier ist deine Insel. Wenn du nicht willst, daß Agnes mit ihren Mädchen herkommt und hier wohnt, während sie nach einer anderen Unterkunft sucht, werde ich ihnen natürlich sagen, daß es nicht geht.«

»Es tut mir leid, daß ich dich so zugerichtet habe. Aber

früher an diesem Abend habe ich innerlich genauso ausgesehen.«

»Wir werden schlafen«, sagte ich. »Wir werden schlafen, und morgen wache ich mit ausgeprägten blauen Flecken auf.«

Ich stand auf und ging nach oben in mein Zimmer. Ich hörte, wie Louise die Haustür hinter sich zuschlug.

Wir waren nahe an einem Sturm gewesen. Er war direkt neben uns vorbeigezogen, hatte uns aber nicht ganz verschont.

Etwas geschieht, dachte ich, fast munter. Nichts Großes, aber immerhin. Wir sind auf dem Weg in etwas Neues und Unbekanntes.

Die Dezembertage waren windig und drückend. Am 12. Dezember notierte ich, daß es nachmittags eine Weile schneite, ein spärlicher Schneefall, der bald aufhörte. Die Wolken lagen unbeweglich am Himmel.

Mein blau geschlagenes Gesicht schmerzte und verheilte sehr langsam. Am Morgen nach unserer Schlägerei betrachtete Jansson mich mit offenem Mund, als ich ihn unten am Steg empfing. Louise kam herunter und begrüßte ihn. Sie lächelte. Ich versuchte zu lächeln, ohne daß es mir gelang. Jansson konnte nicht an sich halten, sondern fragte, was geschehen sei.

»Ein Meteor«, sagte ich. »Ein heruntergefallener Stein.«

Louise lächelte immer noch. Jansson fragte nichts mehr.

Ich schrieb einen Brief an Agnes und lud sie auf die Insel ein, um meine Tochter zu treffen. Sie antwortete nach ein paar Tagen und sagte, es sei zu früh. Sie hatte sich auch noch nicht entschlossen, ob sie mein Angebot annehmen sollte. Sie wußte, daß sie sich bald entscheiden mußte. Ich spürte, daß sie immer noch verletzt und enttäuscht war. Vielleicht empfand ich auch eine Erleichterung darüber, daß sie nicht kommen würde. Noch immer verließ ich mich nicht ganz darauf, daß Louise keine neuen Ausbrüche bekam.

Jeden Tag ging ich mit dem Hund einmal rund um die Insel. Ich horchte auf mein Herz. Es war zur Gewohnheit geworden, täglich den Puls zu zählen und den Blutdruck zu messen. Immer abwechselnd einen Tag im Ruhezustand und einen Tag in Bewegung. Mein Herz klopfte ruhig hinter dem Brustbein. Ein seltsamer Wanderer, mein treuester Reisegefährte, dem ich in meinem Leben nicht viele Gedanken gewidmet hatte. Ich ging um die Insel herum, balancierte auf den glitschigen Klippen, blieb hin und wieder stehen und betrachtete den Horizont. Die Klippen und den Horizont würde ich am meisten vermissen, wenn ich von dieser Schäre wegziehen müßte. Dieses Binnenmeer, das sich langsam in einen Sumpf verwandelte, sandte Gerüche aus, die nicht immer angenehm waren. Es war ein ungepflegtes Meer, das einen alten, säuerlichen, verkaterten Geruch hatte. Aber der Horizont war rein, ebenso wie die Klippen.

Als ich meine täglichen Wanderungen in abgeschnittenen Stiefeln machte, wurde ich manchmal von Panik ergriffen. Jetzt sterbe ich, in wenigen Sekunden bleibt mein Herz stehen.

Ich dachte, ich sollte mit Louise über meine Angst sprechen. Aber ich sagte nichts.

Die Wintersonnenwende näherte sich. Eines Tages setzte sich Louise mitten in meiner Küche auf einen Stuhl und bat mich, einen Spiegel zu halten. Mit der Küchenschere schnitt sie ihre langen Haare ab, färbte den Rest rot und lachte zufrieden, als sie nach einigen Stunden das Resultat betrachtete. Ihr Gesicht war deutlicher geworden. Es war, als hätte sie ein Beet von Unkraut befreit.

Am nächsten Tag war ich an der Reihe. Ich hatte versucht, mich zu sträuben, aber ihre Beharrlichkeit war groß. Ich saß auf einem Stuhl in der Küche, und sie schnitt mir die Haare. Ihre Finger waren leicht an der plumpen Schere. Sie sagte, oben am Hinterkopf hätte ich schon schütteres Haar, und außerdem würde mir ein Schnurrbart gut stehen.

»Ich liebe es, dich hier zu haben«, sagte ich. »Alles ist irgendwie deutlicher geworden. Früher, wenn ich mein Gesicht in einem Spiegel betrachtete, war ich nie ganz sicher, was ich sah. Jetzt weiß ich, daß ich es bin, nicht ein zufälliges Gesicht, das flüchtig auftaucht.«

Sie antwortete nicht. Aber ich spürte, daß ein Tropfen auf meine Wange fiel. Sie weinte. Ich tat dasselbe. Die ganze Zeit fuhr sie fort, mir die Haare zu schneiden. Beide weinten wir lautlos, sie mit der Schere hinter dem Stuhl, ich mit einem Handtuch um den Hals. Danach sagten wir nichts, vielleicht weil wir verlegen waren, oder weil es nicht nötig war.

Dieses Erbe teile ich mit meiner Tochter. Wir sprechen nicht unnötig. Wir sind ziemlich schweigsam.

Menschen auf Inseln sind selten laut und gebrauchen nicht viele Worte. Dafür ist der Horizont zu groß.

Eines Tages knotete Louise ein rotes Band um Carras Hals. Die Hündin schien es nicht zu mögen, versuchte aber auch nicht, es abzureißen.

Am Abend vor der Wintersonnenwende saß ich eine Weile am Küchentisch und blätterte in meinem Logbuch. Dann machte ich eine Notiz.

»Das Wasser still, kein Wind, minus ein Grad. Carra trägt ein rotes Band, Louise und ich sind einander nahe.«

Ich dachte an Harriet. Es war, als würde sie dicht neben mir stehen, hinter meinem Rücken, und lesen, was ich schrieb.

4

LOUISE UND ich beschlossen zu feiern, daß die Tage jetzt länger wurden. Am Nachmittag nahm ich meine Medikamente, legte mich auf die Küchenbank und ruhte mich aus.

Ein halbes Jahr war vergangen, seit wir im Dunkel der Sommernacht im Garten gesessen hatten. Heute abend, bei der Wintersonnenwende, würde Harriet nicht dabei sein. Ich vermißte sie plötzlich auf eine Weise, wie ich es früher nicht getan hatte. Auch wenn sie tot war, war sie mir näher denn je. Warum sollte ich aufhören, mich nach ihr zu sehnen, nur weil sie tot war?

Ich blieb auf der Bank liegen. Es dauerte lange, bis ich mich zwang, aufzustehen, um mich zu rasieren und umzuziehen. Ich entschied mich für einen Anzug, den ich fast nie trug. Mit ungeübten Händen band ich einen Schlips. Das Gesicht, das ich im Spiegel sah, erschreckte mich. Ich war alt geworden. Ich zog eine Fratze und ging hinunter in die Küche. Die Dämmerung vor der Nacht, der längsten des Jahres, war angebrochen. Das Thermometer zeigte minus zwei Grad. Ich nahm eine Decke und setzte mich auf die Bank unter dem Apfelbaum. Die Luft war frisch, kühl, ungewöhnlich salzig. In der Ferne Vogelrufe, immer seltener.

Ich muß da auf der Bank eingeschlafen sein. Als ich aufwachte, war es dunkel. Ich fror. Es war sechs Uhr, ich hatte fast zwei Stunden geschlafen. Louise stand am Herd, als ich hereinkam.

Sie lächelte. »Du hast geschlafen wie eine alte Frau«, sagte sie. »Ich wollte dich nicht wecken.«

»Ich bin eine alte Frau«, antwortete ich. »Meine Großmutter hat da auf der Bank gesessen. Sie war immer verfroren, außer wenn sie von sanft rauschenden Birken träumte. Ich bin vielleicht im Begriff, mich in sie zu verwandeln.«

Es war warm in der Küche. Der Herd und der Ofen brannten, die Fenster waren beschlagen.

Bald verbreiteten sich seltsame Düfte in der Küche. Louise reichte mir einen Löffel aus einem dampfenden Topf. Es schmeckte irgendwie wie altes Holz, das von der Sonne gewärmt war. Säuerlich und süß, außerdem bitter, verlockend, fremd.

»Ich mische Welten in meinen Eintöpfen«, sagte Louise. »Wenn wir essen, finden wir heim zu Menschen, die in Teilen der Welt wohnen, welche wir nie besucht haben. Düfte sind unsere ältesten Erinnerungen. Das Holz, mit dem unsere Vorfahren heizten, wenn sie sich in den Höhlen versteckten und die blutigen Tiere an die Wände ritzten und malten, muß auf die gleiche Art gerochen haben, wie es heute riecht. Wir wissen nicht, was sie dachten, aber wir wissen, wie das Holz roch.«

»Es gibt also etwas, was Bestand hat in allem, was veränderlich ist«, sagte ich. »Es sitzt immer eine frierende alte Frau auf einer Bank unter einem Apfelbaum.«

Louise summte, während sie das Essen zubereitete.

»Du reist allein um die Welt«, sagte ich. »Da oben im Wald bist du von Männern umgeben.«

»Prima Kerle gibt es überall. Aber es ist schwierig, einen richtigen Mann zu finden.«

Sie hob abwehrend die Hand, als ich fortfahren wollte.

»Nicht jetzt, nicht später, niemals. Wenn ich etwas zu

erzählen habe, sage ich es. Natürlich gibt es Männer in meinem Leben. Aber das sind meine, nicht deine. Ich glaube nicht daran, daß man alles teilen soll. Wenn man zu tief in anderen gräbt, riskiert man, daß die Freundschaft zerstört wird.«

Ich reichte Louise einige Topflappen. Sie hatten schon immer in der Küche gehangen, ich erinnerte mich an sie aus der Zeit, als ich ein Kind war.

Sie hob einen großen Topf vom Feuer und nahm den Deckel ab. Es roch stark nach Pfeffer und Zitrone. »Es soll in der Kehle brennen«, sagte sie. »Kein Gericht ist richtig zubereitet, wenn man nicht schwitzt, während man ißt. Essen ohne Geheimnisse füllt den Bauch mit Enttäuschung.«

Ich sah, wie sie in dem Topf rührte und den Inhalt vermischte.

»Frauen rühren«, sagte sie. »Männer schlagen und schneiden und hacken. Frauen rühren und rühren und rühren.«

Ich ging hinaus, um vor dem Essen einen Spaziergang zu machen. Unten am Steg spürte ich plötzlich den brennenden Schmerz in der Brust. Es tat so weh, daß ich beinahe zusammenbrach.

Ich rief nach Louise. Als sie kam, dachte ich, ich würde in Ohnmacht fallen.

Sie hockte sich sofort vor mich hin. »Was ist los?«

»Das Herz. Gefäßkrämpfe.«

»Du willst doch nicht sterben?«

Ich brüllte mitten durch den Schmerz hindurch. »Ich sterbe nicht. Es gibt eine Dose mit blauen Tabletten an meinem Bett.«

Sie eilte davon. Als sie zurückkam, gab sie mir eine Tablette und Wasser. Ich hielt ihre Hand. Dann ließ der

Schmerz nach. Ich war ganz verschwitzt und zitterte am ganzen Körper.

»Ist es vorbei?«

»Es ist vorbei. Es ist nicht gefährlich. Aber es tut weh.«

»Vielleicht ist es besser, wenn du dich hinlegst.«

»Auf keinen Fall.«

Wir gingen langsam hinauf zum Haus.

»Hol ein paar Kissen von der Küchenbank«, sagte ich. »Wir setzen uns eine Weile hier draußen auf die Treppe.«

Sie kam mit den Kissen zurück. Wir saßen dicht beieinander, sie hatte den Kopf an meine Schulter gelegt. »Ich will nicht, daß du stirbst. Ich verkrafte es nicht, meine beiden Eltern so kurz hintereinander sterben zu sehen.«

»Ich werde mich am Leben erhalten.«

»Denk an Agnes und ihre Mädchen.«

»Ich weiß nicht, ob etwas daraus wird.«

»Sie werden kommen.«

Ich drückte ihre Hand. Das Herz schlug jetzt ruhig. Aber der Schmerz lauerte da drinnen. Ich hatte meine zweite Warnung erhalten. Ich konnte noch viele Jahre leben. Aber auch für mich gab es ein Ende.

Unser Festessen zerbröckelte. Wir aßen, saßen aber nicht mehr am Tisch. Ich ging hinauf und nahm das Telefon mit. In meinem Schlafzimmer gab es einen Stecker, den ich nie benutzte. Es war Großvater, der ihn während der letzten Jahre hatte anbringen lassen, als er ebenso wie meine Großmutter kränklich zu werden begann. Er wollte anrufen können, wenn es einem von ihnen so schlecht ging, daß die Treppe zum Erdgeschoß zu lang und zu steil war. Ich konnte mich nicht entscheiden, ob ich anrufen sollte. Schließlich war es ein Uhr, aber das kümmerte mich nicht. Ich wählte die Nummer. Sie meldete sich fast sofort.

»Entschuldigung, daß ich dich geweckt habe.«

»Du hast mich nicht geweckt.«

»Ich will nur wissen, ob du deinen Entschluß gefaßt hast.«

»Die Mädchen und ich haben darüber gesprochen. Sie schreien nein, sobald sie etwas von einer Insel hören. Sie wissen nicht, was es bedeutet, ohne Straßen oder Asphalt oder Autos zu leben. Es macht ihnen angst.«

»Sie müssen sich zwischen dem Asphalt und dir entscheiden.«

»Ich glaube, ich bin am wichtigsten.«

»Das bedeutet also, daß ihr kommt?«

»Ich antworte nicht jetzt, mitten in der Nacht.«

»Darf ich glauben, was ich glaube?«

»Ja. Und jetzt machen wir Schluß. Es ist spät.«

Es klickte im Hörer. Ich streckte mich auf dem Bett aus. Sie hatte es nicht geradeheraus gesagt, aber ich begann trotzdem zu glauben, daß sie kommen würde.

Ich lag lange wach. Vor einem Jahr hatte ich hier gelegen und gedacht, daß nichts mehr geschehen würde. Jetzt hatte ich sowohl eine Tochter als auch einen Gefäßkrampf. Das Leben hatte am Lenkrad gedreht und eine neue Richtung eingeschlagen.

Als ich aufwachte, war es sieben Uhr.

Louise war schon auf. »Ich muß für eine Weile hinauf in die Wälder fahren«, sagte sie. »Aber kann ich dich allein lassen? Kannst du versprechen, daß du nicht stirbst?«

»Wann kommst du zurück?« fragte ich. »Wenn du nicht so lange fortbleibst, werde ich mich am Leben erhalten.«

»Im Frühling. Aber ich bleibe nicht die ganze Zeit da oben im Wald. Ich reise weiter.«

»Wohin?«

»Ich habe einen Mann getroffen, als die Polizei mich entlassen hat. Er wollte über die Höhlen und die verschimmelten Wandmalereien sprechen. Es endete damit, daß wir auch über andere Dinge sprachen.«

Ich wollte fragen, wer er war.

Aber sie legte einen Zeigefinger über den Mund. »Nicht jetzt.«

Am nächsten Tag holte Jansson sie ab. »Ich trinke viel Wasser«, rief er, als das Boot rückwärts vom Steg ablegte. »Trotzdem bin ich immer durstig.«

»Wir müssen später darüber reden«, rief ich zurück.

Ich ging hinauf zum Haus und holte das Fernglas. Dann folgte ich ihnen mit dem Blick, bis das Boot im Dunst hinter Höga Siskäret verschwunden war.

Jetzt blieben nur der Hund und ich. Meine Freundin Carra.

»Hier wird es genauso still werden wie gewöhnlich«, sagte ich zu dem Hund. Wenigstens noch für einige Zeit. Dann werden hier Häuser gebaut. Und Mädchen werden viel zu laut Musik hören, sie werden rufen und fluchen und manchmal diese Insel hassen. Aber sie werden kommen, und damit müssen wir leben. Ein paar Wildpferde sind unterwegs.«

Carra trug immer noch ihr rotes Band. Ich nahm es ab und ließ es im Wind fortflattern.

Spät am Abend saß ich vor dem Fernseher. Der Ton war leise.

Ich horchte auf mein Herz.

In der Hand hatte ich mein Logbuch. Ich notierte, daß die Wintersonnenwende jetzt vorbei war.

Dann stand ich auf, legte das Logbuch weg und holte mir ein anderes, das noch leer war.

Am nächsten Tag würde ich etwas ganz anderes schreiben. Vielleicht einen Brief an Harriet, den abzuschicken es jetzt viel zu spät war.

5

IN DIESEM Winter breitete sich das Eis nicht aus.

Es staute sich drinnen am Festland und in den Buchten der Inseln. Aber die Förden blieben zum Meer hin offen. Ende Februar kam eine Periode mit schneidender Kälte und hartnäckigen nördlichen Winden. Aber Jansson konnte seinen Hydrokopter nicht einsetzen, und ich mußte mir an den Posttagen nicht die Ohren zuhalten.

Einen Tag nachdem die starke Kälte von milderem Wetter abgelöst wurde, geschah etwas, was ich nie vergessen werde. Ich hatte gerade die dünne Eisschicht aufgehackt, die mein Loch bedeckte, und war eingetaucht, als ich entdeckte, daß der Hund auf dem Steg lag und auf etwas herumkaute, was wie ein Vogelskelett aussah. Da Hunde sich in der Kehle verletzen können, ging ich hin und nahm ihm den Knochen aus dem Maul. Ich warf ihn in den gefrorenen Tang an der Strandkante und ermahnte den Hund, mir zum Haus hinauf zu folgen.

Erst später, als ich mich angezogen hatte und mir wieder warm war, erinnerte ich mich an den Knochen. Ich weiß noch immer nicht, was mich trieb, aber ich steckte die Füße in die abgeschnittenen Stiefel, ging hinunter zur Brücke und suchte nach dem Knochen. Der Splitter stammte bestimmt nicht von einem Vogel. Ich setzte mich auf den Steg und drehte und wendete ihn. Konnte es ein Teil von einem Nerz oder einem Hasen sein?

Dann wurde mir klar, was ich in der Hand hielt. Es konnte nichts anderes sein. Es war ein Stück von einem

Bein meiner verschwundenen Katze. Ich legte es auf den Steg vor meine Füße und fragte mich, wo der Hund es gefunden hatte. In mir war eine gefrorene Trauer darüber, daß die Katze schließlich wiedergekehrt war.

Ich nahm Carra zu einer Wanderung rund um die Insel mit. Nirgends witterte sie neue Knochenreste, nirgends gab es irgendwelche Spuren. Nur diesen einzigen kleinen Knochen, als hätte die Katze mir einen Gruß geschickt, um zu sagen, daß ich mir weder Gedanken machen noch sie suchen mußte. Sie war tot, und das schon seit langer Zeit.

Ich schrieb in meinem Notizbuch über den Knochen. Ein paar Worte.

»Der Hund, der Knochen, die Trauer.«

Ich begrub den Katzenknochen neben den Gräbern von Harriet und dem Hund. Es war Posttag, und ich ging hinunter zum Steg. Jansson kam pünktlich wie immer angetuckert. Er legte am Steg an und verkündete, daß er sich müde fühle und ständig durstig sei. Nachts habe er oft Wadenkrämpfe.

»Es kann Diabetes sein«, sagte ich. »Davon kommen solche Symptome. Ich kann dich nicht hier untersuchen, aber du solltest dich ins Behandlungszentrum begeben.«

»Ist es tödlich?« fragte er besorgt.

»Nicht unbedingt. Es läßt sich behandeln.«

Ich konnte nicht verhindern, daß ich eine gewisse Genugtuung darüber verspürte, daß Jansson jetzt auch, wie wir alle, den ersten Kratzer in seiner Rüstung bekommen hatte.

Er sann über meine Antwort nach, beugte sich dann hinunter und holte ein großes Paket aus dem Hellegatt, das er mir reichte.

»Ich habe nichts bestellt.«

»Davon weiß ich nichts. Aber es ist für dich. Und du mußt nichts für die Sendung bezahlen.«

Ich nahm das Paket in Empfang. Mein Name stand säuberlich in schönen Druckbuchstaben darauf geschrieben. Es war kein Absender angegeben.

Jansson legte rückwärts vom Steg ab. Auch wenn er jetzt an Diabetes leiden sollte, würde er noch viele Jahre leben. Jedenfalls würde er mich und das Herz überleben, das mir seine ersten Warnungen geschickt hatte.

Ich setzte mich in die Küche und machte das Paket auf. Es enthielt ein Paar schwarze Schuhe mit einer Schattierung ins Violette. Giaconelli hatte eine Karte geschrieben, auf der er mitteilte, er würde »mit inniger Freude meinen Füßen seinen großen Respekt zollen«.

Ich wechselte die Socken, zog mir dann die Schuhe an und ging in der Küche herum. Sie paßten genau so gut, wie er es versprochen hatte. Der Hund betrachtete mich, wie er da auf der Schwelle zur Diele lag. Ich ging hinein und zeigte den Ameisen meine neuen Schuhe.

Ich konnte mich nicht erinnern, wann ich zuletzt eine solche Freude empfunden hatte.

Für den Rest des Winters drehte ich jeden Tag mit den Schuhen von Giaconelli in der Küche ein paar Runden. Ich ging nie mit ihnen ins Freie, und ich legte sie immer in ihren Karton zurück.

Anfang April kam der Frühling. Noch immer lag das Eis in meiner Bucht. Aber bald würde es auch hier geschmolzen sein.

An einem frühen Morgen fing ich an, den Ameisenhügel zu entfernen.

Es war jetzt an der Zeit. Es duldete keinen Aufschub.

Ich verwendete den Spaten, hob Stück für Stück den Ameisenhügel heraus und in die Schubkarre.

Der Spaten stieß plötzlich auf einen klirrenden Gegenstand. Als ich ihn von Tannennadeln und Ameisen befreit hatte, sah ich, daß es eine der leeren Flaschen von Harriet war. Es war etwas in der Flasche. Ich machte sie auf. Darin lag ein zusammengerolltes Foto von uns beiden, aus der letzten Zeit, die wir in unserer Jugend zusammengewesen waren.

Wir standen an einem Gewässer. Vielleicht war es Riddarfjärden. Der Wind zerzauste Harriets Haare. Ich lächelte direkt in die Kamera. Ich erinnerte mich, daß wir einen fremden Mann gebeten hatten, das Foto zu machen.

Ich drehte es um. Auf die Rückseite hatte Harriet eine Karte gezeichnet. Sie stellte meine Insel dar. Unter das Kartenbild hatte sie geschrieben: »Bis hierher sind wir gekommen.«

Ich saß lange in der Küche und betrachtete die Fotografie.

Dann fuhr ich fort, die Ameisen in ihre neue Zukunft zu tragen. Am Abend war es geschafft. Der Ameisenhügel war versetzt worden.

Ich ging rund um meine Insel. Über das Meer flogen die Formationen der Zugvögel.

Es war, wie Harriet geschrieben hatte: Bis hierher waren wir gekommen.

Nicht weiter. Aber bis hierher.

INHALT

Eine Reise mit Henning Mankell durch Afrika

»Afrika ist die Wiege der Menschheit. In Afrika finden wir Europäer etwas, was wir bei uns verloren haben«, sagt Henning Mankell, für den Afrika seit über dreißig Jahren eine zweite Heimat ist. Die Autoren sind mit ihm durch fünf afrikanische Länder gereist. Sie treffen ehemalige Kindersoldaten in Uganda, Boat-People im Senegal, Aidswaisen und Straßenkinder in Mosambik. Sie unterhalten sich mit dem Musiker Salif Keita und besuchen das Teatro Avenida in Maputo. Durch persönliche Bekanntschaften und Gespräche lernen sie den Mythos von Afrika und die politische Realität, die allgegenwärtige Armut und die überwältigende Menschlichkeit besser zu verstehen. Eine unvergessliche Reise, in eindrucksvollen Fotos dokumentiert.

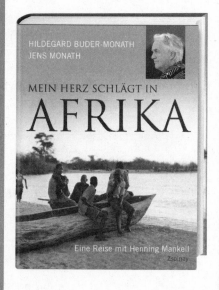

HILDEGARD BUDER-MONATH
JENS MONATH

MEIN HERZ SCHLÄGT IN

AFRIKA

Eine Reise mit Henning Mankell

Zsolnay

Deuticke Zsolnay

224 Seiten mit zahlreichen farbigen Abbildungen. Gebunden
www.zsolnay.at